D0275185

Henny Thijssing-Boer

In de schaduw van een kind

Uitgeverij Zomer & Keuning

ISBN 978 90 2053 441 2
ISBN e-book 978 90 2053 442 9
NUR 344

© 2014, Uitgeverij Zomer & Keuning, Utrecht
Oorspronkelijke uitgave © 1983, Gottmer
Omslagontwerp GBU Grafisch compleet

HOOFDSTUK 1

'Ik ga naar bed, moeder... Ik ben moe...' Het kwam er stroef uit, maar zo wás de sfeer sinds haar thuiskomst: stroef en gespannen.

'Doe maar kindje, je ziet er ook moe uit...' Wietske Postema blikte haar dochter wat vermanend aan toen ze eraan toevoegde: 'Probeer morgen nu eens een beetje vrolijk te zijn, Geertje! Gooi over het verleden een schep zand. Dat is het beste, voor ons allemaal...!'

Geertjes stem klonk honend-wrang toen ze antwoordde: 'Een schép zand, moeder...? U weet net zo goed als ik dat er op heel de wereld geen zand voldoende is om mijn verleden daaronder te kunnen begraven!'

Het verleden waarover Geertje sprak kwelde ook Wietske, maar ondanks dat schoot ze in de lach en zei: 'Je kunt de dingen ook te lang willen vasthouden en daardoor de boel zwartgallig blijven zien, meidje...! Jij bent net zeventien, de wereld ligt nog aan je voeten!'

'Voor mijn part had de wereld mogen vergaan...'

Een golf van medelijden overspoelde Wietske toen ze weer eens zag hoe haar dochter nog aldoor onder het gebeurde gebukt ging. In een poging haar wat op te monteren en haar te laten zien dat het leven altijd en ondanks alles weer perspectieven bood, zei ze: 'Morgenavond krijgen we bezoek, verheug je daar maar op!'

'Wie...?' Een woord boordevol achterdocht.

'Willem en Marie de Groot en... Evert komt mee...!'

Terstond begreep Geertje de reden van dit bezoek. Vader en moeder wilden haar aan Evert de Groot koppelen! Omdat hij een boerenzoon was en enkel door dat feit goed bij haar paste. Een jaar geleden zou Evert niet in aanmerking zijn gekomen. Toen waren zijn bunders lang niet voldoende om bij die van Geertje Postema te passen. Maar in een jaar kan er onnoemelijk veel veranderen...

'Ik dacht dat wij jou een plezier deden door mensen uit te nodigen en jou wat afleiding te bezorgen,' haalde Wietske haar dochter uit haar gepeins.

Fel blonken Geertjes groene ogen haar moeder tegen toen ze zei: 'Blijf maar gewoon eerlijk, moeder, en zeg waar het op staat. Jullie willen mij aan Evert koppelen. Omdat hij net als ik ook enig kind is en een boerderij achter zich heeft staan!'

Wietske diende haar dochter van repliek door te weerleggen: 'Omdat Evert, net als jij, ook jong is en vrij. Daarom, Geertje.'

'Ik ben niet vrij...'

'Toe kindje, doe toch niet voortdurend zo stug. Werk liever wat mee! Het is immers jouw geluk dat vader en ik op het oog hebben!'

Geertjes jonge stem daalde tot een nauwelijks verstaanbaar gefluister: 'Jullie hebben mijn geluk... gestolen. Gewoon van de hand gedaan! Dat vergeet ik nooit, moeder, en dat kan ik nog minder vergeven.'

De zucht, die Wietskes gedachten omsloot, was hoorbaar. Dit kind ook, wat hadden Melle en zij daar wat mee te stellen. Als een blad aan een boom was ze veranderd, hun Geertje. Ze was koppig geworden, eigengereid en dwars. Ze was ook zo angstig volwassen geworden... Geertje wilde maar niet begrijpen dat het domweg had moeten gebeuren. Voor haar eigen bestwil. Vóór haar tijdelijk vertrek uit huis was het wichtje zo meegaand en gewillig geweest, achteraf beschouwd leek het alsof ze toen niet begreep wat er gaande was...

Maar nu ze weer thuis was en ze een streep door het verleden konden trekken, proefden Melle en zij voortdurend haar felle verwijt. En dat deed zo zeer. Kinderen opvoeden was het moeilijkste wat je je in je leven voor kon stellen, bedacht Wietske. Als het te laat was besefte je pas dat het eenmalig was, dat je de klok niet terug kon zetten. Toch hadden Melle en zij naar beste weten gehandeld, een beslissing genomen voor Geertje omdat er geen andere keus overbleef. Ze moesten toch aan Geertjes toekomst denken en aan de hoeve. Geertje wilde of kon dit allemaal nog niet begrijpen, maar daar zou ongetwijfeld verandering in komen als ze met Evert de Groot een nieuw leven aanving!

Wietske Postema's hoop was geheel op de toekomst gericht. Evert zou bij machte zijn het verleden te begraven en de toekomst weer licht en zonnig te maken. Dit denken stemde haar gelukkig en als Geertje nu een beetje meegaander was...

In Wietskes stem lag een zekere dreiging toen ze zei: 'Morgen is het zaterdag; wat mij betreft kun jij dan doen en laten wat je wilt. Je mag de hele dag met een lang gezicht rondlopen als je morgenavond maar vriendelijk bent. Een beetje opgeruimd, begrepen? Tegen Evert doe je aardig en over het verleden, over dat éne jaar... zwijg jij, net zoals wij daarover zullen zwijgen. Een heel leven lang, begrepen, Geertje?'

'Wat moet ik allemaal nog méér begrijpen, moeder...?' In een paar jonge, groene meisjesogen lag het zeer van een vrouw die in haar leven al té veel had meegemaakt. En ze was nog maar net zeventien, Geertje Postema...

Wietske zag dat zeer niet, wellicht wilde ze het ook liever niet zien. Ze zei: 'Het zou geen kwaad kunnen als jij je neus weer eens in de wind stak, Geertje! Jij bent nog altijd die je bent: Geertje Postema, op dit dorp een begrip! Dank zij vader en mij is iedereen onkundig gehouden en respecteert men jou als voorheen. Profiteer daarvan en wees ons, je ouders, dankbaar inplaats van ons voortdurend je verwijt te laten voelen!'

'Welterusten, moeder,' negeerde Geertje haar moeders raad en liet blijken een totaal andere mening te zijn toegedaan.

'Moet je vader niet ook welterusten wensen? Hij is even naar achteren om de boel te inspecteren voor de nacht, maar hij kan elk moment naar het vooreind komen!'

'Wenst u vader maar welterusten van me... Ik ben moe.'

Met deze woorden, stug en stroef uitgesproken, wilde Geertje de huiskamer verlaten maar Wietske weerhield haar. 'Kan er geen nachtzoen meer af, kindje...?'

Met zichtbare tegenzin liep Geertje op haar moeder toe en drukte een vlinderlichte kus op haar voorhoofd. 'Zo goed...?'

Er blonken tranen in Wietskes ogen toen ze fluisterde: 'Nee, het is nog lang niet goed maar het kómt allemaal goed, mijn deerntje...! Vertrouw daar maar op!'

Wietske Postema bezat twee dingen die haar dochter volkomen miste: hoop en vertrouwen. Die hielden haar staande; ze keek er de toekomst mee in. Toen ze die avond in bed tegen Melle aan kroop, fluisterde ze: 'Het komt weer goed, Melle. Het komt allemaal weer goed!'

En Melle Postema, de rijkste boer uit heel de wijde omgeving, antwoordde zelfverzekerd: 'Natuurlijk komt het weer goed, vrouw! Dat heb ik aldoor al geweten. We namen destijds de juiste beslissing. Het wicht is nu nog niet zover, maar eens zal ze ons dankbaar wezen!'

'Dat hoop ik toch zo...' fluisterde Wietske en voor haar geestesoog verscheen daarbij de boerderij van boer Willem de Groot. Lang niet zo groot als die van hen, maar het wás een boerderij en Evert wás een boerenzoon! Het kwam allemaal weer goed...

Die mening kon Geertje niet delen, nog lang niet. Terwijl haar ouders in de aangrenzende kamer hun oog op de toekomst richtten, drong het verleden zich bij Geertje op. Klaarwakker staarde ze naar de balken zoldering boven haar. Ze zag geen toekomst, geen heden, ze herbeleefde het verleden, waarin Janske de Jong zo'n grote rol had gespeeld. Janske en zij, goed vijftien waren ze toen. Kinderen nog die wisten dat ze verboden dingen deden, maar daarvan de draagwijdte onmogelijk konden bepalen. Ze waren beiden 'stout' geweest maar Janske zou nooit worden gestraft. Janske wist niet en zou nooit weten!

Ondanks alles wat er was gebeurd droeg ze Janske geen kwaad hart toe. Omdat ze beiden even ondeugend waren geweest kon Janske niet als dé schuldige worden aangewezen, vond ze. Sinds haar thuiskomst had ze Janske eens heel toevallig in het dorp ontmoet. Janske had haar gegroet en daarbij een beetje verlegen gelachen alsof hij wilde zeggen: Weet je nog...?

Ze had teruggegroet. Een beetje afstandelijk en ze deed net alsof ze zijn stille wenk niet snapte. Maar ze wist het deksels goed. Ze zou het nooit vergeten, haar leven lang niet. Die dag toen Janske, de zoon van de dorps kruidenier, het boodschappenboekje kwam halen, zou ze nooit kunnen vergeten. Ze wist elk woord nog dat er tussen hen beiden gesproken was.

Ze had op het zandpad dat van hun hoeve naar het dorp voerde gewandeld, toen Janske haar van achteren naderde.

'Er zijn werkpaarden en luxe paarden!' had Janske gelachen terwijl hij van zijn transportfiets sprong.

'En zo hoort dat ook!' had zij gekscherend gedaan. Janske had zijn tong naar haar uitgestoken en ze had gevraagd: 'Ben je bij ons geweest?'

'Ja, en jullie zijn mijn minste klant!'

'Dat moet je tegen mijn moeder zeggen; neemt ze onmiddellijk een andere kruidenier!'

'Ben je gek, zo bedoel ik het niet!' schrok Janske zichtbaar waarna hij verduidelijkte: 'Wat afname betreft en de betaling en zo, zijn jullie juist een van pa's beste klanten. Hij zou jullie niet graag verliezen, hoor! Ik doelde op de afstand tussen jullie hoeve en het dorp. Daar heb ik een gruwelijke hekel aan. Nu het volop zomer is en mooi weer is het wel te doen, is het zelfs wel een plezierig ritje, maar in de herfst en bij de winterdag foeter ik altijd als pa me opdracht geeft om bij jullie het boekje te gaan halen. En dan, een paar dagen later, moet ik met die zware manden aan het stuur en vaak door weer en wind nog eens diezelfde afstand! Dan heb ik vaak medelijden met mezelf!'

Ze had onverschillig geschokschouderd: 'Tja, we wonen nu eenmaal een eind buiten het dorp op de ruimte, maar dat is ook nodig als je de vele bunders land van vader ziet,' en ze had met een brede armzwaai en niet zonder trots Janske op hun bezittingen gewezen.

'Een zoon van een armzalig kruideniertje en de dochter van een rijke hereboer; het verschil is duidelijk te zien,' had Janske gelachen. 'Maar toch konden wij het op de lagere school goed samen vinden. Of niet soms?'

Ze had beamend geknikt en Janske wist zich te herinneren dat hij na schooltijd of zaterdags, als hij eens een keertje niet in de winkel hoefde te helpen, naar hun hoeve kwam om daar met haar, Geertje Postema, te komen spelen.

Dat zij dat ook niet vergeten was liet ze merken door op een zijpad te wijzen dat langs een lap haver liep. 'Op dat pad hebben wij samen eens gezeten. Het was toen ook zomer en net als nu stond er op die lap land ook haver die bijna rijp was. Jij had verschillende kleuren zilverpapier bij je. We plukten elk een handvol haver en wikkelden om ieder zaadje een stukje gekleurd papier. Het werd een boeket dat nooit verwelkte.'

Janske had gelachen: 'Als we dat nu weer eens deden, even op dat pad in de berm zitten? We hoeven geen haver te plukken, daarvoor zijn we nu te groot. Enkel wat praten over onze schooltijd?'

'Mij best, ik heb de tijd!'

'En ik neem de tijd!' had Janske overmoedig gedaan.

'Mooi is het hier, vind je niet?' zei Janske toen ze op het plekje zaten dat zij gewezen had, 'en zo stil!'

'Ik zit hier heel dikwijls. Met een boek of soms zomaar te niksen en te dromen.'

'Jij hebt een lui leventje, Geertje Postema!'

'Vergis je niet, Janske de Jong! Ik heb dagelijks een boel huiswerk en daar heb ik gruwelijk de pest aan! Ik zou best met jou willen ruilen; werken in plaats van moeten leren!'

'Is het moeilijk op de hbs?'

'Als je een beetje hersens hebt niet, maar voor een dom wicht als ik ben, wel. Hartstikke moeilijk zelfs! Ik heb nooit goed kunnen leren. Op de lagere school – dat weet jij vast nog wel – kon ik al haast niet meekomen. Maar ik heet nu eenmaal Geertje Postema en dat betekent dat je naar de hbs gaat ook al steek je er niks op! Ik ben vrij goed in Engels omdat die taal me interesseert, maar dat is dan ook alles!'

'Toch ben je overgegaan...?'

'Ja, met de nodige bijlessen!' Ze had hem olijk aangezien toen ze zei: 'Ouderavonden of zomaar een bezoek van mijn vader aan mijn leraar doen voor mij wonderen. Ra, ra, hoe kan dat...?'

Dat Janske vlug van begrip was toonde hij door op te merken: 'Geld is macht.'

Ze zwegen een tijdje tot Janske zei: 'Ik vind het zo jammer dat onze klas nadat we van school kwamen, uit elkaar groeide omdat dat standsverschil er is.'

'Verklaar je eens nader!' had zij hem niet dadelijk begrepen.

Janske zei: 'Tijdens de schooljaren leek het alsof we allemaal gelijken waren. We speelden samen en jij nam iedereen die dat wilde, mee naar jullie hoeve. Ik ben vaak genoeg bij jullie in de huiskamer geweest, waar je moeder dan een kopje thee voor ons inschonk! Dat was hartstikke fijn en heel gewoon, maar dat veranderde op slag toen we van de lagere school kwamen! Nu word ik in jullie keuken gelaten omdat ik de boodschappen moet brengen, maar reken maar niet dat er mij ooit een kop thee wordt aangeboden! En als ik het boekje kom halen, moet ik aan de zijdeur wachten. Dan mag ik geen voet over de drempel zetten, dat is ongepast!'

'Je hebt nogal te klagen over ons...'

'Nee, niet over jullie alleen. Zo is het overal! Dat is het standsverschil waarop ik daarnet doelde. En dat blijf ik jammer vinden.'
Zo hadden ze wat heen en weer gebabbeld. Ze hadden gelachen om dwaze voorvallen uit hun schooltijd, ze waren ook heel ernstig geweest. Kinderlijk ernstig toen ze het er over eens werden dat zij beiden later nooit met elkaar konden trouwen omdat het standsverschil dat belette. Een boerendochter paste niet in een kruidenierswinkeltje en Janske zou niet weten hoe hij een omvangrijk bedrijf als dat van hen zou moeten besturen.

Ze waren het er ook over eens dat dat heel niet erg was want wat het woord liefde inhield, daarmee hielden ze zich nog niet bezig. Met liefde niet, maar wat daar zo heel nauw mee samenhing wel... En dat gebeurde plotseling, zonder woorden, en zonder dat ze het wilden of ervan uitgingen. Zo maar, omdat ze elkaar aanraakten, streelden, steeds feller. Daarna waren ze dodelijk verlegen tegen elkaar geweest en Janske, met een vuurrode kleur, had grappig pogen te doen toen hij zei: 'Ik moet weer op huis aan. Mijn fiets zal niet weten waar ik blijf.'

Zij was ook opgestaan en terwijl ze haar rok schikte had ze nuchter gezegd: 'Die had je anders meegesleept het paadje in... Die was getuige...'

Tegenover elkaar hadden ze toen op het paadje gestaan en naar haar gevoel had Janske oud gedaan toen hij zei: 'We zijn te ver gegaan, Geertje...'

'Had je eerder moeten bedenken.'

'Ik dacht helemaal niet... Het kwam zomaar, hè?'

'Ja...'

'Dit moet niemand weten,' zei hij zichtbaar nerveus en bang. 'Dat zou behoorlijk stom zijn, om het aan de grote klok te hangen...'

'Blijven we vrienden, Geertje?'

'We wáren schoolvrienden, Janske,' had zij, te kattig wellicht, hem gewezen waar zijn plaats was.

'Je bent duidelijk, Geertje Postema,' had Janske haar begrepen en toen was hij op zijn transportfiets gestapt en was uit haar leven gereden. Voortaan paste ze wel op dat ze hem niet tegen het lijf liep. Als hij het boekje kwam halen was zij ver van te voren al op haar hoede. Dan was ze in geen velden of wegen te bespeuren. En zo was het ook als Janske een aantal dagen later de boodschappen kwam bezorgen.

In hun nog kinderlijke onschuld waren ze te ver gegaan, maar hoeveel te ver, dat zou Janske de Jong nooit aan de weet komen. Janske zou nooit kleur hoeven te bekennen, zou nooit worden gestraft. Zij alleen moest boeten en zo wilde ze het ook. De straf die ze kreeg toebedeeld was ongenadig hard, die veranderde niet enkel haar leven maar veel meer nog haarzelf.

Ze was niet meer de Geertje Postema van vroeger. Niet meer die vrolijke, dartele vlinder die meende dat heel het leven een pretje was. In een jaar tijds voelde ze zich vaak oud geworden, heel wijs en dikwijls... levensmoe.

'Ik ben denk ik zwanger... Ik word niet ongesteld...' Nooit van haar leven zou ze die woorden, een aantal weken na haar ontmoeting met Janske tegen haar moeder geuit, vergeten.

Moeder schrok niet eens. In plaats daarvan schoot ze in de lach en zei: 'Ik ben me ervan bewust, deerntje, dat jij ons telkens voor verrassingen kunt plaatsen, maar dit is een lachertje, is onmogelijk, hoor! Een kind dat een kind moet krijgen; dat zou zo vreselijk zijn en daarom kan het niet. Jij bent nog zo jong, dan wil de menstruatie nog weleens wat ongeregeld uitvallen. Wat is dat ook een rare praat om zomaar te zeggen: ik denk dat ik zwanger ben. Je moest je liever schamen om zulke onzin uit te kramen!'

'Het is geen onzin... Het is echt waar...'

Toen had moeder haar aangezien zoals ze dat nooit eerder had gedaan. Onder die blik had zij zich ineen voelen krimpen, toen had ze zich heel... smerig gevonden...

Toen moeder gesmoord fluisterde: 'Heb jij dan met... een jongen...? God, kind... zeg in vredesnaam dat dat niet waar is...' had ze enkel geknikt. Met diep gebogen hoofd.

Toen geloofde moeder haar. Ze vroeg tenminste, met een heel merkwaardige bibber in haar stem: 'Met wie heb jij...? Spreek, Geertje!'

Vastberaden Janske de Jong buiten spel te laten had ze gefluisterd: 'Dat weet ik niet...'

'Heb je dan met meer jongens...?'

''k Weet niet...' Hoe dikwijls ze die paar woorden in de weken die volgden, had gefluisterd zou ze nu bij geen benadering meer weten. Ze wist alleen, heel zeker van zichzelf, dat ze Janske moest sparen. Het waarom daarvan vroeg ze zich niet eens af. Janske had er niks mee nodig, die moest enkel buiten schot worden gehouden. Punt, uit! 'Hoelang is het geleden dat je ongesteld bent geweest... voor de laatste keer bedoel ik...?' wilde moeder toen weten.

'Een week of acht geleden... Ik weet het niet zo precies.'

Moeder had eerst heel erg gefoeterd. Met ingehouden stem, want de meiden behoefden het niet te horen. Daarna, en dat was veel erger, had ze alsmaar geschreid en gesnikt: 'Wat een schande... wat een schande! Wat moeten we hier mee aan, dit kunnen we niet hebben... Die schande is niet te dragen...'

'Moet vader dit per se weten, moeder?' had ze kleintjes gevraagd en later realiseerde ze zich pas hoe dwaas die vraag was. Hij kwam dan ook zuiver voort uit angst voor vaders reactie.

Moeder had haar aangezien alsof ze het in Keulen hoorde donderen en had gefluisterd: 'Vanzelfsprekend moet je vader dit weten, wat dacht jij dan! Vanavond spreek ik met vader en morgen hoor je wel wat er besproken is. Hoe en wat we hiermee aan moeten.'

Jammer genoeg had moeder niet tot de avond gewacht. Zij lag nog niet in bed, ze zaten in de huiskamer achter de koffie toen moeder opeens begon te huilen. Toen moest vader vanzelfsprekend weten waar die tranen zo plotseling vandaan kwamen en toen snikte moeder: 'Vraag dat maar aan je dochter... die weet daar alles van! Die weet en doet meer dan wij beiden voor mogelijk hielden, Melle...'

Vader had haar verwonderd aangezien en toen ze zweeg en enkel het hoofd diep boog, zei hij streng: 'Geertje...!'

Toen had ze dezelfde woorden herhaald: 'Ik ben zwanger...'

Vaders blik zocht die van moeder en toen die knikte mompelde vader heel raar: 'Vijftien jaar en dan... zwanger...?'

'Ik ben al bijna zestien...'

Vader had ook willen weten wie de boosdoener was, maar net als tegen moeder, zei ze tegen hem dat niet te weten. Wat er ook gebeurde, had ze zich heilig voorgenomen, al kreeg ze klappen, ze zou de naam Janske de Jong nooit uitspreken!

In tegenstelling tot moeders gefluister was vader luidkeels gaan tieren. Moeders: 'Denk om de meiden, Melle...! Ze zijn al zo nieuwsgierig aangelegd... Dit vreselijke mag niet uitlekken, mag niet naar buiten toe...' deed vaders stem echter ogenblikkelijk weer dalen tot fluisteren. Vader hield zijn stem in toen hij gesmoord fluisterde: 'Daar heb jij volkomen gelijk in, vrouw!' Hij had Geertje aangezien terwijl hij het woord tot moeder richtte toen hij vervolgde: 'Dit zál niemand aan de weet komen want dat kind wordt niét geboren...! Zo zeker ik Melle Postema ben, zo zeker weet ik dat daar wel iets aan te doen is...!' Wat klonk die stem dreigend, haast moordlustig. Ze werd toen zo vreselijk bang. Moeder ook, ze sloeg haar hand tenminste vol schrik voor haar mond en fluisterde: 'Nee Melle... dat gebeurt niet, dat is moord...'

Op dat moment realiseerde zij zich voor het eerst eigenlijk pas dat er iets verschrikkelijks met haar aan de hand was. Ze was in een hysterische huilbui uitgebarsten en vader noch moeder troostte haar.

Vader had haar streng de kamer uitgestuurd: 'Hou op met dat gejammer...! Ga naar je kamer en vlug een beetje...!'

Ze was al bij de deur toen hij zei: 'En denk er om dat je hier met geen mens over spreekt, begrepen...! Moeder en ik zullen wel kijken wat er aan te doen is. Eerdaags hoor jij dat wel...'

Er volgden toen dagen waarin ze zich absoluut verloren voelde. De sfeer in het vooreind was ondragelijk; ze mocht niet naar achteren en vader en moeder negeerden haar als was ze lucht. Daar kon ze niet tegen en ze begreep haar ouders niet. In het verleden was ze toch zo dikwijls ondeugend geweest? En al was ze enig kind, verwend was ze nooit. Ze kreeg altijd de straf die ze verdiende en daarbij werd ze noch door vader, noch door moeder ontzien. Maar zo'n straf duurde nooit dagen achtereen en vader en moeder deden nooit zoals nu: ze lieten haar links liggen, net alsof ze hier niet thuishoorde, alsof ze minder was dan de meiden.

Op een woensdagavond, toen de meiden niet thuis waren omdat die op vrijersavond vrij waren en naar het dorp gingen, werd ze door moeder van haar kamer gehaald. 'Je moet beneden komen. Vader en ik willen met je praten...'

Ze zag dadelijk dat moeder geschreid had. Haar ogen waren vochtig en rood en in haar stem lag een snik. Was het dan allemaal zo erg...? En wat ging er dan nu met haar gebeuren...? Opeens was ze erg bang geworden en had ze gefluisterd: 'Wat gaat vader met me doen, moeder...?'

Toen had moeder een arm om haar schouder geslagen en had

gesmoord gefluisterd: 'Kijk niet zo bang en opgeschrikt, deerntje... Vader is toch geen boeman! Net als ik heeft vader enkel het beste met je voor. Vertrouw daar op... Kom, Geertje... Vader wacht...'

Wat deed dat goed dat moeder opeens weer zo lief deed en vader was ook niet zo bars, zo op een verre afstand. Toen ze achter moeder aan de huiskamer binnenkwam wees hij haar een stoel: 'Ga eens zitten, mijn deerntje... Moeder en ik en nog enkele andere mensen hebben een oplossing voor jouw probleem weten te vinden!' En hij had haar blij aangezien. En terwijl vader vertelde wat er gebeuren ging, besefte ze dat vader en moeder in de achter hen liggende dagen niet stil hadden gezeten. De rest begreep ze niet zo goed, de helft van hetgeen vader allemaal zei drong niet tot haar door. Op vaders indringende stem knikte ze enkel. Wat kon ze anders. Zo zou het wel het beste zijn, zo zou het wel moeten. Wel naar om zo lang van huis weg te moeten... naar volslagen vreemden... Waren die mensen aardig...?

Ach, ze was toen nog zo onnozel, ze geloofde elk woord van vader of moeder. Ze snapte eigenlijk heel niet goed wat er aan de hand was. Ze besefte enkel dat ze heel dom was geweest en heel erg ondeugend. Ze moest een jaar het huis uit. Voor straf en omdat de mensen niks mochten weten. Ze ging naar Bussum, daar was de natuur volgens moeder wonderlijk mooi. Hoe kon moeder dat weten? Ze was daar nooit geweest. Moeder was nooit verder geweest dan de stad Groningen... Geertje ging naar een nicht van een vroegere vriendin van moeder. Ze mocht de nicht tante Beppie noemen en haar man oom Sjaak. Dat klonk wel vriendelijk.

Het waren mensen van vader en moeders leeftijd; dikke veertigers en ze hadden daar in Bussum een schoenenzaak waar enkel de elite kwam kopen. Goede schoenen en goed duur. Vader vertelde dat ze daar zou blijven tot het kindje was geboren. Ze kwam daar als een nichtje dat flink ziek was geweest en aan moest sterken. Ze mocht zich niet te veel laten zien. Oom en tante namen haar de weekeinden, als de zaak gesloten was, wel mee naar buiten. Het zou haar daar aan niets ontbreken; ze hoefde niets en mocht alles. Alleen niet de straat op! Daarvoor was ze te zwak, begreep Geertje wel? Ze begreep het niet, maar ze knikte. Het was ook allemaal zo onwezenlijk, dat nieuwe leven dat ze aan moest vangen ver van de hoeve verwijderd. Ze knikte ook maar braaf, toen vader vervolgde: 'Zondag komt men je halen, maar pas op, Geertje! Hier op het dorp zal men niet beter weten of jij bent naar Engeland om de taal daar terdege te leren! Bij Hollandse mensen, vrienden, an kennissen van ons, logeer jij een jaartje omdat het op school toch niet wil vlotten en daar jij alleen maar goed bent in Engels, grijpen wij die kans aan met de hoop dat je later lerares Engels kunt worden. Het is een aannemelijk verhaal dat erin zal gaan als koek. En daar hoef jij niets aan te doen, dat wordt allemaal voor je geregeld! Ik ga naar je school en praat met het hoofd, ik strooi in het dorp het verhaal persoonlijk rond en het enige dat jij moet doen is... zwijgen! Begrijp je dat...!'

'Ik ga dus niet echt naar Londen...?'

'Je gaat naar Bussum, maar voor het oog van het volk ga je naar Londen. Is dat nou zo moeilijk te snappen, kind...?' was vader ietwat geërgerd uitgevallen. Moeder had hem gesust: 'Gun haar een beetje tijd, Melle... Het is zo veel opeens allemaal. Ze kan het niet zo vlug bevatten.'

Ze dacht toen nog het wel te begrijpen. Ze vroeg: 'Ik moet naar Bussum toe om het kindje daar geboren te laten worden? Dat kan hier niet op de hoeve...? Als het geboren is... mag ik dan weer om naar huis komen, moeder...?'

Met een punt van haar schort had moeder haar tranen weggewist toen ze zei: 'Ja... mijn meidje... dan kom je weer naar huis... Ik kijk nu al naar die dag uit...!'

Dan sprak vader weer en zijn woorden zou ze niet licht vergeten: 'Jij komt weer naar de hoeve, maar het kind... blijft ginder!'

'Waarom...' had ze van vader naar moeder geblikt.

'Omdat jij met een kind al je kansen zult verspelen, daarom!' had vader gezegd en ook: 'En dat kan een vooraanstaand meidje als jij bent, je niet veroorloven. Jij moet aan je toekomst denken en aan de hoeve. Het kind gaat naar zeer gegoede mensen die zelf kinderloos zijn en er dolgraag eentje willen adopteren. Daar wordt allemaal voor gezorgd, dat wordt geregeld! Jij hebt een vreselijke misstap begaan, maar die wordt je door moeder en mij vergeven als jij gewillig meewerkt. Als je belooft te zullen zwijgen. Een leven lang, Geertje!'

Vader had toen nog veel meer gezegd, maar dat wist ze allemaal niet meer. Ze wist alleen dat ze een tijd lang weg moest van huis, maar daarna werd alles weer goed! Dan was die nare spanning hier niet meer in huis, dan was zij gewoon weer Geertje Postema! Vader en moeder hielden weer van haar en ze zou mogen lachen en blij zijn! Daar had ze veel, zo niet alles voor over, dat haar leventje weer gewoon werd. En moeder verzekerde haar telkens dat dit verreweg de beste oplossing was. Aan het kind moest ze maar niet te veel denken, zei moeder. Dat kwam bij heel lieve mensen terecht en zou het aan niets ontbreken!

Zo vertrok ze naar Bussum en ze dacht haast nooit aan het kindje dat in haar groeide en bezig was een echt mensje te worden. In de eerste tijd althans dacht ze niet veel aan het kindje. Daarvoor had ze het te druk met zichzelf en met dit nieuwe leven waarin ze zich onwennig en verloren voelde.

Oom en tante waren aardig, tante soms heel bezorgd en lief en in de weekeinden trokken ze er gedrieën op uit. Dan lieten oom en tante haar de mooiste plekjes zien die het Gooi rijk was. Van die uitstapjes genoot ze, maar 's avonds in bed kwamen toch altijd weer de tranen.

Eerst waren dat tranen van verdriet, van heimwee naar het oude vertrouwde, naar vader en moeder en de hoeve, maar naarmate de maanden vorderden en dus ook haar zwangerschap, werden de tranen die ze in stilte vergoot van een geheel ander kaliber. Heel langzaamaan ging ze toen beseffen wat er werkelijk aan de hand was met haar. Ze realiseerde zich wat de woorden: 'Ik ben zwanger' inhielden. Ze was inmiddels zestien geworden maar ze voelde zich soms gewoon oud.

Op een avond toen ze in bed lag en aan thuis dacht en opkomende tranen achter haar ogen en in haar keel voelde prikken, voelde ze in zich... leven. Het was net alsof een klein garnalenvingertje tegen haar buikwand tikte als wilde het troosten: stil maar, huil maar niet om mij... Die nacht schreide ze onafgebroken.

In de maanden die volgden werd haar heimwee naar huis steeds groter. Ze verlangde vooral hevig naar moeder. Ze stelde vragen waarom vader en moeder heel niet kwamen? Ze kreeg daarop geen afdoend antwoord tot ze eens toevallig op een brief stuitte die op tantes bureautje lag. Ze herkende onmiddellijk het handschrift van moeder en zonder ook maar een moment na te denken haalde ze de brief uit de enveloppe. De brief stond vol vragen over haar, Geertje. Hoe ze het maakte, of ze gezond was en haar eetlust goed? Was ze gewillig en stelde ze geen lastige vragen? Onder aan de brief schreef moeder: In je vorige brief aan ons schreef je dat Geertje zo dikwijls naar ons vroeg en dat ze duidelijk heimwee had. Dat zit me verschrikkelijk dwars, maar desondanks moet ik je berichten, Beppie, dat ik niet kán komen. In de toestand waar ze momenteel verkeert kan ik het kind niet zíén. Ik zou dat figuur nooit weer kwijt worden. Ze is als kind bij ons weggegaan en zo wil ik haar weer thuis krijgen. Zonder nare herinneringen, zonder een beeld van haar dat me een leven lang zou achtervolgen. Juist omdat we moeten vergeten kan en wil ik niet met haar zwangerschap en de groei daarvan, geconfronteerd worden.

Moeder had nog meer geschreven maar zonder dat te lezen had ze de brief gevouwen en teruggedaan in de enveloppe. Ze wist genoeg: Moeder wilde haar niet zien, haar dikke buik kon moeder niet verdragen... Moeder wilde niks met het kindje te maken hebben...

Toen realiseerde ze zich dat het werkelijk pas weer goed zou worden als het kindje geboren was en zij alleen naar de hoeve terugkeerde. Vanaf die tijd keek ze verlangend uit naar het tijdstip van de geboorte. Ze wilde weer naar huis. Naar de hoeve, naar dat plekje grond in het hoge noorden van Groningen, waar ze hoorde. Waar vader en moeder waren, waar alles zo heel eigen en vertrouwd was. Ze wilde zo dolgraag weer kind zijn, het jonge wichtje dat mocht lachen en huilen, dat ondeugend mocht zijn en uitgelaten vrolijk. Ze wilde zijn die ze was; Geertje Postema, jong, blij en levenslustig. En dat kon pas als het kindje geboren was. In haar allesoverheersende verlangen naar huis werd het kindje een lastige hinderpaal, tót ze op een nacht wakker werd door vreemde pijnscheuten in haar buik. Ze werd bang, dacht niet aan de geboorte maar veel eerder aan een erge ziekte waaraan ze best eens zou kunnen sterven...! Met zo'n vreselijke pijn kon een mens toch niet blijven leven! Ze riep tante Beppie die heel lief voor haar was en haar troostte: nee hoor, ze ging niet dood, het kindje wilde geboren worden. Doodsbang voor hetgeen komen zou en al dat vreemde had ze fluisterend gevraagd: 'Moet ik nu naar het ziekenhuis...?'

Nee, ze bleef gewoon thuis. Oom was al onderweg om de verloskundige te halen. Een oudere dame, ze woonde betrekkelijk dichtbij en kon er elk moment zijn. Geertje mocht zich nergens zorgen over maken want alles kwam goed!

Alles komt weer goed... alles komt weer goed... alles komt weer goed, die woorden hamerden onafgebroken in haar hoofd tussen en tijdens de weeën.

Op een bepaald moment werd de pijn ondragelijk en gilde ze om moeder. Tante boog zich bezorgd over haar. Toen was de pijn plotseling weg en hoorde ze een dun stemmetje dat het op een krijsen zette... De stem van haar kindje, dat haar kwam begroeten...

Nog altijd hoorde ze dat tere geluidje dat zo veel in haar wakker had geschud. Ze hoefde haar ogen daarvoor niet eens te sluiten en het kon verbeelding zijn, maar naarmate de tijd vorderde kwam het haar voor als werd dat stemmetje steeds klagender. Net alsof er een verwijt in lag... Ze wist nog dat ze toen verschrikkelijk moe was geweest. Totaal uitgeput, maar dat duurde niet lang en toen had ze gevraagd: 'Is het nu allemaal voorbij...?'

'Ja, het is voorbij en je hebt je kranig gehouden, hoor!'

Waar is het... Mag ik het heel even vasthouden...?'

Nee, ze mocht het niet heel even vasthouden. Niet koesteren en liefhebben. Ze mocht het niet eens even zien...

Ze had het kindje in zich gevoeld, het groeide en groeide en het begroette haar af en toe. Het had haar stilletjes getroost als ze zich 's avonds in bed in slaap schreide maar ze mocht het níét even zien...

Ze had toen geschreid. Eerst stil en verdrietig en niet-begrijpend, later opstandig en wanhopig. Ze had ook gegild en dreigend tegen tante geschreeuwd: 'Ik wil weten wat het is, dat móét u me vertellen... Dat moet, hoort u...!'

Tante had diep gezucht: 'Wat maak je het me moeilijk, meisje! Jij zou geen vragen stellen en ik zou eventuele vragen niet beantwoorden, dat was de afspraak... Maar ik heb zo'n medelijden met je en daarom zal ik die ene vraag niet onbeantwoord laten: Het was een meisje... Nu moet je gaan slapen en geen vragen meer stellen...'

Geen vragen meer stellen, maar ze zat stikvol vragen die om een antwoord schreeuwden. Ze vergat haar belofte, ze wilde daaraan domweg niet denken, ze stelde andermaal een vraag. 'Was het een... mooi kindje...?'

'Het was kerngezond... Ga nu slapen...'

'Ik ga slapen als ik het even heb gezien... Heel eventjes maar... toe, alstublieft, tante...'

'Dat kan niet, Geertje, dat is onmogelijk... Tijdens de geboorte waren de adoptie-ouders hier al in huis. Na de geboorte hebben ze het dadelijk meegenomen... Het is in goede handen, en het wordt met liefde en zorg grootgebracht; wees daar nou toch gerust op, kindje...'

'Hoe heet het...' had ze willen weten maar ook daarop kreeg ze een vaag antwoord: 'De ouders kiezen een naam voor het kindje...'

De ouders... Maar zij voelde zich de ouder, zo heel erg de moeder...! Jong als ze was begreep ze toen opeens alles en het verwijt in haar begon te groeien. Een diep verwijt jegens alles wat volwassen was. Vader en moeder stonden bovenaan op haar lijstje...

Een paar weken bleef ze nog in Bussum, toen mocht ze naar huis. Terug naar de hoeve, naar het oude vertrouwde, wat had ze daar in de achterliggende maanden vurig naar uitgezien, maar nu het eindelijk zo ver was, voelde ze geen blijdschap. Enkel doffe gelatenheid, een volkomen leeg gevoel, vergezelde haar op de terugreis naar huis. En eenmaal thuis besefte ze haarscherp dat het nooit weer zou worden zoals het was geweest omdat zijzelf volkomen veranderd was. Ze voelde zich geen zeventien, maar veel ouder en wijzer. Ze zat boordevol verwijt jegens vader en moeder en al die anderen die er aan hadden meegeholpen om haar haar kindje afhandig te maken.

Tijdens de duur van haar zwangerschap had ze niet volkomen beseft wat er gaande was en wat er ging gebeuren. Ze was daarvoor te jong en te onnozel geweest. Ze was een onmondig kind dat elke raad van ouderen aannam en opvolgde, dat gehoorzaamde. Ze liet met zich sollen, liet zich gelaten leven. En tijdens de geboorte had ze enkel die afschuwelijke pijn gevoeld, dacht ze alleen aan zichzelf. Maar toen opeens was daar dat dunne stemmetje en dat veranderde alles. Diep in haar zorgde dat stemmetje voor een radicale ommekeer. Het maakte haar volwassen en... moeder.

Ze was moeder geworden, ze had het leven geschonken aan een

wezentje dat haar klagend begroette, dat haar hart ogenblikkelijk stal maar ze mocht het niet zien... Een klein meisje, ze mocht het niet vasthouden, niet koesteren omdat vader en moeder de schande ervan niet konden dragen... Omdat Geertje Postema haar aanzien in het dorp niet mocht verliezen... Omdat de kroon niet van de hoeve mocht worden geduwd...

Een fel verwijt groeide in haar jegens vader en moeder en dat verwijt wilde niet wijken. Zo kwam ze terug.

Het zou nooit allemaal weer goed komen, zoals haar dat voortdurend was beloofd. Ze kwam niet als het kind Geertje terug, maar als een volwassen geworden vrouw. Als moeder die naar het meisje dat ze had gebaard, verlangde.

Over het kindje werd thuis nooit gesproken, dat werd doodgezwegen. En zij, ze stelde geen lastige vragen meer; het gebeurde was onherroepelijk en daarom waren vragen zinloos. Moeder had haar aangeraden om over het verleden een schep zand te gooien, maar besefte moeder dan niet dat zij, vanonder bergen zand vandaan, altijd dat stemmetje zou blijven horen...? Een heel leven lang...?

Toen de staande klok beneden in de gang twaalf dreunende slagen deed horen, schrok Geertje Postema op uit haar diep gepeins. Twaalf uur al en ze was juist zo heel vroeg naar bed gegaan! Dat betekende dus dat ze urenlang had liggen piekeren. Het verleden was weer aan haar voorbijgetrokken, ze had het herbeleefd en zo zou dat vermoedelijk nog diverse malen gebeuren omdat het onuitwisbaar was... Het zou nooit verleden worden, nooit in de vergetelheid geraken omdat het kindje leefde en kerngezond was. Een klein meisje, waarvan ze gedwongen afstand had moeten doen, zou altijd heel dicht bij haar zijn...

Geertje zuchtte diep toen ze bedacht: morgenavond moet ik een vrolijk gezicht trekken, want dan komt Evert de Groot met zijn ouders op bezoek...! Ze werden aan elkaar gekoppeld, zij en Evert. Zonder liefde voor elkaar werden ze uitgehuwelijkt voor het welzijn van een paar boerderijen. Voor bunders vette Groninger klei. En op die klei kluiten zou haar leven verdergaan en ze mocht daarbij haar zwijgplicht nooit vergeten...

HOOFDSTUK 2

'Moet jij je niet om gaan kleden...?' blikte Wietske Postema haar dochter vragend aan toen het die bewuste zaterdag naar de klok van zevenen liep. 'Ze kunnen er zo dadelijk zijn en jij loopt nog rond in je dagelijkse plunje!'

'Waarom zal ik me opdoffen? Deze jurk zit me prettig...'

'Vlecht je haar dan in elk geval even opnieuw en leg de vlechten weer eens om je hoofd vast. Dat stond je altijd zo pittig! Tegenwoordig laat je je haar maar los hangen of er bungelt een vlecht op je rug. Je weet niet half hoe slordig dat staat!'

Geertje wilde haar moeder niet opzettelijk kwetsen, maar ze kon niet verhelpen dat ze wrang zei: 'Als vader een paard verkoopt, doft hij het dier van tevoren ook op... Dat scheelt in de verkoopprijs...'

'Waar slaat dat nu weer op...?'

'Dat ik me verkoopbare waar voel...'

'Toe Geertje... je hebt beloofd dat je vanavond in elk geval vriendelijk zou zijn... een beetje meegaand...' In Wietskes stem lag iets smekends.

'Ik heb de laatste tijd al zo veel moeten beloven... ik word er zo moe van... Beloven en zwijgen, iets anders heb ik amper gehoord!'

Toen ze de gekwelde blik in haar moeders ogen zag kreeg ze medelijden en zei vergoelijkend: 'Om u te plezieren zal ik mijn zondagse jurk aandoen en mijn vlechten vastleggen. Ik zal mijn dunne kousen aandoen en mijn rijglaarsjes, is het dan goed...?'

Om Wietskes mond beefde een glimlach toen ze haar dochter tegenknikte: 'Ja kindje, dan is het goed...'

Terwijl Wietske na Geertjes vertrek uit de huiskamer, de koffieboel inspecteerde die door de eerste meid was binnengebracht, waren haar gedachten met Geertje bezig. Zoals het wichtje was veranderd, dat hadden zij warempel niet kunnen voorzien... Het leek soms alsof ze haar jeugd in Bussum had achtergelaten. Geertjes blije lach die voorheen zo dikwijls de hoeve vulde, bleef achterwege en het wichtje verzorgde zich amper meer. Vroeger kon ze uren voor de spiegel staan pronken met zichzelf. Ze mocht zo graag mooi zijn, ze was zelfs ijdel, terwijl ze nu zo slordig was als ik weet niet wat! Ze liep elke dag in een oude rok en een blouse, die ze normaliter allang zou hebben afgedankt. Er kwam ook niks uit haar handen! Ze las geen boek, terwijl ze die vroeger verslond; ze nam nooit meer een handwerkje ter hand. Melle klaagde ook al over het feit dat Geertje nooit achter kwam en schijnbaar geen interesse meer had voor het bedrijf, waarmee ze zich vroeger toch zo nauw verbonden voelde. Maar daarvan wist zij de reden! Een dag of wat geleden had zij tegen Geertje gezegd: 'Wat hang je toch aldoor verveeld in het vooreind rond, waarom ga je niet eens naar achteren! Vader mist je daar, meidje...!'

Toen had Geertje gezegd: 'Ik mag toch geen lastige vragen beantwoorden! Niet naar waarheid, tenminste...? Aan liegen heb ik een broertje dood en dus blijf ik maar liever in het vooreind, moeder...'

'Stellen de arbeiders jou dan... vragen...?' had zij moeten weten en Geertje had verteld: 'Als ik achter kom willen de arbeiders dat ik Engels spreek...! Die taal, hun volkomen onbekend, schijnen ze grappig te vinden en wie beter dan Geertje kan het hun voordoen? Ik ben immers bijna een jaar in Londen geweest, weet u nog, moeder...?' had het wicht cynisch gedaan.

Wietske zuchtte diep. Wat was het toch vreselijk dat dit hun dochter had moeten overkomen... Hun Geertje, dit had niet mógen zijn... Maar het was gebeurd en Geertje was Geertje niet meer. Zeventien jaar, een kind nog maar dat zag je niet meer. Haar jonge ogen, voorheen zo levenslustig en stralend ondeugend, stonden nu veel te ernstig in haar gezichtje. Ze was voller geworden en haar lange, donkere haar doffer, maar ze borstelde het ook maar zelden meer. De kuiltjes, die vroeger bij elke lach zo spontaan en guitig in haar wangen sprongen, leken niet meer te bestaan. Geertje lachte niet meer. Of het wichtje aan het kind dacht...? Die vraag stelde zij zich herhaaldelijk. In stilte, want er mocht niet over gesproken worden. Ze moesten vergeten...

Als Geertje nu straks maar wat aardig deed tegen Evert... Zij en Melle hadden onlangs een gesprek gehad met Willem en Marie de Groot. Een lang gesprek, waaruit ze gewaar werden dat Evert wel wat in Geertje zag! Evert had een tijd lang verkering gehad met Anske Wieringa, wier vader een onbeduidend keuterboertje was. Die verkering was door Evert uitgemaakt een paar weken vóór Geertje weer naar huis kwam. Evert de Groot was weer vrij man en vanzelfsprekend zag hij wel iets in hun Geertje! Net als iedereen was hij gelukkig onwetend over het gebeurde, maar hij wist deksels goed dat Geertje Postema een uitstekende partij was! Honderdvijftig bunder vruchtbaar bouwland, dat bewerkt werd door dertien arbeiders! Zestien paarden, die ruimschoots onderdak vonden op de 'peergang'. Koeien, schapen, kippen, alles was bij hen ruimschoots aanwezig. Drie grote schuren, een bijschuur en een kapschuur en niet te vergeten het mooie, voornaan aandoende vooreind met zijn vele vertrekken die stuk voor stuk op zalen geleken. Geertje Postema was en bleef de rijkste boerendochter uit heel de wijde omgeving en Evert de Groot mocht zijn handen dichtknijpen dat Geertje hem wilde! Dat Geertje hem wilde...? Ze móest hem nemen, ze had geen andere keus...! Geertje, jong als ze was, had haar kansen verspeeld.

Dat was het ergste van alles, vonden zij en Melle, dat Geertje niet meer te kiezen had. Er waren jongens die haar veel meer konden bieden dan Evert, maar daarvoor was geen tijd meer. Geertje moest aan de man worden gebracht, want stel dat iets dergelijks haar nog eens overkwam... Of dat het gebeurde over een tijdje alsnog uit zou lekken...? Daar waren zij en Melle als de dood voor, dat het gebeurde in de openbaarheid zou komen! Wat bleef er dan over van hun aanzien, hun macht, hun welgesteldheid? Men zou hen met de vinger nawijzen...! Ze moesten zwijgen, maar Geertje was nog zo jong en zo onbezonnen. Eén woord van haar zou niet enkel haar eigen leven maar ook dat van Melle en haar, Wietske, aan diggelen smijten. Daarom moest Geertje aan de man worden gebracht en wel zo vlug mogelijk. Daarom keken zij en Melle verlangend uit naar de komst van Evert de Groot, die onder normale omstandigheden niet in aanmerking zou zijn gekomen.

Het kon bijzonder raar lopen in een mensenleven, vond Wietske Postema stil.

'Zo ken ik je weer!' glom Wietske vergenoegd toen Geertje beneden kwam en ze zag dat het wichtje zich netjes had opgeknapt.

Ze droeg nu een lief kleedje dat haar rank figuurtje mooi uit liet komen en ze had haar vlechten opnieuw ingelegd en op haar hoofd samengevoegd. Niet zonder trots prees ze Geertje: 'Je mag er zijn, hoor! Je bent een mooi deerntje!'

'Dat vind ik ook!' klonk een lachende stem achter hen en toen ze tegelijkertijd omkeken blikten ze in het blozende gezicht van Marie de Groot.

'Kom jij er alleen op af...?' Wietske staarde haar ietwat verbaasd aan.

Marie vertelde: 'Nee hoor, Willem is achter, evenals Evert. Op de deel troffen we jouw Melle en je weet zelf hoe het boeren dan vergaat: ze raken niet uitgepraat en denken geen moment aan het vooreind!'

'Ga zitten, dan schenk ik voor ons drietjes vast een kopje koffie in!' deed Wietske bedrijvig en gastvrij. Terwijl ze een klontje in de kopjes liet vallen, vervolgde ze: 'Dat wist ik niet eens, dat Melle achter was! Ik was in de veronderstelling dat hij zich in de slaapkamer aan het verkleden was! Mannen...!' Ze schudde bij dat laatste verwonderd het hoofd.

'Melle had zijn loperspak al aan, hoor!' wist Marie 'maar om deze tijd van het jaar, nu het vee buiten loopt en het volop zomer is en daardoor in de schuren schoon, kan dat niet zo veel kwaad, dunkt mij.'

'Daar trekt Melle zich anders bar weinig van aan,' lachte Wietske vermaakt. 'Die denkt niet aan zijn loperspak als hij naar achteren trekt. En of het zomer of winter is, dat maakt voor Melle geen verschil. Zonder gewetensbezwaren stapt die met zijn goeie goed aan tussen de koeien, hoor!'

Marie knikte en wendde zich tot Geertje: 'Hoe is het, meidje? Wel blij zeker hè, dat je weer thuis bent? Het lijkt me heel wat voor zo'n jong ding als jij bent, om zolang van huis te moeten! Vertel eens, hoe was het daarginder? Je spreekt nu zeker wel een aardig mondje Engels?'

'Gaat wel...' Geertje viste met het lepeltje in haar kopje naar het klontje en toen ze dat opschepte en in zijn geheel in haar mond stak, bedacht ze: Met volle mond mag ik niet praten en eer dit ding gesmolten is...

Wietske zocht en vond een ander plannetje om Maries vragen te ontlopen. Ze zei tegen Geertje: 'Loop jij eens naar achteren en haal het mansvolk naar het vooreind! Dat duurt daar ja van eeuwigheid tot amen!'

Geertje stond op en voor ze het vertrek verliet hoorde ze Marie de Groot nog net tegen moeder zeggen: 'Een mooi deerntje, ik kan niet anders zeggen!'

Op haar moeders: 'Een jaartje in de vreemde heeft ons wichtje geen kwaad gedaan!' stak ze haar tong uit, maar toen was ze al op de gang en zag moeder het niet.

'Of jullie naar voren komen, vraagt moeder. De koffie staat koud te worden,' zei ze op de deel tegen haar vader. Ze durfde niet in Everts richting te kijken. Ze voelde echter hoe hij haar van top tot teen bezag en andermaal voelde ze zich koopwaar.

Melle Postema knikte en liep op de deeldeur, die naar het vooreind leidde, toe, dadelijk gevolgd door Willem de Groot. Geertje wilde de beide mannen volgen maar Evert nam haar bij de arm en zei: 'Blijf nog even of heb jij zo'n behoefte aan koffie...?'

'Tuurlijk niet...' Ze trok haar arm los en ze bloosde licht. Bij de deeldeur blikten de beide vaders om en keken vervolgens elkaar aan. In hun ogen glom een veelbetekenende lach, zo van: Dat zit wel goed, laat ze maar even begaan!

De deeldeur viel achter de mannen dicht; Geertje en Evert waren alleen. 'Hoe is het met je?' informeerde Evert toen Geertje zweeg en naar de grond staarde.

'Goed... dat zie je toch?'

'Ja, je ziet er inderdaad goed uit!' prees Evert eerlijk gemeend. 'Een jaar Engeland heeft jou zo te zien geen kwaad gedaan!'

Met een ruk hief ze haar hoofd op en blikte hem recht aan. 'Als je nu geen leuker onderwerp weet om over te praten, ga ik liever ook maar naar het vooreind toe...!'

'O neem me niet kwalijk,' schrok Evert van de blik die ze hem toewierp. Een blik vol ergernis...?

'Nou ja... ik viel uit, maar iedereen wil ook weten hoe het daar was... Ik heb niet aldoor lust om dat allemaal te vertellen... Ik ben blij dat dat jaar om is en ik weer thuis ben...'

'Dat kan ik me voorstellen,' lachte Evert alweer en terwijl hij zijn ogen goed de kost gaf, voegde hij eraan toe: 'Met zo'n hoeve, zo'n prachtbedrijf, zou ik ook nergens anders willen zijn, hoor!'

'De hoeve is groot... en het bedrijf machtig maar je moet je wel realiseren dat... je mij er bij moet nemen...' Andermaal blikte ze hem recht in zijn ogen.

'Allemensen, wat ben jij gauw op je teentjes getrapt, zeg!' liet Evert zich ontvallen en hij vergoelijkte meteen: 'Maar je bent wel eerlijk, dat moet ik zeggen!'

'Eerlijk duurt het langst, Evert de Groot, en jij weet toch net als ik met welke reden jullie naar ons toe kwamen...?'

'De ouwelui willen ons bij elkaar brengen. Ja, Geertje, dat weet ik, maar ik stoor me daar niet aan. Deze avond werd door onze ouders belegd, maar was dat niet het geval geweest, dan was ik eerdaags toch naar hier gekomen. Omdat een klein deerntje, Geertje Postema genaamd, mij naar deze hoeve trekt!'

'Doe niet zo mal...' Ze bloosde diep en Evert vond haar die blos heel niet misstaan. Ze was niet uitgesproken knap, vond hij, maar ze had iets pittigs. Ze was totaal anders dan Anske, met wie hij een tijd gelopen had. Anske was wat tuttig, die vond alles wat hij zei of deed goed. Zo was Geertje niet. Die had hem daarnet al een paar keer een veeg uit de pan gegeven en daar hield hij wel van. Ze was anders wel veranderd, in dat jaar dat ze uit het dorp was weggeweest. Ze was volwassener geworden, alhoewel ze bij hem vergeleken nog een heel jong ding was. Hij was een man van vierentwintig, zij een wichtje nog met haar zeventien lentes. Hij was zeven jaar ouder en ook dat vond hij prettig, want naar zijn dunken moest een man in alles overwicht op de vrouw hebben. Toen hij thuis had verteld wel wat in Geertje Postema te zien, had vader bewonderend gefloten maar moeder had bedenkelijk gedaan: 'Is die niet veel te jong voor jou? Ze is nog haast een kind, Geertje Postema.'

Vader had toen gelachen: 'Een jonge vrouw wordt elke dag iets ouder, dat kan nooit een bezwaar zijn, mijn jongen! Probeer jij haar maar te krijgen, daar zie ik geen hindernissen in!'

Moeder had gesneerd: 'Jij ziet niet Geertjes jonge jaren, jij ziet haar hoeve en daarom spoor jij je zoon aan!'

'Waar denk je aan?' Geertje blikte hem vragend aan en hij antwoordde naar alle eerlijkheid: 'Ik dacht aan mijn ouders. Hun meningen over ons lopen nogal uiteen! Moeder denkt dat ik het op jullie hoeve heb voorzien. Ze vindt jou nog zo jong om verkering te hebben. Mijn vader vindt dat dát elke dag beter wordt!'

Geertje schoot in de lach en de kuiltjes vielen na lange tijd weer spontaan in haar wangen en gaven haar dat pittige trekje. 'Een malle vader heb jij, zeg! Ik word elke dag ouder maar jij immers ook! We zullen elkaar wat leeftijd betreft, nooit in kunnen halen!'

Evert was de ernst zelf, toen hij zacht zei: 'Een heel jonge vrouw hebben, dat is altijd mijn liefste wens geweest. Ze hebben iets vertederends, jonge meisjes, ze geven je het gevoel van man-zijn, van sterk zijn, van moeten beschermen en vertroetelen! Had je dat wel verwacht van een boer, dat die zo romantisch zou spreken?' lachte hij over heel zijn gezicht.

'Nee... en als je er niks van meent, als het enkel bedoeld is om te vleien, mag je dat gepraat voortaan gerust achterwege laten!'

'En als ik het eerlijk meen?' Hij hief met een vinger haar gezichtje naar hem op en blikte haar diep in haar groene ogen.

Ze werd verlegen onder die blik, maar zei toch zacht: 'Dan... vind ik het, geloof ik... wel prettig...'

'Mag ik je een kus geven?' Evert toonde met deze vraag zijn voortvarendheid.

Ze schudde heftig het hoofd: 'Nee... vanzelf niet...'

'Waarom niet? We hebben nu toch verkering?'

'Ik hou niet van dat gezoen dadelijk...' Ze blikte hem aan en in haar ogen lagen duizend raadsels die Evert niet begreep, toen ze fluisterde: 'Als jij verkering met mij wilt hebben... moet je ontzaglijk veel geduld tonen, Evert...'

Hij glimlachte als een man die de wijsheid in pacht heeft, alvorens hij zei: 'In alle opzichten ben jij nog een meisje, maar eens zul jij vrouw zijn, Geertje! Tot zolang zal ik geduld met je hebben.'

Het meisje in me is allang begraven, dacht Geertje stil, ik ben vrouw én moeder... Als jij dat wist zou de glimlach wellicht op je lippen besterven. Ze dacht aan het kindje, aan dat kleine mensje van wie zij enkel de stem had mogen horen. In haar ogen was een mengeling van verdriet, van verzet en nog altijd niet kunnen aanvaarden. Evert zag die blik maar had daar zo zijn eigen mening over. Hij sloeg een arm om haar heen en lachte: 'Kijk toch niet zo bang, zo donker! Ik doe je heus niets!'

'Dat is je geraden...' zei ze afstandelijk en koel. Ze kon het niet helpen dat ze opeens aan Janske de Jong moest denken.

'Ik geloof dat ik me in jou heb vergist! Ik heb tenminste niet geweten dat jij zo'n kleine kattenkop bent!' Evert drukte zijn arm nog wat vaster om haar schouders.

Hij bedoelde daar niets mee, was alleen maar jong en daardoor speels. Geertje echter vatte zijn woorden in ernst op. Ze schudde zijn arm van haar schouders toen ze zei: 'Je kan nog alle kanten op, hoor...! Je zit nog niet aan me vast...'

'Heb jij weleens eerder verkering gehad...?' blikte Evert haar aan, in volle ernst nu.

'Nee...' Ze jokte niet, Geertje, want Janske de Jong was geen verkering geweest. Net als zij was Janske toen enkel een dartel veulen geweest dat voor het eerst in de wei komt. Ze hadden een spel gespeeld, al kreeg daardoor haar leven een radicale ommekeer. Janske was nog altijd het veulen, jong en speels en onbekommerd. En zij...?

'Dat meende ik al te begrijpen!' deed Evert begrijpend. 'Je bent nog zo groen als gras, maar dat geeft niet, hoor! Ook dat vind ik vertederend!'

'We gaan naar binnen... Ze zullen niet weten waar we zo lang blijven...'

'Zal ik woensdagavond weer bij je komen?' vroeg Evert toen ze op het vooreind toeliepen.

'Dat is goed...'

'Krijg ik dan een zoentje...?'

'Als ik van je ben gaan houden, dan krijg je een kus. Eerder niet.'

'Ik hou al een beetje van jou, Geertje!'

'Ik niet van jou... Dat is trouwens ook onmogelijk, want we kennen elkaar amper!'

Blij was ze, Geertje, dat ze de huiskamer binnen konden gaan en er aan dit gepraat een einde kwam. Ze hield niet van Evert, ze was niet verliefd op hem en daarom moest hij niet zo praten. Ze moest dan vanzelf aan Janske denken en... aan het kindje. Dan kon ze niet blij zijn, enkel heel verdrietig. Dat begreep Evert niet, dat mocht hij ook nooit begrijpen... 'Daar heb je de twee verliefden...!' juichte Marie de Groot in haar blijdschap te uitbundig toen Evert en Geertje de huiskamer binnenkwamen.

Marie zag de toekomst zonnig, maar Wietske Postema, die een heimelijke blik op haar dochter wierp, dacht zorgelijk: Geertje ziet er anders niet uit als een meidje dat verliefd is. Zo donker ze nu weer keek... Waarom deed ze nu niet wat beter haar best... Evert was jong en zonder zorgen, die verlangde naar een meidje dat vrolijk was. Waarom begreep Geertje dat nu niet? Waarom bedacht ze niet dat ze het verleden moest begraven omdat Evert anders wellicht ging vergelijken? Er waren meer huwbare meiden dan Geertje Postema! Dan kon zij nog zo'n grote hoeve achter zich hebben, een jonge vent als Evert wilde meer dan enkel een hoeve... Die wilde een vrolijke vrouw met wie hij praten en lachen kon. Als Geertje zo doorging, liep ze alle kans dat Evert bedankte voor de eer... Daar moest je toch niet aan denken!

Wietske, wier ogen onopvallend naar Evert dwaalden, verbeeldde zich in haar zorg om de toekomst, dat Evert ook te ernstig was. Geertje zou toch niks hebben losgelaten...? Het wicht was zo jong en daardoor veel te eerlijk...

Ze moesten maar eens wat pittigers op tafel zetten, wellicht maakte dat de tongen wat losser, bedacht ze. Het kon haar niks schelen dat Marie de Groot wat verwonderd keek toen zij lachend tegen Melle zei: 'We moesten de koffieboel maar eens opruimen en een glaasje van het een of ander nemen, niet dan...?'

Melle Postema, heel even verbaasd, knikte daarna goedkeurend: 'Sommige dingen moeten gevierd worden. Laten we maar een toost uitbrengen op het jonge paar!'

Geholpen door Geertje schonk Wietske voor de mannen een brandewijntje met suiker en voor de vrouwen een zoet wijntje in. Marie de Groot keek met een zuinige blik naar haar Willen en toen Wietske, gastvrij, voor de tweede keer de glazen wilde vullen, bedankte zowel Marie als Willem. En toen kon Wietske het niet verhelpen dat ze moest denken: Ik weet het wel; jullie zijn als de dood dat je ons terug moet vragen en dat dan ook de fles op tafel moet komen. Dat kost geld, dat is een luxe waar het zonder kan!

Vooral Willem de Groot stond op het dorp bekend als zeer zuinig. En Marie had geen eigen mening, vond Wietske, die deed domweg wat Willem wilde. Die was bij het onderdanige af, veel te goed. Wietske moest opeens denken aan het gepraat dat door het dorp ging over boer Willem de Groot. Hoe een dergelijk gerucht het dorp bereikte, wist je nooit, want het voorval was in de stad, in Groningen, gebeurd. Het was al een aantal maanden geleden toen Willem en Marie naar de stad togen, omdat Marie hoognodig een paar nieuwe schoenen moest hebben. En omdat ze toch gingen, naar een zaak waar ze 'altijd' kochten omdat ze zich daar een beetje vertrouwd voelden, nam Willem zijn schoenen, daar gekocht, waarover hij niet al te best te spreken was, meteen maar even mee.

Vóór Marie aan de beurt was, zette Willem zijn schoenen op de toonbank: 'Al ben ik dan boer en bij jullie stadjers niet zo in tel: Ik laat me niet bedonderen!' Met deze woorden wees Willem op het bovenleer van de schoenen dat overal barstjes vertoonde.

De baas van de zaak werd er bij geroepen en nadat die de schoenen grondig had bekeken, keek hij Willem de Groot ietwat meewarig aan alvorens hij zei: 'Deze schoenen zijn naar mijn bescheiden mening ongeveer een jaar of tien oud!'

'Twaalf jaar, om precies te zijn!' had die domme Willem toen als antwoord gegeven waarop de schoenhandelaar lachend zei: 'Meneer, dit zijn geen barstjes omdat het leer van de schoenen niet deugt of van mindere kwaliteit is, dit zijn 'rimpels' van hoge ouderdom, zoals je die ook ziet bij mensen die hun beste jaren er op hebben zitten!'

Marie, die begreep dat Willem vierkant voor schut stond, drong zich naar voren: 'Laat die oude schoenen maar, ik moet een paar nieuwe hebben, Willem niet!'

Marie voelde scherp maar dat zijzelf kort daarna door Willems zuinigheid in de maling werd genomen, dat voelde ze niet. Er werden haar een paar schoenen aangepast waarmee ze trots als een pauw door de winkel stapte. 'Ze zitten lekker en ik vind ze bijzonder mooi...!' glunderde ze blij. Niet wetend dat Willem, toen zij door de winkel marcheerde, rap informeerde naar de prijs en toen hij die hoorde, met zijn hand een afkeurend gebaar maakte: veel te duur!

Marie kreeg een ander paar aan, waarmee ze weer rondliep of liever gezegd: rondstrompelde, want de schoenen waren te klein en knelden. Maar slimme, zuinige Willem wist alweer de prijs en op Maries: 'Deze zitten zo akelig, Willem...' antwoordde hij laconiek: 'Je moet ze uitlopen, dat is met alle nieuwe schoenen hetzelfde!'

'Zijn ze wel mooi...? Vergeleken bij het vorige paar?' aarzelde Marie maar Willem zei: 'Ze zijn prachtig, maar dat zie jij toch niet, Marie! Je dikke buik belet jou het uitzicht op de schoenen!'

Zo kwam Marie met een paar schoenen thuis die haar een paar maten te klein waren. Ze moest ze maar uitlopen, ze scheelden vijfentwintig gulden in Willems beurs!

Diezelfde zuinigheid van Willem kwam boven, wist Wietske, nu zij op een zaterdagavond een glaasje lekkers schonk. Willem lustte het goedje wel, hij had het glas in twee teugen leeg, maar bedankte voor een tweede omdat hij zich realiseerde dat hij zich even gastvrij zou moeten opstellen als het zijn beurt van ontvangen was. En dat kostte geld...

Wietske schudde stil het hoofd toen ze bedacht: Maar ons Geertje is daar welkom! Zij brengt geld mee, in plaats van dat Willem zijn beurs moet trekken...!

Als je dochter in haar jeugdige onbezonnenheid haar leven en kansen verknoeide, dan verloren zij, de ouders, toch maar mooi de macht over een boel dingen die van wezenlijk belang waren...!

Met deze gedachten richtte Wietske zich minder op het geluk van haar dochter Geertje, dan wel op de hoeve. Op de boerderij, dat machtige bedrijf dat onder haar en Melles handen nog groter en machtiger was geworden door het feit dat zij destijds besloten te trouwen. Het woord liefde werd tussen hen beiden niet uitgesproken, ze hechtten daar weinig waarde aan. Een soort liefde was tussen hen aanwezig, maar betrof enkel en alleen de hoeve. Dat machtige bedrijf beantwoordde aan hun beider verlangens. Hun leven naast elkaar was goed en harmonieus, vond Wietske. Door hun liefde voor de hoeve groeide er tussen Melle en haar toch een diepe genegenheid, een respect over en weer en daaruit was Geertje geboren. Jammer genoeg was het geen jongen geweest, die als opvolger kon worden aangewezen, en bleef het bij Geertje. Wietske werd niet weer zwanger, ook al had ze daar de eerste jaren van hun huwelijk vol verlangen naar uitgekeken. Ze hadden dat vurige verlangen weten te onderdrukken en hun hoop op Geertje gericht. Hoe bedrogen waren ze uitgekomen...

Maar gelukkig was nu Evert de Groot ten tonele verschenen en met zijn komst naar de hoeve bloeide hun hoop weer op! Wietske Postema realiseerde zich op dit moment niet voldoende hoe snel hoop ijdel kan worden. Ze onderschatte de eerlijkheid van haar dochter, ze zag niet hoe er bij het afscheid van de zomer zich donkere wolken samenpakten boven hun hoeve. Het waren wolken die niet veel goeds voorspelden, maar Wietske en Melle zagen die niet omdat ze strak vooruitkeken, de toekomst in. En er bestaat geen toekomst met enkel rechte wegen, waarop de blik vooruit gericht kan worden. Er zijn altijd zijwegen die vaak moeilijk begaanbaar, niet te omzeilen zijn. Want zo is het leven nu eenmaal.

HOOFDSTUK 3

Een novemberstorm joeg de loodzware wolken uit elkaar en schudde met ongekende ruwheid de laatste bladeren van de bomen, die nu naakt en vochtig kaal in het Groninger land stonden. Ze harmonieerden nu in alle opzichten met de kaalheid van de velden. Het Groninger land in de herfst is in al zijn kaalheid een onmetelijke uitgestrektheid, een landschap dat koud, kil en zelfs een beetje woest aandoet. Het wordt onderbroken door machtige boerderijen, zoals je die veel op het hogeland van Groningen vindt, en door torenspitsen boven kleine dorpjes, waar een handvol mensen leeft. Enkele welgestelden zoals de dokter, de notaris, de bovenmeester en, niet te vergeten, de rijke hereboeren. De middenstand drijft handel in kleine winkeltjes en in feite hebben ze niet veel meer armslag dan de arbeiders die bij de boeren werken. De boerenarbeiders vormen het merendeel van de dorpsbevolking, mensen die zijn geworden als het land waarop ze zijn geboren: hard, hard als de kleikluiten die ze dagelijks bewerken. Hard gewórden wel te verstaan, voor zichzelf, niet voor vrouwen kinders en onderdanig jegens hun boer die door hen op zijn wenken wordt bediend. Harde kerels zijn het in die zin, dat ze van 's morgens vroeg tot laat in de avond werken en zwoegen voor een karig loon. Als ze van de hoeve naar huis terugkeren, betekent dat geen welverdiende rust maar opnieuw aanpakken. Want dan moet het eigen lapje land achter de kleine huisjes bewerkt worden. Aardappels worden gepoot en gerooid, groenten verbouwd en door moeder-de-vrouw ingemaakt voor de winter. Dat laatste, de inmaak en de weck, geschiedt doorgaans ook veelal bij avond want overdag moet de vrouw mee naar het land of ze werkt bij de boerin in het vooreind waar het zwaarste en ruwste werk voor haar rekening is. Zo was het toen ten minste en ze klaagden niet. De man niet en de vrouw niet, want ze wisten niet beter. Ze bewoonden kleine, zeer propere huisjes, hun leven bestond uit werken, eten en slapen. Het enige verzetje was hun liefdesleven en daardoor waren velen kinderrijk. Twaalf, dertien kinders was niet ongewoon. Het moeilijke daarvan was de kleding en de kost. Maar daar was één geluk bij, want als de laatsten kwamen gingen de eersten weer net het huis uit in een dienstje, liefst voor dag en nacht.

Het was een hard leven, men klaagde dan wel niet maar men zag deksels goed het verschil met anderen! Je hoefde maar naar een boer als Melle Postema te kijken of je wist met hoe weinig jezelf tevreden moest zijn. Dat soort mensen baadde in weelde en hoe het mogelijk was mocht Joost weten maar dat soort kreeg geen dertien kinders, dat kreeg er maar eentje! Geertje Postema hoefde niet te delen met broertjes en zusjes, die werd puur voor de luxe én om een goede partij aan de haak te slaan vanzelf, een jaar naar het buitenland gestuurd om er een taal te leren die geen mens hier verstond!

Het was anders niks geen raar meidje, Geertje Postema en het wicht kon het ook niet helpen dat haar wieg toevallig in het vooreind van een voorname hoeve had gestaan!

Ze was niet groots en dat kon je van een boel boerenzoons en dochters, niet zeggen. Geertje maakte met iedereen in het dorp een praatje en ze vrijde sinds een paar maanden met Evert de Groot. Dat zei al genoeg, vond men. Evert mocht dan een boerenzoon zijn, zijn hoeve kon niet in de schaduw staan van die van Geertje Postema. Maar dat deerde haar niet en dat prees men in haar.

Nóg prees men haar in alle opzichten, Geertje Postema, maar hoelang nog...?

Geertje zelf stond er niet bij stil dat er zo over haar werd gepraat, alhoewel ze dit kon weten want van kleins af aan had moeder haar ingeprent: Denk erom, jij bent Geertje Postema, op het dorp een begrip! Men let op jou, men praat over jou en daar moet jij rekening mee houden. Vergeet dat nooit! Geertje was het glad vergeten toen, met Janske...

En nu, zo veel maanden later, nu kon het haar allemaal maar bar weinig meer schelen. Het leven had haar gehard, had haar ruw naar de volwassenheid gedreven. Ze knikte nu niet meer kinderlijk gewillig op alles ja en amen, ze had een eigen standpunt ingenomen. Ze slikte niet langer wat anderen haar voorkauwden, ze volgde haar eigen mening.

Ook wat haar verkering met Evert de Groot betrof had ze een heel eigen mening, maar ze durfde daar toch nog niet goed voor uitkomen. En dat was ook moeilijk, want het betekende dat ze dan allereerst haar zwijgplicht moest verbreken... Die zwijgplicht, haar opgelegd door haar ouders en in het belang van de hoeve, drukte steeds zwaarder. Het werd een last waaronder zij steeds dieper gebukt ging. Telkens als Evert bij haar was voelde ze die druk, van haar leugens waar ze soms zo moeilijk omheen kon. Ze hield niet van Evert, ze wist alleen dat hij haar met geen vinger aan mocht raken en dat begreep Evert niet. Hij begreep niets van haar, wist niets van haar innerlijk en toch kwam hij getrouw weer naar haar toe. Vanavond zou hij weer komen want het was vrijersavond. Ze kon zich er niet op verheugen, ze zag steeds meer tegen de avonden met hem samen op. Evert vroeg zo veel en ze moest zich dan zo inspannen om die vragen te beantwoorden zonder door de mand te vallen. Dan voelde ze hoe ze gebukt ging onder leugen en bedrog, voelde ze het verleden zo angstig dichtbij...

Evert was verder best aardig en soms kon hij heel teder en lief zijn. En dat was prettig want tussen haar en haar ouders heerste nog altijd een zekere verkoeling. Vader en moeder deden hun best en het zou dus wel van haar komen, die verkoeling, maar daar kon ze niets aan doen. Ze kon nu eenmaal niet vergeven als ze aldoor dat hulpeloze, klagende stemmetje hoorde...

Ze werd daar zo down van, zo lusteloos en verdrietig. Dan trok ze als vanzelf een muur om zich heen waar niet door te komen was. Door niemand. Dan zag ze wel moeders gekwelde blik maar ze kon daar niets aan veranderen omdat haar eigen blik vertroebeld werd door onzichtbare tranen.

Geertje werd stil en in zichzelf gekeerd, vooral die dagen waarop ze veel aan het kindje dacht. Vandaag was het ook zo'n dag geweest, al toen ze opstond drong het verleden zich aan haar op en dat vergezelde haar de verdere dag. Het wilde niet wijken; dat klagende stemmetje waarnaar ze zo intens verlangde, achtervolgde haar. Stil en in gedachten bezig met de dingen die ze moest vergeten, versleet ze de dag en zo werd het avond en verscheen Evert de Groot op de hoeve.

Na Wietske begroet te hebben vroeg hij: 'Is Geertje er niet?'

Wietske vertelde dat Geertje op haar kamer was en dat ze dadelijk wel beneden zou komen. 'Ik heb nog even achter geneusd maar ik zag uw man ook nergens,' stelde Evert andermaal een vraag, die Wietske beantwoordde door te vertellen dat Melle naar het dorp was. 'Hij zit in het bestuur van de Oranje vereniging en dan moet je je neus laten zien als er een vergadering uitgeschreven wordt, nietwaar?' lachte ze Evert tegen.

'Wil je een kop koffie? Ze is vers gezet!' prees ze het brouwsel dat door de meid was binnengebracht.

Terwijl ze Evert van koffie voorzag, babbelde ze voort: 'Het duurt nogal even met Geertje, hè? Ze zal zich extra mooi voor je maken, denk ik!'

'Ze is mij mooi genoeg, ik ben trots op mijn meidje!' glunderde hij. Wietske was de ernst zelf toen ze zacht vroeg: 'Heb je weleens aan trouwen gedacht, jongen?'

'Jawel, maar daarvoor is Geertje nog wat te jong, dunkt me! Als ze negentien is, zo tegen de twintig loopt, lijkt me dat een mooie leeftijd! Twee jaar nog en die zijn immers zo om!'

Wietske knikte en veranderde toen van onderwerp. 'Wat gaan jullie vanavond doen? Het is geen weer om buiten te lopen met deze storm.'

'Die is anders tegen de avond een behoorlijk eind afgenomen, had u dat nog niet gemerkt? Maar om uw vraag te beantwoorden: ik heb moeder beloofd dat we een avondje naar onze hoeve zouden komen. We zijn al een aantal weken niet bij ons geweest, dus wordt het de hoogste tijd!'

'Zou jij dat niet eerst met mij moeten overleggen alvorens je afspraken maakt buiten mij om?' mengde Geertje, die op dat moment het vertrek binnenkwam, zich in het gesprek.

Evert sprong onmiddellijk op en na haar met een vluchtige kus begroet te hebben, vroeg hij quasi-gedwee: 'Wil je alsjeblieft een avondje met mij mee naar huis gaan? Moeder ziet jou te weinig!'

'Mij best, hoor!' deed ze luchtig, 'drink je koffie op, dan gaan we maar meteen.'

'Doe je winterjas aan, Geertje,' kon Wietske het moederen niet laten, 'het is koud en het is een flink stuk lopen van hier naar de hoeve van Evert!'

'Ik ben als onkruid, dat overal tegen kan zonder te vergaan!' Geertje blikte haar moeder een moment diep en veelbetekenend

aan, maar ze volgde haar raad toch op. Ze trok haar donker-
blauwe mantel aan, die getailleerd was en haar figuurtje als een
tweede huid omsloot. De mantel die tot op haar enkels viel, stond
haar kittig, vooral toen ze een rode, wollen doek om haar haar
knoopte. 'Ben je zover?' Ze blikte vragend naar Evert.

'Jawel, prinses!' Hij sprong op en maakte een komische bui-
ging voor haar.

Wietske schoot in de lach: zo'n jongen toch! Geertje bleef ernstig.
Diezelfde ernst omringde haar ook nog toen ze buiten liepen op
weg naar de hoeve van Evert, die aan de andere kant van het dorp
stond.

'Wat ben je stil?' Hij keek haar van opzij vragend aan.

'Vind je?'

'Is er wat, Geertje?'

'Wat zou er moeten zijn?'

'Heb je het koud?'

'Ik niet, jij wel?'

Om haar stugheid te doorbreken en haar wat op te monteren,
sloeg hij een arm om haar middel en fluisterde geheimzinnig: 'Zal
ik je eens wat vertellen?'

'Nou?'

'Ik heb daarstraks tegen jouw moeder gejokt!' Op haar vragende gezichtje vertelde hij: 'Mijn ouders verwachten jou en mij
niet; ze zijn niet thuis!'

'Waarom zei je dan tegen moeder, dat jouw moeder graag
wilde dat ik weer eens naar jullie kwam?'

'Omdat ik een avond met jou alleen wil zijn en als ik dát had
gezegd, vrees ik dat je moeder ons thuis had gehouden. Daarom
verzon ik een list, een leugentje uit bestwil!'

'Dat staat je niet te prijzen, dat je mijn moeder maar wat op de
mouw speldde!'

'Vind je het dan niet fijn, een avond samen? Die kans krijgen
we immers nooit! Je ouders zijn er altijd bij en als het tegen ne-
genen loopt kijkt je moeder voortdurend veelbetekenend op de
klok!'

'Dan is het bedtijd, dat weet je toch?'

'Je hebt mijn vraag niet beantwoord. Vind je het fijn met mij
samen?' Hij gaf haar onder het lopen door een zoen op haar

wang. 'Jawel... Waar zijn je ouders naartoe?'

Evert vertelde dat ze naar zijn oma waren, de moeder van zijn moeder, die in het dorp woonde. 'Daar gaan ze elke week een avond heen, naar oma, dat vergeten ze nooit! En daar heb ik gebruik van gemaakt!' Hij trok haar tegen zich aan en verheugde zich zichtbaar op de avond die voor hen lag.

Geertje verheugde zich daar in mindere mate op. Alleen met Evert, een hele avond, en hij was soms zo... verliefd. Dan wilde hij haar steeds aanhalen en daar schrok ze nog altijd van terug. Dan lachte hij haar uit en zei dat dat kwam omdat ze nog zo jong was, zo groen als gras. Dan schaamde ze zich voor een heleboel dingen tegelijk en had ze het moeilijk met zichzelf en werd van de weeromstuit koel en afstandelijk. Tot nu toe maakte Evert daar grapjes over, maar of dat zo bleef...? Toen ze op de hoeve aankwamen en Evert haar, vóór hij haar uit haar mantel hielp, tegen zich aantrok en zoende zoals hij dat nog niet eerder had gedaan, vreesde ze het tegendeel en deed ze stroef: 'Toe, doe niet zo mal.'

'Je moest eens weten hoe mal ik kan zijn,' lachte hij breed terwijl hij haar mantel op de kapstok hing.

'Zijn de meiden er niet?' moest ze weten toen ze in de huiskamer kwamen.

'We hebben maar één meid en die heeft haar vrije avond! Wat dacht je? Ik kies mijn avond wel heel goed uit, hoor!'

'Dat heb ik in de gaten!'

Toen ze zich op een stoel aan de tafel liet vallen zei Evert: 'Kom, we gaan op de divan zitten! Elk op een rechte stoel, dat is toch niks!'

'Ik zit hier best en ik wil hier blijven zitten.'

Evert zuchtte, trok dan een stoel naast die van haar en grinnikte: 'Nou, daar zitten we dan als twee oude mensjes rechtop naast elkaar! Ik durf wedden dat er geen stel in het hele dorp is dat zo een vrijersavond doorbrengt!'

'Uitzonderingen bevestigen de regel...'

Evert legde een arm rond haar schouders, en een hand zwaar op haar bovenbeen en toen ze die hand ogenblikkelijk wegduwde, fluisterde hij: 'Jij bent bang voor de liefde, Geertje Postema, maar dat hoeft toch helemaal niet! Ik doe je niks, maar ik mag toch wel aan je komen en een beetje strelen?'

'Nee, dat mag je niet.' Geertje dacht aan ene Janske, die heel onverwacht haar arm had gestreeld en vervolgens haar benen en toen... In haar onnozelheid had ze toen de natuur haar gang laten gaan, maar ze wás nu niet meer dom en onnozel. Ze was verschrikkelijk wijs op het gebied van de liefde, al zou Evert haar uitlachen als ze dat zou zeggen. Daarom zei ze maar niets en deed alsof ze werkelijk bang en groen als gras was.

'Dat jij zo preuts bent,' zei Evert terwijl hij zijn armen voor zijn borst kruiste en tegen de rug van de stoel leunde, 'dat begrijp ik juist van een meidje als jij bent, niet! Je mag dan jong zijn en heel pril, je hebt toch wat van de wereld gezien, dacht ik! Een jaar naar Engeland, dan heb je toch wel wat beleefd, dat de moeite waard was en je een ruimere kijk op de dingen gaf? Ging je daarginder nooit uit?'

'Nee, nooit.' Ze wist niet wat haar liever was; dat Evert aanhalig deed of dat hij over Engeland begon.

'Sinds ik met je ga krijg ik steeds sterker de indruk dat jij bewust niet over dat jaar wilt spreken! Je hebt nog nooit een woord gerept over Londen, een stad die toch wel indruk op je moet hebben gemaakt! Ik heb je nog nooit één woord Engels horen praten terwijl je die taal toch vloeiend moet kunnen spreken! Hoe komt dat toch, Geertje? Was het verblijf daar niet prettig?'

'Nee... het was een... akelige tijd... Ik doe aldoor mijn best die te... vergeten... maar... jij herinnert me er voortdurend aan...' Ze begon opeens te huilen. Eerst zacht en geluidloos, daarna wanhopig en onbeheerst.

Haar verdriet, haar innerlijke strijd, te lang opgekropt, brak naar buiten. Ze vergat haar zwijgplicht, ze was na lange tijd weer heel even zeventien. Een kind, dat als ze schreide de aandacht trok en die onmiddellijk kreeg. Evert schoof zijn stoel naar achteren toen hij haar tranen zag en knielde voor haar neer.' Geertje... meidje toch, wat is er met je...'

'Niks... laat me maar...'

'Je huilt toch niet om niks...? Kom, vertel het me maar!'

'Er is zo veel in me, dat ik... met niemand... kan delen... Al die uitvluchten, dat... gelieg... daar kan ik niet... tegen,' snikte ze wanhopig.

Evert voelde dat hier meer achter school dan enkel een beetje verdriet van een jong wichtje. Hij trok zijn zakdoek uit zijn broekzak en droogde onhandig haar tranen terwijl hij fluisterde:

'Spreek je maar uit, dat lucht op!'

Geertje snoot luidruchtig haar neus in de rood gebloemde zakdoek die Evert haar reikte en snikte en snotterde dan: 'Even wachten... Ik kan zo niet... praten... Mijn keel... doet zo zeer...'

'Je moet iets drinken,' kreeg Evert een ingeving, 'maar ik heb geen koffie. Is melk ook goed...?'

'Ik hoef niks...'

'Jawel, je moet de tranen die in je keel vastzitten, doorslikken.' Hij stond op en schonk een beker melk voor haar in. 'Hier, drink maar op!' Toen ze met moeite een paar slokjes van de melk dronk, vroeg Evert: 'Zo beter, meidje...?'

'Ja...' Ze veegde haar tranen af en slikte opnieuw opkomende dapper weg.

'Vertel dan nu maar alles...!' spoorde hij aan en hij realiseerde zich op hetzelfde moment dat deze aansporing niet alleen een willen helpen en troosten was, maar dat er een fikse portie nieuwsgierigheid bij om de hoek kwam kijken ook. Geertje Postema, wat kon die nu hebben dat ze zo overstuur was en huilde als een kind in nood...?

'Het is zo veel... Ik weet niet waar ik beginnen moet...'

'Gewoon bij het begin!' vond hij nuchter.

'Het is zo... erg en ik heb beloofd te zullen zwijgen... Maar dat kan ik niet, een leven lang zwijgen... Jij moet het weten anders kan het tussen ons beiden... nooit iets worden. Als je alles van me weet... begrijp je ook waarom ik zo... zo koel ben en... bang voor de liefde...'

Nog groter werd zijn nieuwsgierigheid en andermaal spoorde hij haar aan: 'Ik weet niet wat jou dwars zit, meidje, ik weet alleen dat geen sterveling jou een belofte af kan dwingen om een leven lang te zwijgen! Dat zou geen mens kunnen volbrengen...!'

'Nee, hè...?' was ze het roerend met hem eens en toen fluisterde ze nauwelijks verstaanbaar: 'Ik heb een kindje... een klein meisje...' Eén moment staarde Evert haar perplex aan, dan schoot hij in de lach: 'Je moet me geen sprookjes vertellen, jij een kind...? Je bent zelf nog haast een kind...!'

'Ik ben een volwassen vrouw en ik ben... moeder...' Ze was opeens merkwaardig kalm en van haar tranen was geen spoor meer over; ze voelde in zich enkel een enorme opluchting.

Door die ijzig aandoende kalmte van haar voelde Evert dat ze de waarheid sprak, maar toch vroeg hij: 'Is dat... heus waar, Geertje...?' Ze knikte met gebogen hoofd en zodoende zag ze niet het waas in zijn ogen dat... op afschuw leek.

Geertje hield haar hoofd gebogen en ze blikte op de gevouwen handen in haar schoot toen ze fluisterde: 'Ik móét het vertellen... aan jou of iemand anders, dat kan me niet schelen. Ik kán dit niet langer alleen dragen... Er zal vreselijk over me gepraat worden, maar ook dat kan me weinig meer schelen. Men zal mij met de vinger nawijzen, maar ik kan dan in elk geval mezelf weer zijn: Geertje Postema, geen begrip meer op het dorp, maar iemand waarvan men schande spreekt. Iemand die diep gevallen is en daar... de consequenties van wil dragen...' Ze zweeg geruime tijd en Evert, op het puntje van zijn stoel en nu nieuwsgieriger nog dan daarvoor, spoorde haar aan: 'Stort je hart maar uit... Ik luister...'

Toen stak ze van wal en vertelde ze al hetgeen ze zo lang had moeten verzwijgen. En ze wist niet, Geertje Postema, dat ze daardoor haar verdere leven bepaalde.

Het zou een leven worden dat in niets geleek op het leven dat ze gewend was te leiden. Maar daar zou ze de consequenties van aanvaarden. Ze was pas zeventien, maar griezelig volwassen geworden door het leven dat achter haar lag.

Haar stem daalde af en toe tot een nauwelijks verstaanbaar gefluister maar Evert, die met gespitste oren luisterde, verstond elk woord. Toen ze uitverteld was en zweeg, was ook zijn stem niet meer dan een fluistering: 'Wie was het, Geertje... die bij jou... een kind verwekte...' Zijn stem was boordevol nieuwsgierigheid en dat proefde ze wel degelijk, maar ook zonder dat zou ze hebben gezegd: 'Dat gaat je niet aan, Evert de Groot...!'

'Weten je ouders dat wel...?' Zijn onbevredigde nieuwsgierigheid dwong hem tot dit vasthouden.

'Dat weet niemand en dat zál niemand ooit weten...' Heel erg beslist en zelfverzekerd kwam dit er uit, maar zij als enige wist dat ze, wat betrof de naam Janske de Jong, wel een leven lang zou kunnen zwijgen. 'Wat is dat verschrikkelijk...' peinsde Evert hardop, 'hier zal zeker schande over worden gesproken... Zo jong nog en dan al een kind waarvan je afstand hebt gedaan...! Ik zou niet weten hoe jij hiermee verder moet leven, Geertje...'

'En jij...?' Voor het eerst blikte ze hem aan. Eerlijk en open-

42

hartig. Evert haalde zijn schouders op: 'Ik... moet dit allemaal overdenken, dat begrijp je toch...? De schande hiervan treft niet alleen jou, maar ook mij als ik met jou verder zou gaan... Dit is iets wat onuitwisbaar is en als wij later samen kinders krijgen... Ik ben bang dat ik dit nooit zal kunnen vergeten, Geertje...'

Haar glimlach was mat en moe toen ze zei: 'Dat wist ik van tevoren, dat jij zo zou reageren... Ik wist dat jij me zou laten vallen maar desondanks heb ik je alles verteld... Misschien wel omdát ik jouw reactie kende...'

'Hoe bedoel je dat...?'

'Wel...' ze zuchtte diep maar vervolgde dan: 'Ik heb de laatste tijd veel nagedacht over jou en mij en over onze verhouding tot elkaar. Ik was in jouw ogen kil, koud en ontoegankelijk... Spreek me niet tegen, want dat was gewoon zo! De reden daarvan ken ik opeens, die was niet zoals jij veronderstelde, dat ik bang voor de liefde was. Die reden kwam voort uit het simpele feit dat ik niet van jou hield. En jij houdt al evenmin van mij, Evert...! Wij werden aan elkaar gekoppeld door onze ouders. Ik moest zo snel mogelijk aan de man worden gebracht en voor jou, die niets wist over mijn verleden, was Geertje Postema een uitmuntende partij. Jij wilde mij om mijn komaf, om de hoeve en ik... ik wilde dolgraag vergeten... Maar dat lukte me niet en daarom heb ik je alles verteld. Ik heb daar geen spijt van, ik ben gelukkig omdat ik mezelf weer kan wezen. Een ándere Geertje Postema gaat verder, zonder franje van rijkdom en de macht daarvan, maar ze is weer zichzelf en dat Evert... is me alles waard...'

Toen hij stom knikte en langs haar heen in het niets staarde, nam ze andermaal de leiding. 'Jij hoeft nergens over te tobben, hoor... Tussen jou en mij is het uit, jij hebt geen enkele verplichting jegens mij... Het is jammer van de mooie hoeve die nu aan jouw neus voorbijgaat...' Ze kon niet laten dat laatste wrang op te merken.

Evert blikte haar aan toen hij vroeg: 'Wat bedoelde je daarmee toen je zei: Geertje Postema gaat verder zonder franje, zonder rijkdom en de macht daarvan...?'

'Een rijkdom die besmeurd is... telt in mijn ogen niet...' zei ze zacht.

Evert knikte. Voelde hij net als zij hoe vergankelijk rijkdom en macht zijn als een mens niet precies volgens de regels leeft? Eén stap naast het rechte pad en vooral op een klein dorp weten hoon, smaad en laster al het andere te vernietigen. Dan zijn er zelfs voor een heel jong meidje, een kind nog haast, geen verzachtende omstandigheden voorhanden. En dat is ontzettend jammer omdat geen sterveling zijn eigen maker is en het leven zelf vaak zijwegen aanwijst, die niet of moeilijk te omzeilen zijn.

'Ik zal je naar huis brengen...' Evert stond op en doorbrak de stilte die snijdend was.

Toen ze kort hierna op de oprijlaan liepen, bleef Geertje staan en blikte naar de boerderij die daar als een broedse kip op het erf lag te rusten. Er speelde een glimlach om haar lippen en in haar ogen lag een vergoelijkende gloed toen ze zacht zei: 'Het is niet zo belangrijk hoe groot en hoe machtig een hoeve is, Evert... Het gaat veel meer om het geluk dat binnen de muren woont. Ook zonder ene Geertje Postema zul jij hier op deze hoeve het geluk vast wel vinden...'

'En jij...' Hij blikte haar van opzij toch wat zorgelijk aan. Ze glimlachte raadselachtig: 'Ik ben van plan om vanaf dit ogenblik... alle duistere dagen en nachten ver van me weg te duwen. Voortaan tel ik alleen de heldere momenten... Ik zoek het licht, niet de schaduw...' Ze was zo dapper, Geertje, maar ze besefte ook nog niet hoeveel donkere wolken ze nog opzij zou moeten schuiven eer ze het zonlicht zou zien. Toen ze bij de hoeve kwamen en Evert bleef staan, keek ze hem aan. Toen bibberde haar stem niet om hem, maar om de angst die vat op haar kreeg. Dadelijk zou ze voor haar ouders staan en zou ze andermaal openhartig moeten wezen... Daarom trilde haar stem toen ze fluisterde: 'Veel geluk, Evert...'

Hij legde een hand op haar schouder: 'Jij ook, Geertje...'

Ze wilde gaan maar hij hield haar staande: 'Je begrijpt toch wel dat ik... eh... dat mijn ouders een verklaring zullen verlangen...?'

Ze begreep hem terstond. Ze voelde zich weer zeventig in plaats van zeventien toen ze fluisterde: 'Je hoeft nergens doekjes om te winden... Mét onnoemelijk veel andere dingen in het leven haat ik liegen en smoesjes verzinnen...! Zeg maar gerust wie en wat ik ben voor een meidje... Jou zal geen blaam treffen, Evert...'

'Nee... maar jij...'

Ze onderbrak hem en geloofde elk woord dat ze uitsprak: 'Ik recht mijn rug en laat alles op me neerkomen. Ik ben veel sterker dan men denkt...'

'Ik wens je ontzaglijk veel sterkte en... kun je me vergeven...?'
Ze glimlachte: 'Ik wens je enkel lichte dagen vol geluk.'

Toen hij van haar wegliep, keek ze hem na. En toen vervaagde zijn beeld en werd het opeens Janske de Jong die uit haar leven wandelde...

HOOFDSTUK 4

'Ben je er alweer, meidje...?' Wietske blikte haar dochter over haar bril, die altijd op het puntje van haar neus zweefde als ze zat te handwerken, een beetje verwonderd aan. 'Wou Evert niet nog even binnenkomen en hoe was het op hun hoeve? Aardige mensen, zijn ouders, niet dan?' stelde ze een aantal vragen in één adem door.

Geertje leunde tegen de deur die ze behoedzaam achter zich had gesloten. Ze blikte van Wietske naar Melle, die rustig de krant las en maar half leek te merken dat zij, vroeger dan verwacht, weer thuis was. 'Het is uit... tussen Evert en mij...' Ze bleef star tegen de gesloten deur leunen als zocht ze daartegen steun en houvast.

Wietskes mond viel open van verbazing, Melle liet de krant zakken en zo staarden ze samen naar Geertje in wier groene ogen geen dapperheid meer glansde, maar enkel angst voor de dingen die komen gingen. Wietske was als eerste weer bij haar positieven, zij was het tenminste die vroeg: 'Wat is dat nou weer voor een onzin...? Uit met Evert... hoe kan dat nou...? Heeft hij het dan uitgemaakt...?'

'Ik heb hem daarbij min of meer geholpen... Hem die richting uit geduwd... Ik heb... Evert alles... verteld...'

'God... kind, dat zal toch niet waar wezen...' Wietske blikte haar met grote ogen ontsteld aan. Melle zei niks maar trok wit weg.

'Het is waar... Ik kon het niet langer verzwijgen... Ik kon tegen Evert niet aldoor liegen... en tegen mezelf nog minder... Laat iedereen het maar weten... het kan me niks meer schelen...'

'Maar mij kan het wel wat schelen...!' Melle stond met een ruk op en sloeg dreunend met zijn vuist op tafel. 'Weet jij wel waarmee je drukdoende bent, jij dom dier!'

'Melle... bedaar toch...' kwam Wietske tussenbeide maar hij scheen geen oren te hebben en bulderde door: 'Destijds heb je de kroon van je eigen hoofd geduwd en moeder en ik hebben je in bescherming genomen, alles gedaan wat gedaan moest worden om jou te laten zijn die je bent...! In plaats van dankbaar te zijn duw jij nu de kroon van de hoeve en dát vergeef ik je nooit! Hoor je, Geertje... nooit!'

'Dan kunnen we elkaar de hand geven, vader... Ik vergeef namelijk ook een boel dingen niet... Dat jullie mijn kindje zomaar aan vreemden gaven... dat vergeef ik jullie nooit... Ik heb het alleen maar horen huilen... en mocht het niet eens even zien... Dat is zo verschrikkelijk...'

Melle Postema, in alle staten, hoorde zijn dochter aan en toen zij zweeg tierde hij weer: 'Wat had jij dan gewild, dat dat kind, een bastaardje, hier op onze hoeve opgroeide...? Die schande konden wij niet dragen, voor het welzijn van jou maar vooral van de hoeve niet...!'

'Dat zie ik niet...' fluisterde ze zacht maar koppig en vasthoudend.

'Dat kleine mensje had hier best een plekje kunnen vinden... Ik had het liefgehad en beschermd tegen de laster van heel de wereld...' Ze snikte geluidloos.

'Je praat naar je verstand hebt, Geertje...!' wees Wietske haar terecht en ze viel Melle bij. 'Vader heeft gelijk: we hadden de boel zo mooi geregeld en het zou nooit zijn uitgekomen als jij had weten te zwijgen... Jouw leven naast Evert zou over rozen zijn gegaan en nu...' Wietske verborg haar gezicht achter haar handen en schreide toen ze vervolgde: 'En wij, je ouders... hoe moeten wij verder met deze schande...? Heb jij je dat wel afgevraagd, kind...?'

'Jullie hebben elkaar, ik... niet eens het kindje...' Ach, het zat zo diep bij haar, het gemis van haar kleine meisje maar Wietske noch Melle wilde daar iets van weten.

Machteloos tierde Melle: 'Morgen ga ik naar Willem de Groot...! Wellicht ben ik nog op tijd en hebben zij het nog niet wereldkundig gemaakt. Als ik Willem een beste som geld bied, weet die Evert wel te bepraten...! Hij is gek op geld, Willem de Groot... Het komt dus wellicht nog weer voor mekaar en dan is dit hele gepraat achteraf niks meer dan een storm in een glas water...'

'Ik trouw niet met Evert... al geeft u hem de hoeve en al wat daarbij hoort, dan nog niet... Als ik ooit trouw, doe ik dat uit liefde en dan kan het me niks schelen met wie...! Als ik in zijn ogen maar geen afschuw lees... zoals bij jullie en Evert...'

'Zo klein als je bent, zo brutaal ben je ook en zo hebben wij je niet grootgebracht...!' Wietske blikte haar dochter verwijtend aan. 'Zeventien jaar en wat moet er van je terechtkomen...?' barstte ze weer in snikken uit.

Melles stem daalde tot een hees geluid dat diep uit zijn keel kwam toen hij zei: 'Het beste is dat jij je voorlopig niet laat zien... Verberg je in het vooreind tot het ergste gepraat voorbij is...'

'Ik verberg me niet... voor geen mens en ik buig mijn hoofd ook niet...' Dat ze een kind van haar vader was en even koppig, trots en eigengereid als hij, liet ze met deze woorden wel merken. Diezelfde woorden echter joegen in Melle zijn woede hoog op. Hij tierde: 'Ga uit mijn ogen, jij stuk onnut...! Een grote mond opzetten dat kun je en ons leven aan diggelen smijten, maar wat heb je verder gepresteerd, niks toch zeker! We hebben alleen nog maar verdriet en zorg om je gehad...! Was je maar een jongen geweest of... niet geboren...' Andermaal onderbrak Wietske hem: 'Let op je woorden, Melle, en schreeuw niet zo... De meiden kunnen je horen...'

Alsof Corrie, de jongste meid en evenals Trijntje, de eerste meid, inwonend, meende dat ze geroepen werd zo ging op datzelfde moment de deur open en stak Corrie haar hoofd om het hoekje van de deur. 'Heeft u ons nog nodig of kunnen Trijn en ik gaan slapen...?' De barse stem van hun boer was tot in de keuken doorgedrongen. Trijn had Corrie veelbetekenend aangezien en gefluisterd: 'Daar is wat gaande! Volgens mij krijgt Geertje op haar kop! Wat zou die uitgespookt hebben? Ze is net door Evert de Groot thuisgebracht! Durf jij...?'

Corrie, alhoewel de jongste, durfde wel. Ze begreep de stille wenk en sloop door de lange voorgang naar de huiskamer toe. En daar, luisterend aan de deur, vingen haar oren meer op dan wenselijk was. Ze hoorde de boer tieren en af en toe zelfs vloeken! Ze hoorde de stem van de boerin die poogde te sussen maar het alleropwindendste de stem van Geertje!

Corrie had duidelijk verstaan dat Geertje zei: 'Dat jullie mijn kindje zomaar aan vreemden gaven...' Daar had ze van opgehoord! Geertje had een kindje...? Daar moest ze straks met Trijn over praten, dat was pas groot nieuws! Maar eerst had ze nog een tijdje luistervink gespeeld tot ze niet langer durfde en toen had ze de deur geopend en haar onnodige vraag gesteld. Of de boerin dat door had...?

Ja, Wietske was ook niet gek!' Hoelang heb je aan de deur gestaan...?' Ze blikte Corrie streng aan. Die trok het onschuldigste gezicht van de wereld: 'Hoe bedoelt u dat...?'

Wietske schudde het hoofd: 'Laat maar... gaan jullie maar slapen...'

Corrie wilde gaan, wilde de deur achter zich sluiten maar Geertje weerhield haar daarvan door de deur tegen te houden: 'Ik moet er ook uit... Of ik zal kunnen slapen is een geheel andere vraag...'

Die avond werden de lichten in de hoeve gedoofd maar geslapen werd er weinig. Melle en Wietske lagen zwijgend naast elkaar, elk bezig met eigen gedachten die duizend vragen opriepen waarop geen antwoord kwam.

Geertje lag klaarwakker in het duister te staren. Ook zij wist niet wat de toekomst zou brengen. Ze wist wel dat ze geen spijt had dat ze haar zwijgplicht had verbroken. Ze dacht aan haar kindje toen ze fluisterde: ik weet niet waar je bent en hoe je het maakt, mijn kleine deerntje, maar weet dat ik je nooit zal vergeten. Ik zal eenzaam oud en grijs worden op deze hoeve waar voor jou geen plekje was... maar jij zult altijd heel dicht bij me zijn. Dat zal me sterken tegen alles wat straks in golven op me af zal komen...

Geertje had er geen weet van dat de laster over haar persoontje al een aanvang had genomen. De meiden fluisterden in een van de meidenkamertjes die grensden aan de koestal, tot diep in de nacht: Geertje had een kind, Corrie had het uit haar eigen mond vernomen! Waar was dat kind dan...? Boer was ziedend geweest, de boerin had rood behuilde ogen en Geertje had met een grauw vertrokken gezichtje, waarin haar ogen onwaarschijnlijk groot stonden, in een hoek van de kamer gestaan. Corrie had dat alles met eigen ogen gezien!

Corrie en Trijn fluisterden nog lang en gisten de vreemdste dingen. Op de hoeve van Willem de Groot werd ook gefluisterd en ook daar viel de naam Geertje Postema om de haverklap. Zich ellendig voelend en onder de indruk, was Evert naar bed gegaan, maar Willem en Marie waren nog op. Willem vergat een ogenblik zelfs zijn zuinigheid; hij had er geen erg in dat de olielamp boven tafel langer bleef branden dan normaal het geval was en dat dat geld kostte. 'Zo'n wicht toch...' prevelde hij voor zich uit en Marie fluisterde: 'Dan mag Melle Postema nog zo veel geld en goed hebben; maar ik ben blij dat Evert inzag dat dat niet onder alle omstandigheden doorslaggevend is...! Wat een zegen dat onze jongen zo verstandig was om het dadelijk uit te maken!'

'Dat wicht is ja nooit meer te vertrouwen,' vond Willem. Marie begreep hem niet dadelijk en moest weten waarop Willem doelde? 'Wel,' verduidelijkte hij zijn standpunt. 'als een meidje als Geertje zo jong al niet weet waar ze moet staan omdat ze een jongensgek is, waar moet dat dan heen als ze ouder wordt...? Zo iemand is niet trouw, die is wispelturig en plaatst je telkens opnieuw voor moeilijkheden! Ik benijd Melle en Wietske niet en ik dank God dat Evert begrijpt dat geen enkele hoeve bestand is tegen een dergelijke schande!'

Marie was het roerend met hem eens en het was zuiver haar vrouwelijke nieuwsgierigheid die haar deed zeggen: 'Ik vraag me af waar dat kind is...?' Dat wist Evert ook niet! En ze wilde ook niet zeggen wie de vader was, zo'n wicht toch! Foei, foei!'

'Ze had beter kunnen zwijgen om zichzelf te beschermen, maar daar is ze vanzelf weer te jong en te onnozel voor om dat te snappen,' meende Willem.

Marie schudde het hoofd toen ze fluisterde: 'Wat zullen Melle en Wietske verschrikkelijk over de tong gaan...! Ze hebben grote leugens rondgestrooid! Dat Geertje naar Engeland was terwijl het wicht in Bussum een kind kreeg, dat is me nog al niet wat! Dit nieuws duurt langer dan de gewoonlijke drie dagen, hoor!' voorspelde ze en daarin zou ze gelijk krijgen.

Ik verberg me niet, voor geen mens, en ik buig ook mijn hoofd niet, had ze tegen haar vader gezegd en die houding mat ze zich aan, Geertje Postema.

In de weken die volgden verstopte ze zich niet op de hoeve, maar deed zoals ze dat voorheen gewend was: ze wandelde naar het dorp, deed daar een boodschapje en liep weer terug. Met opgeheven hoofd en een ietwat brutale flikkering in haar ogen. En dát zag men, maar niet haar hart dat heel klein was en boordevol tranen...

Geertje Postema trekt zich nergens wat van aan, werd er gefluisterd. Die doet net alsof ze niet weet welk een schande ze met zich meedraagt! In plaats van timide te zijn en zichtbaar vol schaamte, zoals het behoorde, liep ze trots en fier rond en sloeg haar ogen niet neer, maar blikte elkeen open en recht aan! Mét die brutale oogopslag! Het was ongehoord! Zo spraken over het algemeen de ouderen, de jongeren met wie Geertje de lagere school had bezocht, wisten hun houding tegenover haar moeilijk te bepalen. Zo te zien was het nog dezelfde Geertje Postema, maar thuis werd er een vermanende vinger opgestoken: denk erom dat ik je niet bij Geertje Postema zie! Men besefte dat het wel heel verschrikkelijk was hetgeen Geertje was overkomen en men gehoorzaamde: men liet Geertje links liggen, groette haar met een stijf hoofdknikje en een ingehouden lach die nog net zichtbaar was.

Geertje, met haar jonge jaren, voelde scherp en leed in alle stilte. Ze had het gevoel oud en grijs en heel eenzaam te zullen worden op de hoeve. Haar toekomst zou stil en duister zijn en ze hield juist zo van licht en vrolijkheid. Ze vroeg zich vaak af hoe Janske de Jongs reactie zou zijn? Hij had het, net als iedereen, vast wel gehoord dat Geertje Postema niet naar Londen was geweest maar naar Bussum, waar ze een kind kreeg waarvan ze afstand had gedaan. Zou Janske niet nadenken, de boel aan mekaar rijmen en zich het paadje herinneren waar ze samen waren geweest? Geertje zou nooit weten dat Janske de Jong daar niet bij stilstond. O zeker, hij had de geruchten gehoord en net als elkeen had hij zijn oordeel klaar gehad: Geertje Postema, dat was me er eentje! Eens had hij met Geertje... Maar dat stelde niks voor, ze waren toen immers nog kinderen...! Daarna moest Geertje met een ander of wellicht wel met anderén, omgang hebben gehad met alle gevolgen van dien! Was hij even blij dat er tussen hem en Geertje Postema niets was geweest! Ze hadden geen verkering gehad, ze waren niet eens meer bevriend, dat had zij hem toen duidelijk te verstaan gegeven. Nu liep hij met Netteke Poelman en dat was een aardig wat beter meidje. Ze had dan wel geen geld en geen machtige hoeve, ze was een gewoon arbeiderswichtje, maar ze was oppassend en dat kon je van Geertje toch mooi niet zeggen! Janske waste zijn handen in onschuld, maar dat was hem niet kwalijk te nemen want niet weten doet niet begrijpen.

Soms vroeg Geertje zich vertwijfeld af of het niet beter zou zijn geweest dat Janske wel wist... Dan zou hij ook hebben moeten boeten, dan zou hij haar getrouwd moeten hebben! Als ze dat bedacht, huiverde ze. Janske was best aardig, maar dat wilde niet zeggen dat zij hem een leven lang naast zich zou kunnen velen. Van iemand als Janske zou ze nooit kunnen houden, dan werd het niks, een leven samen. Ze schoof de gedachten daaraan dan ook dadelijk maar weer heel ver, maar dat ene denken wilde niet ver geduwd worden: áls ik met Janske de Jong... dan had ik mijn meisje misschien wel mogen houden...

Ze dacht altijd aan het kindje, hoorde op de gekste momenten dat klagende stemmetje en dat maakte zo verdrietig. En ze kon er met geen sterveling over praten omdat ze geheel alleen stond. Vanzelfsprekend noemde vader het kindje nooit en tegen haar deed hij alsof ze lucht was. Ook dat deed zeer. Moeder steunde haar al evenmin, al probeerde die af en toe wel vriendelijk te doen. Vriendelijk, niet meer lief en zorgelijk om haar zoals beloofd was vóór ze naar Bussum vertrok. Toen zei moeder aldoor: het komt allemaal weer goed, mijn meidje! Als jij weer naar huis komt is alles vergeven en vergeten, als je zwijgt komt alles weer goed, hoor!

Ze had niét gezwegen... omdat ze niet met grove leugens kon leven en dat betekende haar ondergang. Het kwam nooit meer goed.

Moeder trok haar nooit meer even tegen zich aan en ze had daar juist zo'n behoefte aan. Maar dat liet ze niet merken, ze paste wel op! Ze had zich een bepaalde houding aangemeten, niet omdat ze arrogant en trots was maar omdat ze besefte dat die haar hielp om staande te blijven. Ze leerde, door haar eigen ogen niet beschaamd neer te slaan maar elkeen recht en een beetje brutaal aan te zien, dat die ánder daardoor zijn of haar ogen neersloeg! Dat gaf haar voldoening en hielp haar op de been te blijven.

'Waar ga je nu weer heen...?' Wietske blikte haar dochter vragend en bij voorbaat vermanend aan, toen ze zag dat Geertje plotsklaps opstond en de huiskamer wilde verlaten. Ze had het wicht al een tijd lang heimelijk gadegeslagen en zich afgevraagd waaraan ze toch aldoor dacht...? Tijden lang kon ze voor zich uit zitten staren zonder een woord te zeggen. De stilte rond dat kind werkte hoe langer hoe meer op Wietskes zenuwen. Geertje moest weer tussen de mensen, jawel, maar wie vertelde haar, Wietske, hoe ze dat voor elkaar moest krijgen...? Melle was een beste man voor haar maar ook een enorme stijfkop! Hij had haar regelrecht verboden om mensen op de hoeve te noden. 'Pottenkijkers en nieuwsjagers heb ik hier niet nodig, denk daaraan! Men komt hier niet om jou en mij, maar om te zien hoe groot ons verlies is... het leed en de schande die we moeten dragen!'

Melle wilde geen mensen over de vloer en eerlijk gezegd had zij dat ook liever maar niet. Je wist toch niet wat je zeggen en zwijgen, hoe je kijken moest...

'Ik vroeg je wat, Geertje...! Ik wil weten waar je naartoe gaat...!' Ze blikte haar dochter nu streng aan.

'Nergens... Ik kan immers nergens naar toe omdat ik... schurftig ben... Ik ga alleen maar even een ommetje maken omdat ik denk dat ik hier zal stikken als ik niet snel wat frisse lucht binnenkrijg...' Net als buitenstaanders las de moeder slechts de brutaliteit in de jonge ogen die zich in die van haar vast prikten, niet het schrijnende zeer dat daarachter verborgen lag. Wietske schudde vertwijfeld haar hoofd en in haar stem lag een snik toen ze fluisterde: 'Kind, kind... wat maak jij ons het leven zuur... Je hebt uit het gebeurde niks geleerd, je bent opstandiger, brutaler en dwarser dan je ooit bent geweest...! Er gaat voor mij geen dag voorbij zonder dat ik tranen behoef te vergieten! Dat maakt me vroegtijdig oud en dat zie ik zo vaak ik in de spiegel kijk...!'

'En daar draag ik schuld aan...'

'Ja natuurlijk kind, wie anders...'

'Dag... moeder...'

Hoorde Wietske in dat zacht gefluister nu wel de achtergehouden snik en zei ze daarom vergoelijkend: 'Wat zoek je toch aldoor buiten, kind...? Ten eerste is het geen weer om te wandelen, het waait en regent, en ten tweede... zullen ze in het dorp over je blijven praten als jij daar zo regelmatig verschijnt...'

'Ik ga niet naar het dorp... Ik dwaal wat over de landwegen in de ruimte...'

'Dan is het goed...! Kom niet te laat thuis.'

Het was beter als ik helemaal niet meer thuiskwam... dat was veel beter, bedacht Geertje terwijl ze over de landwegen die tussen de nu kale velden door kronkelden, slenterde. Ze begreep best dat de spanning thuis, die vooral als vader in de buurt was, te snijden was, door haar werd veroorzaakt. Door dat ellendige verleden dat om haar heen zweefde en op haar schouders drukte. Als zij de hoeve kon verlaten zou de spanning verdwijnen en zouden vader en moeder 's avonds weer tegen elkaar spreken. Dat deden ze vroeger, maar tegenwoordig niet of nauwelijks meer. De avonden waren een ware kwelling! Vader las veellanger dan gewoonlijk het geval was geweest in de krant. Als hij die eindelijk naast zich neergooide schoof hij onderuit in zijn stoel en sliep tot het bedtijd was. Moeder breide en breide maar. Altijd en eeuwig zwarte sokken voor vader. Hij moest haast wel een kast vol hebben onderhand! Breien en zwijgen en af en toe blikte ze over haar bril naar haar, Geertje. 'Wat ben je stil, zint het je weer eens niet?'

Ze was ook stil maar waar moest ze nog over praten...? Over het gebeurde zat ze boordevol, maar dat moest doodgezwegen worden. Vrienden en vriendinnen had ze niet meer, ze beleefde niks! Thuis hoefde ze niks te doen, daar waren de meiden voor. Moeder kookte en deed allerlei klusjes die ze niet uit handen kon of wilde geven. Zij, Geertje, hoefde anders niks te doen dan Geertje Postema zijn, een begrip...!

Maar ze was niet meer de Geertje Postema die ze eens was. Men bezag haar niet meer met respect, maar met afschuw en leedvermaak. Dat zag ze heus wel. Ze kreeg soms een hekel aan mensen...

Dat zou ze best willen, de hoeve verlaten, kwam ze in gedachten weer bij haar uitgangspunt terug. Ergens heel ver weg, waar men haar niet kende en niets wist van het gebeurde, een nieuw leven aanvangen. Dat moest toch mogelijk zijn? Waarom probeerden vader en moeder haar niet ergens onder te brengen waar ze zich thuisvoelde, waar ze leerde vergeten en waar ze zich een beetje nuttig kon maken? Dat móést mogelijk zijn, want toen ze thuis vertelde dat ze... zwanger was, wisten ze na korte tijd ook een plekje voor haar... Toen kwamen ze via via ook met vreemde mensen in contact die bereid waren te helpen. Achteraf begreep ze wel dat dat zuiver eigenbelang was geweest. Zij werd niet echt geholpen, maar dié mensen, die zo vreselijk graag een kindje wilden hebben...

Wat zouden dat voor mensen zijn, vroeg ze zich af terwijl ze zonder iets van de omgeving op te vangen, doorliep zonder doel voor ogen. Men had haar verteld dat het zeer gegoede mensen waren, meer niet. Als ze maar aardig waren en heel lief voor haar kleine meidje... Het was een heel vreemd gevoel, het weten dat een volslagen vreemde vrouw háár kindje verzorgde en vertroetelde... Dan zag ze haar eigen handen zo leeg... zo afschuwelijk leeg... Of dat ooit over zou gaan, dat diepe verlangen en dat schrijnende gemis...?

Als ze ergens een nieuw leven kon aanvangen, dan wellicht...? Ze zou er eens met moeder over praten. Als ze daartoe de kans kreeg tenminste, want vaak zei moeder na een paar woorden van haar al: 'Niet zo zeuren, kind... daar staat mijn hoofd niet naar...'

Ze mocht niet zeuren en niet stil zijn, ze mocht niet huilen en niet lachen. Omdat ze niet gezwegen had...

Opeens bleef ze staan en keek in het rond. Ze vroeg zich verwonderd af: heb ik zo hard gelopen...?

Vlakbij zag ze de torenspits van het naburige dorp dat toch een dik halfuur lopen van hun dorp verwijderd lag. Even weifelde ze om terug te keren dan besloot ze door te lopen, omdat ze wist – de omgeving op haar duimpje kennende – dat er bij de eerstvolgende boerderij een zandpad liep dat haar in een grote boog weer terug zou brengen in het eigen dorp.

Een mens moet nooit terugkeren, moet altijd vooruitgaan, grinnikte ze om haar eigen wijsheid die, vond ze, aardig op haarzelf van toepassing was.

Niet terug maar vooruit, hoe kon ze ook weten dat voor haar een weg lag die naar haar toekomst leidde. Geertje sloeg de weg – een verhard zandpad – in die om een boerderij kronkelde en daarna weer door de velden liep. Door kale vlaktes die lagen te rusten en te wachten op het voorjaar dat nog wel ver in het verschiet lag maar na de winter waarvoor ze stonden, toch komen zou. Dan zouden de nu zware blauw-grijze kleikluiten, weer begroeid worden met allerlei gewassen zonder welke een mens het niet stellen kon.

Halverwege het verharde zandpad dat twee dorpen met elkaar verbond, bleef ze geschrokken staan omdat een hond, een grote zwarte bouvier, blaffend en grommend op haar toekwam. Tegelijkertijd hoorde ze een zware stem roepen: 'Nero...! Af en kom hier!'

De hond gehoorzaamde ogenblikkelijk en maakte rechtsomkeert. Geertje keek hem na, vervolgde haar weg en toen zag ze het kleine bedoeninkje waarvoor een man stond die de hond streelde en prees: 'Braaf, je bent braaf!'

'Was je bang? Hij doet niks, hoor!' zei de man toen ze bij het bedoeninkje kwam en hem groette.

'Ik schrok wel even maar echt bang was ik niet,' lachte ze een beetje verlegen onder zijn zoekende blik.

'Als je een zuiver geweten hebt hoef je voor geen dier bang te wezen,' zei de man en hij voegde er nog aan toe: 'Want dat voelen ze aan, of een mens eerlijk is of niet!'

Geertje knikte en blikte langs de man heen naar het bedoeninkje dat op een verkleinde vorm van een boerderij leek. Achter het kleine huisje dat scheef hing en daardoor te kennen gaf er al heel wat jaartjes op te hebben zitten, bungelde een bouwvallige schuur, waarvan het rieten dak nodig een opknapbeurt moest hebben. De man, die haar blik volgde, lachte opeens schaterend: 'Je kijkt nogal bedenkelijk maar kom eens mee, dan laat ik je iets zien wat wel de moeite waard is!'

Hij wachtte niet maar stevende van haar weg om het armoedige bedoeninkje heen. Geertje wist niets beters te doen dan hem te volgen.

En terwijl ze achter hem aan liep wist ze het opeens: dit was Mans Maring, over wie een aantal jaren terug flink gesproken was! Mans Maring, hij was in de wijde omtrek bekend, maar hij bemoeide zich met geen mens.

'Hoe lijkt je dit!' Hij wees met een brede armzwaai en niet zonder trots op een schuur, van stenen opgetrokken en met een nog haast nieuw rieten dak. 'Met eigen handen gebouwd, zonder veel onkosten! Ik heb het materiaal hier en daar van de sloop gehaald. Mag er wezen, of niet soms?'

Geertje knikte, maar ze zag opeens zo veel tegelijk dat haar aandacht trok dat ze niet zozeer bij zijn schuur stilstond dan wel bij de beesten die overal vrij rondliepen. Ze zag een pony over het erf scharrelen als was hij hier de waakhond, ze zag kippen en eenden. Er liepen hier meer katten rond dan bij hen op de boerderij! Ze hoorde nu ook het gesnater van ganzen, die waggelend op hen toekwamen en zo'n herrie maakten dat ze haar handen over de oren sloeg. De man lachte: 'Dat zijn de beste waakhonden, die je je maar wensen kan!'

Heel even was ze weer de Geertje Postema van vroeger en zei een beetje hooghartig: 'Dat zal ik niet weten, ik kom van een boerderij!'

'En die liegt er niet om, de boerderij van Geertje Postema's vader!' antwoordde hij lachend en liet hiermee merken haar wel te kennen. Ach, natuurlijk kende hij haar. Iedereen kende elkaar hier. Zelfs al woonde je een dorp verderop of, zoals Mans Maring, tussen twee dorpen in op de ruimte. Zij kende Mans immers ook, dus waarom zou zij vreemd zijn? Was dat maar zo... nu zou Mans Maring zich terstond herinneren wat er met Geertje Postema aan de hand was...

Hij liet echter niets merken en dat prees ze in hem. Dat was ze niet meer gewend! Mans Maring bleef gewoon vriendelijk, bleef praten: 'Ben je niet benieuwd waarvoor mijn nieuwe schuur dient?'

Ze lachte hem tegen: 'Ik hoor het al: koeien! Ik ruik ze ook!'

'Kalveren!' verbeterde hij. 'Sinds een paar jaar houd ik in deze schuur een kalvermesterij!' Hij opende de schuur en ging er binnen en terwijl Geertje hem op de hielen volgde, vertelde hij: 'Ik had het spul eerst in de bestaande schuur, maar dat was geen doen op den duur. Als het regende, werd het binnen even nat als buiten en dat was niet prettig, hè jongens?' Hij streek een kalfje zo liefdevol over de kop dat Geertje spontaan opmerkte: 'Mans Maring houdt ontzettend veel van dieren, dat zie je zo!'

Mans glimlachte raadselachtig toen hij zei: 'Dat is niet zo moeilijk, deerntje, als je... de mensen hebt leren kennen...'

Ze begreep hem, zag in hem een bondgenoot en zei zacht: 'Mensen kunnen heel hard zijn... genadeloos hard en dat zijn dieren niet, bedoel je dat...?'

'Je begrijpt me dadelijk maar dat is voor jou ook niet zo moeilijk, dunkt me!' Hij blikte haar diep aan en zei: 'Als je een kameraad nodig hebt omdat het verdriet wat hoog zit, zoek dan een dier, deerntje. Dat stelt je nooit teleur!'

'We hebben thuis paarden en koeien en...'

Mans onderbrak haar. 'Dat worden nooit jouw vrienden, deerntje! Dat zijn 'knechten' van je vader die op de hoeve mogen zijn omdat ze geld opleveren! Als je op die manier beesten houdt, worden dat je kameraden niet. Dat is mijn opinie, hoor, jij mag daar gerust anders over denken!'

'Ik heb daar nog nooit zo over nagedacht, dat dieren je kameraden konden zijn...' bekende ze blozend.

Ze liepen de schuur weer uit en terwijl hij de deur zorgvuldig sloot, zei hij ernstig: 'Denk jij er dan maar eens over, want volgens mijn bescheiden mening kun jij wel wat kameraadjes gebruiken!'

Ze antwoordde niet, zei enkel: 'Ik moet weer op huis aan...' Zonder groet liep ze weg. Ze was al weer op het zandpad toen ze hem hoorde roepen: 'Nero, kom terug...! Zie je dan niet, domme hond, dat zij geen behoefte heeft aan vriendschap!'

Toen keek ze om en zag dat de hond trouw achter haar liep. Ze bleef staan, nam de grote zwarte kop in haar handen en fluisterde: 'Zeg maar tegen je baas dat ik gauw terugkom... ik wil dolgraag bij... vrienden horen...'

Ze lachte toen ze tegen Mans Maring haar hand opstak. De kuiltjes vielen diep in haar wangen en sinds lange tijd leek ze weer het kind Geertje Postema. Het kind dat aandacht nodig had en liefde en vriendschap omdat het leven door volwassenen bestuurd, voor haar dikwijls onbegrijpbaar was.

Op de terugweg naar huis dacht ze aan Mans Maring. Het gesprekje met hem had haar meer dan goed gedaan, omdat hij als enige sinds lange tijd heel gewoon had gedaan. In zijn ogen had niet die bepaalde blik gelegen die haar bij anderen zo overbekend was. Een blik die bezerend was. Mans had haar open aangezien en ook in zijn stem had geen ondertoon van spot gelegen. Fijn was dat!

Mans Maring was een fijn mens, met hem zou ze bevriend willen zijn. Met hem en met zijn beesten! Zoals hij met zijn dieren omging, daar had ze bewondering voor! Heel anders was dat dan bij hen op de hoeve, waar goed voor de beesten werd gezorgd omdat ze krachtig moesten blijven. Niet uit liefde voor het dier zelf. Mans hield van zijn dieren, of dat nou een schurftig katje was of een aandoenlijk kalfje. Mans had ze lief omdat, zoals hij had gezegd, hij de mensen had leren kennen... Die uitspraak van hem liet haar niet los, die had haar geroerd en had iets in haar wakker geschud. Daardoor herinnerde ze zich ook dat er een tijd geleden zo over Mans Maring was gekletst. Een jaar of drie geleden, zij was toen nog te jong geweest om bij dat gepraat stil te staan. Ze wist niet meer waarom en waarover men het toen had, maar dat kon ze wel aan de weet komen! Ze zou daar eens heel voorzichtig bij moeder naar informeren!

Mans Maring, mijmerde ze terwijl ze voortliep, was een apart mens om te zien. Hij geleek in niets op vader, die altijd op een heer leek ook als hij zijn werkplunje droeg. Vader had iets voornaams over zich, dat waarschijnlijk door zijn kaarsrechte houding kwam. Of door zijn streng gezicht en de dikke borstelige wenkbrauwen boven slimme, prikkende ogen. Mans had geen prikkende ogen, in zijn blik ontdekte ze aldoor pretlichtjes. En toch moest Mans van de mensen niet veel hebben! Hield hij zo veel van zijn leven en zijn dieren, dat die hem vanbinnen zo blij maakten en de pretlichtjes in zijn ogen toverden? Heel zijn wezen straalde trouwens blijheid uit, vond ze, toen de figuur Mans Maring in gedachten aan haar geestesoog verscheen. Hij was groot, breedgeschouderd en stoer en leek een beetje ruig met zijn kop vol wilde krullen, waarop zwierig een zwarte pet zweefde. Mans was vast niet ijdel, dacht ze, want zo te zien had hij zich in geen dagen geschoren. Wat dat betrof leek hij op hun arbeiders die ook maar eens per week naar de barbier gingen. Wat kleren betrof leek Mans trouwens ook op een arbeider. Hij droeg de gebruikelijke blauwe kiel, landschoenen en een manchester broek die hij met een rafelig stuk touw om zijn middel vastbond. Maar ja, vergoelijkte ze zijn uiterlijk, Mans was vanzelf ook geen boer, maar een gewoon arbeidersmens. Wel een aardig mens!

Geertje schatte hem op midden dertig, een levensgenieter die de mensen met een korreltje zout nam en doodleuk zijn eigen gang ging. Mans Maring boeide haar omdat hij zo aardig was geweest en omdat hij de kunst verstond van het leven te genieten, ondanks dat er over hem gepraat werd en men hem links liet liggen.

Toen ze de hoeve naderde, was ze vervuld van één ding: ze moest meer over Mans Maring aan de weet komen. Ze wilde weten wat er in zijn verleden allemaal was gebeurd en ze wilde vooral proberen te begrijpen, hoe het mogelijk was dat hij ondanks alles, dan toch kon blijven lachen.

HOOFDSTUK 5

Er was ruim een maand verstreken en november had zijn plaats afgestaan aan december. In die achter haar liggende periode was Geertje veel over Mans Maring aan de weet gekomen, niet zo zeer van haar moeder dan wel van Mans zelf.

Toen ze die eerste keer bij Mans vandaan kwam had ze tegen haar moeder gezegd: 'Ik ben bij het huisje van Mans Maring langsgekomen, ik heb hem gezien en heel even met hem gesproken. Wat was er eigenlijk met hem aan de hand toen er destijds zo over hem werd gekletst!' Moeder had toen gezegd: 'Met die kerel moet jij maar geen gesprek meer aanknopen, die heeft destijds zijn vrouw vermoord! Een grotere niksnut dan Mans Maring loopt er niet rond!'

'Ik vond hem best aardig en volgens mij is hij geen niksnut, want hij werkt toch om zijn eigen kostje te verdienen? Hij steelt toch niet!' Had zij zich met die uitleg een beetje blootgegeven en had moeder voorvoeld dat zij Mans wellicht aardig vond? Moeder had haar in elk geval vorsend bezien en toen gezegd: 'Hoe jij die kerel vindt doet er niet toe, Geertje! Ik verbied jou om nogmaals met Mans in contact te komen. Is dat begrepen...! Wat doe je ook zo ver van het dorp en wat zoek je in die godverlaten ruimte, waar Mans Maring vindt dat hij heer en meester is!'

'Ik moet toch wát doen...'

Moeder was op dat laatste niet ingegaan; ze had nogmaals en nu dreigend gezegd: 'Jij gaat daar niet meer heen en mocht je die kerel op een andere manier tegenkomen dan doe je net alsof hij lucht is! Zo doet ieder weldenkend mens en dat heeft hij verdiend! Als ik merk dat jij toch met hem aanpapt, vertel ik het tegen vader en dan is het voor jou niet best!'

Ze had daar niks op gezegd dus ook niets beloofd, vond ze zelf en de volgende dag al was ze weer naar Mans gegaan! Dwars tegen het verbod van moeder in, omdat ze Mans aardig vond en behoefte had aan een babbeltje met een mens dat haar heel gewoon tegemoet trad. Ze was vooral gegaan omdat ze zowat stikte van nieuwsgierigheid. Mans had zijn vrouw vermoord, had moeder gezegd. Daar was ze wel even van geschrokken! Ze kon het moeilijk geloven, maar in elke dorpsroddel zat een kern van waarheid. Zo zei men dat tenminste altijd.

'Dat had ik wel verwacht, dat jij weer naar hier zou komen!' had Mans haar de volgende dag begroet. Hij was bezig geweest in zijn nieuwe schuur, waar hij de kalveren voerde en de stallen mestte. Ze was daar binnengelopen omdat de deur openstond en ze hem daar vermoedde. Nero had haar uitbundig begroet, Mans met een brede lach. 'Waarom dacht je dat...? Ik had niks afgesproken of beloofd!'

'Dat moet je ook nooit doen; afspraken maken en dingen beloven! Daardoor wordt de boel maar geforceerd en gedwongen. Je trekt er de franje mee af. Spontaniteit, dat is veel aardiger, geloof dat maar van mij, deerntje!'

Ze was op een stropak in een hoek van de schuur gaan zitten en had hem zwijgend gadegeslagen. Het was prettig om naar Mans te kijken als die werkte. Hij deed toen net alsof zij er niet was en werkte kalm door. Met een mestvork schepte hij de mest op een kar en schoof die de schuur uit naar de mestvaalt om hem daar leeg te kiepen. Kar na kar werd in een gestaag tempo gevuld en geleegd en pas toen het karwei geklaard was, kwam hij voor haar staan.

'Wat ben je stil en geduldig.' Hij blikte met een lach om zijn mond op haar neer.

'Ik vind het prettig om naar je te kijken.'

Hij knikte ernstig als begreep hij haar volkomen, alvorens hij zei: 'Ik moet nog even de kalfjes laten drinken, dan zal ik me als een gastheer gedragen en bied ik je een kop koffie aan, hoor!'

Terwijl Mans de dieren om beurten een emmer melk met daar doorheen krachtvoer op liet slobberen, zei Geertje: 'Jij hebt het nog aldoor over kalfjes, maar ik vind het al hele koeien worden!'

'Dat is ook zo, meidje!' lachte Mans vermaakt. 'Ze zijn in het voorjaar geboren en nu dus bijna hokkelingen. Ik heb ze als baby's gekregen en ik zal wel een sentimentele dwaas zijn, maar het blijven mijn kinderen, mijn kalfjes, tot ze bij me weg moeten. En dat duurt nu niet lang meer, jammer genoeg!'

'Daar moet jij het toch van hebben, van de verkoop van de dieren?'

'Je hebt alweer gelijk en zo gauw ze de deur uit zijn is de band die ik met ze heb, ook dadelijk verbroken, hoor! Zoals je ziet staan er al een aantal stallen leeg en eerdaags gaat de rest weg. Dan heeft Mans Maring niet zo veel meer omhanden, niet veel om tegenaan te praten, maar zijn beurs is weer een tijd lang gevuld en dat vergoedt het een en ander!' Hij klopte een der dieren op de flank en lachte dan: 'En nu valt een kom koffie er goed in. Ga je mee naar binnen!'

Dat wilde ze dolgraag en toen ze kort daarna achter hem aanliep op het huisje toe, dacht ze onwillekeurig: dit moest moeder eens weten...! Maar ze had geen schuldgevoel; ze voelde zich blij en gelukkig.

Die dag zag ze voor het eerst Mans' huisje en daar schrok ze toch wel van. Vergeleken bij de hoeve was het zo verschrikkelijk klein dat ze zich afvroeg hoe een mens hierin naar behoren kon leven. Ze moest zich zelfs wat bukken om door de lage achterdeur naar binnen te kunnen waar ze in het achterhuis stapten. Op de lemen vloer daarvan had Mans voor de deur juten zakken liggen die in plaats van matten dienst deden om je voeten er op te vegen. Het achterhuis was een chaos, was gevuld met oude tafels langs de wanden, met melkbussen vol kalvermelk, met emmers en teilen, dozen en kisten, alle met voor Geertje onbestemde doeleinden. Via het achterhuis kwamen ze in een smal gangetje waarvan de ondereinden van de muren zwart waren geverfd en de boveneinden tot aan de balken zoldering wit gekalkt. Op de plankenvloer die onder haar voeten kraakte, lagen her en der verspreid oude, rafelige kokosmatjes die naar Geertjes begrippen op de mestvaalt hoorden.

Mans duwde een deur open en liep voor haar uit het keukentje binnen. Een wel erg klein vertrekje, waarin een oude potkachel rood gloeiend stond en een behaaglijke warmte verspreidde. Terwijl Mans wat eierkolen in het kacheltje schudde en daarna druk doende was om het water, dat op het kacheltje stond te koken, op de gemalen koffie in de pot te gieten, blikte ze verwonderd om zich heen. In het midden van het vertrekje stond een tafel, waarvan de poten zo te zien niet even lang waren, want onder één poot had Mans een stukje hout geschoven om de tafel in balans te houden. Op de tafel lag een geblokt zeiltje dat bij elke hoek een gat vertoonde. Slijtage door een te lang bestaan. Er stonden vier gele houten stoelen omheen met biezen zittingen, die ook al niet te best meer waren! Voor een van de kleine vensters stond een hoog bloemtafeltje met daarop een clivia die warempel bloeide! Voor het zijraam stond Mans' kraakstoel, en daarnaast, binnen handbereik, een ronde bak met houtblokken die, zoals hij vertelde, hij 's avonds stookte. De blinde muur was voorzien van deuren waarachter ze de bedsteden wist en het glazen kastje. Boven de tafel hing een olielamp en op de grond onder de tafel lag een biezen mat. In een hoek ontdekte ze nog een kabinet en dat was het interieur van Mans' keukentje! Wát een verschil bij de hoeve... Ze moest met verbazing rond hebben gezien, niet wetend dat Mans haar blik al een tijdje volgde. Opeens kruisten hun blikken elkaar. Ze bloosde en Mans lachte breed: 'Mooi en voornaam is anders, maar gezellig is het wel! Of niet soms?'

'Het is oergezellig... en heel knus!' moest ze beamen. Mans lachte gelukkig.

Die dag spraken ze over van alles en nog wat, maar niet over Mans zelf. Ze durfde geen vragen te stellen en evenmin durfde ze hem te vertellen dat ze niet met hem mocht spreken, laat staan bij hem naar binnen gaan! Haar nieuwsgierigheid werd die dag niet bevredigd maar een aantal dagen later begon Mans er zelf over.

Al vroeg was ze die dag naar Mans gegaan en ze had weer een tijdje toegekeken terwijl hij drukdoende was en opeens, toen ze een kar vol mest zag staan waar Mans even bij wegliep, was ze opgestaan en had de kar naar de mestvaalt geschoven. Ze miste de kracht om hem daar leeg te kiepen en had hem met de vork leeg geschept. Zwaar werk, dat ze niet gewend was, maar ze kreeg het voor elkaar en toen ze de lege kar weer beet wilde pakken om hem de schuur in te rijden, zag ze dat Mans in de deuropening naar haar keek. 'Dat valt me niks van je tegen, deerntje!' prees hij. Ze had gevoeld hoe ze diep bloosde. Ze kreeg een kleur van puur, heel simpel geluk.

Toen Mans haar kort daarna weer koffie aanbood en ze tegenover elkaar aan tafel zaten, was hij het die haar peilend bezag en zich hardop afvroeg: 'Ik vraag me al een tijdje af wat jouw ouders ervan zeggen, Geertje, dat jij bij Mans Maring over de vloer komt. Mans is zoiets als "besmet gebied", weten jouw ouders dat niet?'

'Ik mag niet bij je komen... niet eens met je praten. Moeder heeft me dat regelrecht verboden...' had ze eerlijk bekend.

'En toch kom je telkens weer! Waarom, deerntje...?'

'Omdat ik je aardig vind... Het is hier bij jou zo gezellig. Ik voel me hier op mijn gemak en daarom kom ik steeds weer...'

Hij bezag haar vorsend en stelde dan andermaal een vraag: 'In het dorp, tussen de mensen, voel jij je daar niet op je gemakje, meidje...?'

Nee... iedereen doet net alsof ik een misdaad op mijn geweten heb...'

'Is dat zo, Mans...? Ben ik werkelijk heel slecht...?'

Mans Maring, bijna twee keer zo oud als Geertje, wist zijn medelijden met haar te onderdrukken en kalm te vragen: 'Wilde jij dat, Geertje, je kindje afstaan aan vreemden...?'

Ze schudde haar hoofd en zweeg een poos en zei dan: 'AI die maanden... toen het kindje in me groeide en groter werd... besefte ik niet voldoende wat er aan de hand was met me... Dat klinkt achteraf naïef maar het was echt zo, Mans...'

'Dat geloof ik dadelijk, meidje... Je was nog zo verschrikkelijk jong en bovendien wordt er over dit soort dingen met een meidje niet gesproken! Ik kan tenminste geen ouder aanwijzen die eerlijk en open tegen hun dochters zeggen welk gevaar ze kunnen lopen als ze verkering hebben. Dat is naar mijn mening erg dom, maar dat komt door schaamtegevoel, door de taboe-sfeer die er omheem ligt.'

Geertje had geknikt: 'Toen ik 'groot' werd, zei moeder enkel dat ik op moest passen met jongens. Niet waarvóór ik op moest passen. Ik had geen verkering met degene die het kindje verwekte... Ik hield ook niet van hem en toch...'

Mans had haar onderbroken: 'Ho, ho, meidje, je bent mij geen verklaring schuldig, hoor! Jij bent niet de eerste die dit overkomen is en je zult ook niet de laatste zijn!'

'Maar ik heb afstand gedaan van het kindje...'

'Als ik je zo bezie, en ik poog in je hartje te kijken, dan durf ik er heel wat om te verwedden dat jij gedwongen werd er afstand van te doen...! En ook dat is in het verleden meer gebeurd, Geertje! Ook hierin ben jij beslist geen uitzondering op de regel.'

'Bedoel je dat er meer meidjes zijn geweest die... gedwongen werden afstand te doen van een kindje dat ze eigenlijk zelf graag hadden willen behouden...?' had ze verbaasd gefluisterd.

Ze keek enorm tegen Mans op; ze vond hem een man van de wereld, want hij wist toch maar dingen te vertellen waarvan zij, onnozele hals die ze was, geen flauwe notie had. Mans zei toen: 'Ik zou haast zeggen dat ik je uit elk dorp in de wijde omgeving wel een meidje aan kan wijzen die hetzelfde is overkomen. Ik moet er wel bij zeggen, helaas, dat het altijd ging en gaat, om meidjes uit de betere kringen! Om deerntjes die voor het oog van het volk, ongeschonden verder moeten kunnen!'

'Overkomt zoiets dan nooit een gewoon arbeiderswichtje...?'
'Jawel, natuurlijk wel, want die zijn ook maar van vlees en bloed. Maar die verliezen niet zo veel kansen als een meidje van gegoede komaf. Ten eerste worden daar, bij arbeiders, dat soort wichtertjes thuis beter opgevangen. Daar is men veel eerder geneigd te zeggen: Het is verschrikkelijk en heel jammer en nu is er maar één ding voor ons te doen: Dat is helpen! Niet afstoten, maar met raad en daad ter zijde staan. Deze meidjes komen doorgaans wel weer goed terecht en hieruit blijkt dan maar weer dat geld wel een bepaalde macht heeft maar die éne macht mist, en die is nu juist zo belangrijk want die kijkt naar het werkelijke geluk!'
'Ik wou dat ik een gewoon arbeiderswichtje was...'
Andermaal smolt Mans Maring van medelijden en fluisterde hij zacht: 'Dan had jij je kindje nu bij je... Dat wilde je me toch duidelijk maken...?'
'Ja...'
'Verlang je er erg naar, mijn deerntje...?'
'Ik denk er voortdurend aan... 's Nachts word ik soms opeens wakker en dan... dan hoor ik het huilen...'
Onder de tafel balde Mans zijn grote vuisten en schold hij in stilte op Melle Postema: jij groot zwijn, besef je wel welk een verdriet jij je dochter aan hebt gedaan! Zij is van aard niet geschonden, maar puur en gaaf. Jij hebt haar geschonden en haar zieltje in stukken gescheurd...! En dat enkel om de macht van het geld...'
In zijn stem lag een vreemdsoortige bibber toen hij een vraag stelde, waarop hij het antwoord al wel kende. 'Jij weet zeker niet eens waar je kindje nu is...?'

Ze schudde haar hoofd en heel haar verdriet lag in een paar woorden besloten: 'Ik heb het niet gezien.' Ik mocht het niet vasthouden en kussen... Ik mocht het alleen horen... huilen...'

'Arm ding... arm deerntje...'

Geertje blikte hem verwonderd aan alvorens ze zacht vroeg: 'Het verbaast me zo dat jij... niet vraagt naar degene die hier evenveel schuld aan heeft... Dat vroeg iedereen me het eerst...'

Mans schudde zijn hoofd: 'Dat gaat mij immers niks aan, meidje! Als ik die vraag stelde zou dat uit pure nieuwsgierigheid zijn en ik ben niet nieuwsgierig aangelegd.'

Toen had ze gefluisterd: 'Ik schaam me een beetje om het te moeten zeggen maar... ik ben wel nieuwsgierig aangelegd, Mans...'

'Waarnaar ben jij dan nieuwsgierig...?'

'Naar jou... Naar je verleden. Men heeft destijds zo vreselijk over je gepraat... Mijn moeder zei dat jij... dat jij je...'

Hij onderbrak haar en zei schamper: 'Dat ik mijn vrouw heb vermoord... dat zei je moeder, nietwaar...?'

Ze knikte beamend. Dan viel er een lange stilte die door Mans verbroken werd. Hij blikte haar aan en vroeg: 'Geloof jij hetgeen je moeder je vertelde...?'

'Nee, daar geloof ik geen steek van!' Ze blikte hem open en onbevangen aan. 'Dat zou jij nooit van je leven hebben kunnen doen!'

'Waarom niet...?'

'Omdat jij zo veel van je beesten houdt! Omdat jij van alles houdt wat leeft en groeit. Kijk maar naar je clivia, die bloeit en dat kan alleen maar als er goed voor gezorgd wordt! Jij hebt geen moord op je geweten, dat weet ik heel zeker, Mans...!'

'Je bent een lieverd om het zo voor mij op te nemen, maar waar ben je dan zo nieuwsgierig naar...?' glimlachte Mans haar tegen.

'Ik begrijp niet hoe en door wie dergelijke praatjes in de wereld kunnen komen... Ik begrijp ook niet hoe jij zo... zorgeloos en vrolijk verder kunt... Dat kan ik niet. Ik ben aldoor zo bang en ik schaam me als ik mensen ontmoet... Ik durf haast niet naar het dorp... Ik doe het wel en dan meet ik me een hooghartige houding aan. Dan is het net alsof het me allemaal niks kan schelen, dan ziet niemand... mijn tranen...'

'En Mans Maring mag je tranen wel zien...? Hoe komt dat zo?'

66

Haar antwoord, uiterst eenvoudig, ontroerde hem. Ze zei: 'Omdat jij Mans bent, mijn enige vriend.'

'Vrienden mogen geen geheimen voor elkaar hebben en daarom lijkt het me zinvol om jouw nieuwsgierigheid over mijn persoontje maar te bevredigen,' zei Mans toen en na een korte stilte, die hij volgens haar nodig had om de dingen op een rijtje te zetten, stak Mans Maring van wal.

Zijn grijze ogen waarin de pretlichtjes nu ontbraken, dwaalden onrustig in hun kassen toen hij begon te vertellen: 'Tien jaar geleden trouwden we, Tjitske en ik. We waren even oud, allebei vijfentwintig jaar. Tjitske was op dit spultje geboren. Haar moeder stierf toen zij nog maar een schoolgaand wichtje was en haar vader overleed een jaar na ons trouwen. Met ons beiden bleven we hier toen achter en we waren gelukkig. We werkten en leefden hier samen en genoten van elke nieuwe dag. Wat ons beiden hevig dwarszat was het uitblijven van kinderen. We hadden de hoop daarop net zo'n beetje opgegeven en ons daar bij neergelegd, toen Tjitske plotseling toch zwanger werd. Ons geluk daarover valt niet te verwoorden. Haar zwangerschap verliep vlekkeloos, maar ik had ook niet anders verwacht; Tjitske was een grote, sterke vrouw, een natuurkind. Wij beiden, die zo heel dicht bij de natuur leefden, we stonden er niet bij stil dat elke zwangerschap voor een vrouw een zeker risico met zich meedraagt. Het was hartje winter en het vroor dat het kraakte en er lag een pak sneeuw van enkele meters hoogte. Wij waren hier op de ruimte volkomen geïsoleerd van de buitenwereld, maar dat hinderde ons niet. We leefden in ons eigen wereldje en daarin kón niets of niemand ons hinderen. Tjitske was in haar zevende maand en we hadden volop eten en drinken in huis. We leden geen gebrek en we hadden elkander.

Op een morgen, de fataalste uit mijn leven, zei Tjitske zo terloops dat ze wat pijn in de buik had. Ze klaagde niet, ze noemde het enkel even om daarna gewoon haar gang te gaan. Zij beredderde het huisje en ik deed mijn werk buiten. Ik hield in die tijd ook eenden en die winter kregen we dagelijks bezoek van een paartje wilde zwanen. Toen al had ik een grote liefde voor dieren en die deelde Tjitske. Dat hield in dat ik elke morgen in de brede sloot opzij van het huis een wak moest kappen. Elke morgen weer, want die beesten moesten niet verhongeren en ze moesten zich kunnen baden, vonden we.

Die morgen had ik het wak weer open gekapt en toen ik daarna in huis kwam vond ik Tjitske in tranen en in een radeloosheid die me van streek bracht. Ze had weeën die elkaar steeds sneller opvolgden. Er moest hulp komen en er zat niets anders op dan dat ik me door de meters hoge sneeuw een weg baande om in het dorp te komen, waar ik doktershulp in kon roepen.

Tjitske leed abnormale pijnen, maar ze spoorde me aan: 'Ga dan toch, treuzel niet zo...'

Ik ging, wat kon ik anders...

Hier zweeg Mans een ogenblik om na een diepe zucht te vervolgen: 'Ik weet niet hoelang ik erover deed om het dorp te bereiken... Het moet lang zijn geweest want een mens die bij elke stap tot aan zijn knieën in de sneeuw zakt, schiet maar niet op... Uiteindelijk bereikte ik het dorp en de dokter. De terugweg ging aanmerkelijk sneller, want de dokter spande zijn paard voor de slee. De baakster werd uit haar huis gehaald en in een ommezien waren we thuis. En toen...'

Mans sloeg zijn handen voor zijn ogen en steunde hardop.

'En toen, Mans...' Het was nu geen nieuwsgierigheid meer, dit aansporen, ze wilde hem helpen. Ze voelde dat hij door moest gaan, dat hij zijn hart moest luchten.

Mans had zich alweer hersteld. Hij glimlachte haar mat tegen en zuchtte dan: 'Toen we bij het huis aankwamen was Tjitske dood... Het eerste dat ik zag was dat de deur van het achterhuis wijd openstond. Ze lag daar op de grond... dood. Het was allemaal heel onwerkelijk en zo beleef je zoiets denk ik ook. Ik weet nog dat haar benen, die vlak voor de open deur lagen, onder waren gesneeuwd door de sneeuwstorm die vrij spel had om binnen te komen. Het schoot door me heen: ze zal het zo koud krijgen... Ik veegde de sneeuw van haar benen en... begon te lachen...'

'O, Mans toch...'

'Ja, zeg dat wel, deerntje, want daardoor staken de roddels de kop op! De dokter en de baakster keken me bevreemd en argwanend aan en ik... ik lachte maar. Ik schaterde en kon niet meer ophouden... Die lachbui... dat was zo verschrikkelijk... die deed zo zeer alsof ik vanbinnen werd verscheurd... Ik lachte en wees op Tjitske: ze is dood... ze is dood...

De dokter begreep al gauw dat het puur zenuwen waren die me

deden lachen en maakten dat ik niet meer op kon houden. Ik kreeg een kalmerend middel dat na een tijd zijn plicht deed. Toen begon ik te huilen. En toen zei de baakster – ik zal die woorden nooit vergeten: "Dat zijn krokodilletranen, Mans Maring! Je lach daarnet, dié was echt. Die kwam uit je hart!"'

Zij was het die in het dorp vertelde dat Mans Maring veel te laat hulp voor zijn zwangere vrouw had gehaald. Volgens haar verhaal had ik gewacht tot het einde om hulp te halen. Toen die te laat kwam had Mans Maring een niet te stuiten lachbui gekregen! Hij lachte schaterend, van pure opluchting. Mans was blij dat zijn vrouw dood was!

'Dat waren je reinste leugens...!' Geertje blikte Mans met ogen vol afschuw aan. Hij glimlachte: 'Tja meidje, maar ze gingen erin als koek! Leugens en laster worden doorgaans grif geloofd en dan is het een hele toer om met de waarheid voor de dag te komen. Nu moet ik zeggen dat ik daar ook niks voor heb gedaan om de waarheid te laten zegevieren. Ik wist dat ik geen schuld had, dat ik dit tragische niet had kunnen voorkomen. Ik moest domweg hulp gaan halen, samen hadden we het niet geklaard, want later hoorde ik van de dokter dat het kind overdwars had gelegen. Op dat moment, toen Tjitske me aanspoorde te vertrekken, konden wij niet weten hoe weinig tijd ons restte. Té weinig tijd; de tijd die ons gegund werd was te kort van duur...

Wat er precies gebeurd is en waarom Tjitske overleed, zal ik nooit weten. Er zat iets niet goed, het kind wilde twee maanden te vroeg geboren worden... Toen Tjitske alleen achterbleef, moet de pijn nog heviger zijn geworden. Ze raakte in paniek, ze wilde naar buiten, opende de deur en kwam niet verder dan daar...

Zo is het gebeurd en niet anders. Maar dat gelooft alleen de dokter. Die was me nog een tijd lang tot steun, maar hij was met al zijn kundigheid en mensenkennis niet bij machte de dorpsroddels de kop in te drukken. Mans Maring had met opzet te lang gewacht met hulp halen en daardoor was zijn vrouw gestorven en dat betekende dus vrij vertaald: moord met voorbedachten rade. Punt, uit!'

'En dat gelooft men nog steeds?' Geertjes ogen waren ontsteld en groot van verbazing.

Mans knikte: 'Dat wil men blijven geloven, deerntje...'

'Wat moet dat vreselijk voor je zijn...'

'Nu niet meer, maar in het begin wel. Ik miste Tjitske en ik zou het kind nooit krijgen waar we beiden zo verlangend naar uit hadden gezien. De bevolking van twee dorpen keerde zich tegen me. Op de dag van haar begrafenis, terwijl de kist waarin ze lag driemaal om de kerk werd gedragen, toonde niemand respect. In de dorpsstraten was het niet stil, maar ging het leven gewoon verder. Er was geen venster in het dorp dat geblindeerd was door witte lakens. Ik heb dat vanzelf niet kunnen zien, maar ik vermoed dat er geen spiegel was afgedekt en geen klok was stilgezet! En dat weten doet nog altijd wat zeer, deerntje...! Dit verdiende Tjitske niet aan de dorpelingen...'

'Ik ben blij dat je me alles hebt verteld, Mans...'

'Begrijp je nu waarom ik zo aan de dieren hecht? Waarom ik de mensen geen strobreed in de weg leg, maar ze ook niet als mijn vrienden kan beschouwen...?'

'Ja Mans... dat begrijp ik... dat begrijp ik zó goed nu...'

Mans had toen naar haar gelachen, weer net als altijd, heel aanstekelijk en klaterend: 'Nu moet je niet zo sip kijken, want het behoort allemaal tot de vergetelheid, deerntje...! Je kunt de dood niet van je wegschuiven omdat die bij het leven hoort. Bij een leven dat ondanks alles, altijd gewoon maar weer verdergaat en je meesleept. Hoe spijtig dat ook is; je kunt als mens de boel niet terugdraaien. Je kunt alleen maar bedenken en geloven, dat alles zo heeft moeten zijn! Met dat geloof in je moet je maar verdergaan. Dat is in het begin wel heel moeilijk, maar later, als alle scherpe kantjes eraf zijn, wordt het wat gemakkelijker.'

'Wat deed jij, Mans, als je het in het begin moeilijk had?' moest zij weten omdat elke raad haar zo welkom was.

Mans sprak toen woorden uit die ze nooit zou vergeten. Hij zei: 'Dan vouwde ik stil mijn handen, meidje...'

Mans Maring had zijn vrouw vermoord en ze had die leugens niet willen en kunnen geloven maar nu wist ze het zeker. Toen veroordeelde ze, met Mans, de mensen. Toen werd ze nog meer en sterker dan tevoor, naar het huisje van Mans Maring getrokken. Naar een plekje waar ze zich een voelde met Mans en zijn dieren, maar waar het voor haar, Geertje Postema, volstrekt verboden terrein was.

HOOFDSTUK 6

Het was eind december en kerst stond voor de deur, maar het zou, als het weer niet omsloeg, geen witte kerst worden. Het regende al een aantal dagen praktisch onafgebroken en het land rond de boerderijen was soppig-nat. Een boer heeft weinig belang bij sneeuw, maar een beetje vorst zou de kwaliteit van de grond alleen maar ten goede komen. Maar net als dat bij zo veel dingen in het leven is, kun je het weer niet op bestelling krijgen.

Wietske Postema was niet zo zeer met het weer bezig dan wel met de bedrijvigheid die aan de kerst voorafgaat. Het huis, al de vertrekken van het vooreind, moest een grote beurt hebben. Met kerst moest het huis blinken, dat was een traditie waar je niet omheen kon. De 'mooie' kamer, waar normaliter niet wordt geleefd, en er enkel voor de pronk is, kreeg nu een extra beurt. De gordijnen werden gewassen, het zilver gepoetst, de kleden geklopt en de vloer zorgvuldig gedweild. Een paar dagen van tevoren werd de kachel al aangestoken want het vertrek was vochtig en rook muf. De meiden kwamen in deze dagen handen te kort nu alles in een paar dagen tijd moest gebeuren. Ze realiseerden zich weer eens hoe ontzaglijk veel koper- en zilverwerk de boerin in haar bezit had. Een naar werkje, al dat gepoets, maar eenmaal gedaan straalde de dankbaarheid je wel tegen!

Wietske zelf zat in deze dagen ook niet stil. Vaker dan gewoonlijk het geval was, was ze in de keuken te vinden. Daar werd gekookt, gebakken en gebraden, werden sausen aangemaakt, stond wild en gevogelte af te sterven.

Het was daags voor kerst toen Wietske die morgen tegen Geertje zei: 'Vandaag loop jij me niet onder mijn handen vandaan, hoor! Deze laatste dag voor kerst is er nog zo veel te doen en te regelen, dat ik jouw hulp best een beetje kan gebruiken! Ik snap trouwens niet wat jij elke dag opnieuw buiten te zoeken hebt! Met al dat geloop van jou zul je de zolen nog onder je schoenen wegslijten!'

'Wat moet ik dan doen...?' De vraag kwam er verveeld uit maar zo voelde ze zich dan ook, Geertje. Het wás vervelend dat moeder haar juist deze dag thuis wilde houden. Dat kwam haar helemaal niet uit want ze moest naar Mans. Voor hem was het morgen ook kerst en als zij niet wat lekkers voor hem maakte zou Mans Maring morgen doodgemoedereerd achter een bord aardappels met mosterdsaus zitten. Aardappelen in grote hoeveelheden, met mosterdsaus en een stukje gekookt doorregen spek, dat was Mans' lievelingskostje. Het was ook het enige dat hij klaar kon maken! Groenten kreeg hij praktisch nooit en als zij hem er op wees dat dat er toch bij hoorde, lachte hij: 'Welnee meidje, dat is nergens voor nodig! Het is mij ook veel te veel werk om daaraan te beginnen. Dieren hebben groenvoer nodig, maar een mens toch niet?'

Of een mens dat nodig had, wist ze niet, maar het was wel lekker en groenten brachten variatie in het dagelijks menu.

'Je zou de tutti-frutti klaar kunnen maken,' beantwoordde Wietske Geertjes vraag. 'De gedroogde vruchten heb ik gisteravond al in de week gezet. Weet je hoe dat moet?'

'Tuurlijk wel.'

Toen ze kort daarna in de keuken doende was met de haar opgedragen taak en ze in gedachten bij Mans was, vroeg ze: 'Zijn groenten gezond voor een mens, moeder?'

Wietske had het druk en haar hoofd stond niet naar een dergelijk gepraat dat volgens haar nergens op sloeg. Daarom was haar antwoord kort: 'Waar haal je zo plotseling een dergelijke vraag vandaan, kind?'

'Gewoon, omdat ik het wil weten.'

Wietske zuchtte en maakte zich van de vraag af door te zeggen: 'Ze zijn lekker, groenten, ingemaakt of uit de weck, en daarom eet een mens ze.'

'Eten arbeidersmensen ook groenten?'

'Och kind, wat zanik je toch. Werk liever door,' viel Wietske wat geërgerd uit, maar dan beantwoordde ze toch Geertjes vraag: 'Als de arbeiders niet te lui uitgevallen zijn, kunnen ze net als wij groenten eten. Ze hebben allemaal wel een lapje land achter het huis, waar ze witte en rode kool kunnen verbouwen en 's zomers snijbonen die moeder-de-vrouw in inmaakpotten onder het zout kan zetten voor de winter. Maar de meeste arbeiders komen er niet toe omdat ze de zaden of de jonge plantjes te duur in aanschaf vinden. En het kan trouwens ook zonder. Een arbeider heeft vet en spek nodig om op krachten te blijven; aan een lekkere bek heeft hij niks!'

Geertje hoorde maar half wat haar moeder zei. In gedachten vertoefde ze in het kleine arbeidershuisje van Mans en hardop vroeg ze zich af: 'Zou u dat kunnen, moeder, in zo'n klein arbeidershuisje wonen, eten, slapen, kortom: leven?'

'Wat een vraag! Natuurlijk zou ik dat niet kunnen. Maar dat hoeft ook niet, wij zijn boeren, geen arbeiders!'

'Het lijkt mij wel knus en gezellig, zo'n popperig huisje. Daar doet het feit dat ik een boerendochter ben, niks aan af!'

Over haar bril blikte Wietske haar dochter aan toen ze zei: 'Je bent een boerendochter, maar je hebt de helft daarvan vergooid, Geertje... Hoeveel boerenkinderen verloven zich met kerst niet... Wat zou het mooi voor ons zijn als jij daar bij hoorde...'

Geertje wist ogenblikkelijk dat moeder nu op Evert de Groot doelde. Er was met geen woord over gesproken, maar ze wist wel zeker dat moeder, net als zijzelf, de advertentie in de plaatselijke krant had gelezen. In die advertentie maakte Evert zijn verloving bekend met... jawel hoor; Anske Wieringa! Anske, dochter van een keuterboertje met wie Evert vóór haar verkering had gehad. Hij had het destijds uitgemaakt omdat hij niet genoeg van Anske hield en hij kwam met zijn ouders naar deze hoeve omdat Geertje Postema hem wel aantrok. Haar hoeve was groot en machtig en Geertje was vrij. Zonder van elkaar te houden kregen ze verkering, waar abrupt een eind aan kwam toen Evert besefte hoe gebonden zij in feite was. Die schande kon Evert zich niet permitteren en hij wierp zich weer in de armen van Anske Wieringa. Beter wat dan niets, zou Evert wel hebben gedacht!

.. Ik hoop dat Evert gelukkig wordt met Anske, dat hoop ik gewoon voor hem en haar,' onderbrak ze haar gedachten. Ze zei het naar volle waarheid en hardop.

'Zo lauw als jij op de dingen kunt reageren.' Wietske schudde in verwondering haar hoofd. 'Het is net alsof jij geen trots meer in je hebt!'

'Die trots van mij, die heb ik in móeten leveren op de twaalfde mei negentien twintig... Die datum vergeet ik nooit, moeder... die dag niet en alles wat daar heel nauw mee samenhing evenmin...! Ik zou nog trots kunnen zijn als ik toen wat ouder was geweest en wat meer wist, waardoor ik mijn wil had kunnen tonen. Toen had ik geen wil, nu geen trots, en het kan me allemaal niks schelen...'

'Ze had nog meer willen zeggen maar Wietske onderbrak haar. De datum die Geertje daarnet noemde, zou ook Wietske niet vergeten, maar ze wilde daaraan niet herinnerd worden. Ze wilde vergeten en daarom viel ze boos uit: 'Hoe kun je zo praten, kind... zo kwetsend...! Begrijp je dan nog altijd niet dat vader en ik het beste met je voorhadden! Ik wou je verstandiger hebben en dankbaarder, Geertje...!'

Geertje deed als hoorde ze niet wat haar moeder zei. Ze fluisterde: 'Ruim zeven maanden is het kindje nu... Als het erg voorlijk is, kan het waarschijnlijk al zitten en heeft het een paar tandjes...'

Wietske sloeg in wanhoop haar handen voor haar oren en zei met hese stem: 'Zwijg kind... zwijg in vredesnaam...! Moet jij mijn kerst bederven... jij, die al zo veel hebt bedorven...'

Op dat moment kwam een der meiden de keuken binnen en Wietske, doodsbang dat Geertje ook in het bijzijn van de meid haar mond niet hield, haastte zich te zeggen: 'Zet de tutti-frutti in de kelder om af te koelen en loop jij er dan nog even uit... Een frisse wind zal jou geen kwaad doen...'

'Graag, moeder...' zei Geertje en alleen de meid zag de blijde twinkeling in haar ogen.

Dolgelukig dat ze het huis uit werd gestuurd, spoedde ze zich naar Mans Maring. In looppas bijna, liep ze regelrecht naar dat kleine bedoeninkje waar ze altijd welkom was, waar ze zich thuis en op haar gemak voelde. Ze had er geen vermoeden van, Geertje, hoe snel ze weer op de hoeve terug zou zijn...

Ze vond Mans niet in de schuur maar in het huisje zelf, waar hij in het keukentje bezig was de houten vloer te dweilen. Mans deed dat op zijn manier: om een lange bezem had hij een natte, juten zak gebonden en daarmee maaide hij kris-kras over de vloer. 'Doe jij dat zo...?' vroeg Geertje verbaasd nadat ze hem met een vrolijk: 'Dag, Mans!' had begroet.

'Doe ik het dan niet goed?' Mans blikte haar vragend aan.

'Nee, je moet een emmer water nemen en een dweil! Dan moet je stukje voor stukje dweilen en de dweil telkens uitspoelen. Zo doen de meiden het bij ons tenminste.' Met dit laatste liet ze merken zelf ook niet zo op de hoogte te zijn van wat het vloer dweilen betrof.

Mans haalde zijn schouders op en lachte: 'Een vloer dweilen is nu ook bepaald mijn liefste bezigheid niet, deerntje! Eerlijk gezegd zou ik er normaal niet over prakkiseren om het te doen, maar daar het morgen Kerst is en ik dames bezoek verwacht, besloot ik mijn huisje eens wat ogelijk te maken. Zodoende!'

Haar gezichtje verdonkerde toen ze vroeg: 'Krijg je morgen bezoek van een... vrouwmens, Mans...?'

Mans Maring zag drommels goed die zorgelijke, donkere blik van haar en daarom deed hij quasi-ernstig: 'Ik weet niet of ik haar een vrouwmens kan noemen, ze is in mijn ogen veel meer een kind, een heel jong wichtje!'

Ze lachte bevrijd: 'Je bedoelt mij!' En toen Mans haar een olijke knipoog gaf, zei ze: 'Ik ben wel degelijk een vrouw, Mans... ik ben verschrikkelijk volwassen. Je moet mijn jaren niet tellen, je moet me bezien zoals ik ben...'

Hij knikte, ernstig nu en zei: 'Dat is zo, meidje! Wat jaren betreft kom jij net kijken maar je werd gedwongen volwassen gemaakt. Dat kan ik toch zo jammer vinden...'

Mans wilde zijn bezem weer ter hand nemen maar Geertje weerhield hem daarvan door te zeggen: 'Laat maar, dat doe ik wel voor je! Ik had al veel eerder willen komen om jouw huisje voor de Kerst wat gezelliger te maken en vast wat eten in het voren klaar te zetten, maar juist toen ik weg wilde moest ik moeder helpen! Gelukkig kregen we als gewoonlijk weer een woordenwisseling die tot gevolg had dat moeder me op pad stuurde!'

'Weten ze bij je thuis dat je naar mij toe bent...?'

'Tuurlijk niet, dommerd!' flapte ze er oneerbiedig uit, 'dan was ik hier nu immers niet, dan bond mijn vader me aan een stoelpoot vast!' Ze schaterde zelf om deze vondst.

Mans keek ietwat bedenkelijk, maar Geertje ratelde met een blik op het eenpits petroleumstel waar gewoonlijk de koffiepot op stond te pruttelen: 'Heb je nog heel geen koffie gehad, Mans Maring?'

Mans schudde zijn hoofd: 'Een mens kan niet alles tegelijk, ik moest de vloer dweilen!'

Toen nam zij de leiding, Geertje, en leek ze inderdaad op een vrouw die gewend was het huishouden te regelen en te bestieren. 'Zet jij water op het stel. Nee, wacht, Mans! Vul de zakketel maar en zet die in de potkachel, dat gaat sneller! Ik maal intussen de koffie en nadat we samen een bakje hebben gedronken en wat bijgepraat, gaan we aan de slag. Goed...?'

Mans lachte breed: 'Ik vind alles goed, deerntje. Met Mans Maring kun je alle kanten uit, hoor!'

Hij deed wat hem bevolen was en toen hij de ketel in het vuur had laten zakken ging hij in zijn kraak stoel zitten en keek geamuseerd naar Geertje, die de koffiemolen op haar schoot had genomen en handig de koperen slinger in het rond draaide. Ze was een lief deerntje, hij kon niet anders zeggen. Dat zo'n meidje, waar totaal geen kwaad in school, zo in de knel had moeten komen... Spijtig vond hij dat. In kinderlijke onschuld had ze een spel gespeeld dat voor volwassenen bedoeld was. Ze had de gevolgen niet overwogen, niet eens kunnen overzien. Melle Postema en zijn vrouw Wietske hadden Geertjes leven toen in handen genomen. Die twee hadden naar eigen inzicht gehandeld, maar hij, Mans Maring, kon daar geen goed woord voor overhebben. In zijn kringen was men dit niet gewend. Daar werd een kind, op welke manier dan ook verwekt en geboren, aanvaard, omdat het leven was dat gerespecteerd behoorde te worden. De moeilijkheden die er uit voort kwamen werden op de koop toe genomen. Men was gewend aan een moeilijk, hard leven en wellicht daardoor kon er altijd nog wel een schepje bovenop.

Bij de boeren en de welgestelden was dat blijkbaar anders. Daar had men het over een schande die niet te dragen was. Geertje was daar een voorbeeld van. Ze werd een tijdje weggestuurd, het dorp werd voor de gek gehouden en Geertje kwam terug zonder kind. Niemand mocht het weten en zou het ook niet hebben geweten, als zij had gezwegen. Dat had ze niet gedaan, het arme ding, omdat ze daarvoor te eerlijk was. Nu zat ze met de brokken. Hij kon haar zo goed aanvoelen, hij wist wat het was als je door elkeen met de nek werd aangekeken. Maar hij kon zich daartegen wapenen, hij had zijn jaren mee! Geertje voelde zich dan heel wat, in feite was en bleef ze in zijn ogen het kind. Ze was zeventien, die jaren logen nergens om!

'Wat zit je me aan te staren?' zei Geertje terwijl ze opstond en het bakje van de koffiemolen leeg kieperde in de koffiekan.

Mans glimlachte: 'Ik zat jou in stilte een beetje te bewonderen, meidje! Je hebt een lekker kopje, weet je dat wel?'

'Doe niet zo mal...'

Ze goot het water dat kookte en zong in de zakketel, op de koffie en had er geen vermoeden van dat Mans dacht: toch is het zo! Ze is pril als een veulen in het voorjaar en ze is zo donker als een jodinnetje. Als ze haar vlechten losmaakte en het donkere haar los liet hangen, moest dat een weelde voor het oog zijn. Het was spijtig dat er in haar groene ogen haast voortdurend een waakzame blik lag, vond Mans in gedachten. Jonge ogen, als die van haar, mochten niet vertroebeld worden door waakzaamheid, argwaan of angst. Er moesten pretlichtjes in weerkaatsen maar dat kwam hopelijk wel. Hij was tenminste al blij dat haar mond weer lachen kon! Toen ze in het begin bij hem kwam was dat niet het geval, nu vielen regelmatig de kuiltjes weer diep in haar wangen. Dat maakte haar jong en pittig en lief!

Mans' gedachtegang werd onderbroken door een geluid van buitenaf, dat niet door Geertje werd opgevangen doordat ze druk en bedrijvig doende was. Ze schudde met de kolenschep wat eierkolen op het vuur en zette een nieuwe ketel water op. Als dat straks kookte zou ze een scheut door het dweilwater doen! Dat schoonde beter en was prettiger voor de handen!

Mans blikte naar buiten en zag nu waardoor het geluid werd veroorzaakt...

Zijn blik verdonkerde toen hij zag hoe Melle Postema van zijn fiets sprong, deze onbedachtzaam tegen de muur van het huis kwakte en vervolgens op de voordeur toeliep...

Zijn blik voorspelde niet veel goeds, maar Mans wist ook niet wat er zich kort geleden op de boerderij van Melle Postema had afgespeeld. Een halfuurtje nadat Geertje was vertrokken kwam Melle de keuken in stormen. Toen hij zag dat Wietske daar niet alleen was, maar in het gezelschap van een der meiden, wenkte hij haar mee naar voren te komen. 'Wat is er aan de hand...? Je kijkt net alsof er onweer op komst is...' Wietske blikte Melle verwonderd aan toen ze de deur van de huiskamer behoedzaam achter zich sloot.

'Er is onweer en storm tegelijk op komst...!' siste hij kwaad tussen zijn tanden door. 'Waar is Geertje...?'

Wietske vertelde dat Geertje weer eens een opstandige bui had gehad, dat ze daarin meer zei dan ze verantwoorden kon en dat ze het wicht daarom naar buiten had gestuurd.

'Ik kon haar niet meer om me heen velen, maar vertel jij me eerst eens waarom... je zo verschrikkelijk kwaad bent, Melle!' Ze wilde hem kalmeren maar bereikte het tegenovergestelde.

Melle Postema brieste spinnijdig: 'Jij dom mens... Je hebt niks omhanden, de godganse dag niet! Kun je dan niet eens op je dochter letten. Jij stuurt haar naar buiten, regelrecht in de armen van... Mans Maring...!'

'M... Mans... Maring...?' stamelde Wietske en blikte Melle onthutst aan. 'Ik weet wel niet hoelang geleden dat is, maar ik heb haar verboden met die kerel te praten... Ik heb haar verboden naar hem toe te gaan, heus waar, Melle...!' Ze zei dat laatste onderdanig.

Melle hoonde: 'Ach, gut-nog-aan-toe! Wietske verbiedt haar dochter iets en ze is er van overtuigd dat Geertje onmiddellijk gehoorzaamt! Het wicht is ook ja zo onschuldig en gedwee, nietwaar...?'

Wietske remde hem af door te vragen: 'Hoe weet jij dat ze bij... Mans Maring is, Melle...?'

Toen vertelde Melle: 'Datema, de eerste arbeider, kwam daarnet op me toe en zei met zijn schijnheilig gezicht: Wat heb ik gehoord, boer, heeft Geertje weer verkering...? Ik kan me voorstellen dat het wicht onder de pannen moet, maar is Mans Maring niet wat te oud voor haar...? Ik vroeg waarover hij het had, dat ik van niks wist en toen vertelde Datema dat Geertje bijna dagelijks in Mans' huis te vinden was! En dat schijnt al een hele tijd aan de gang te zijn en wij – jij als moeder vooral – weten nergens van! Maar ik steek daar een stokje voor! Ik ga nu naar die kerel toe en dan zal ik hem de waarheid eens vertellen...!' Melles toorn grensde aan wraaklust en zo verliet hij de hoeve en stapte hij kort daarna bij Mans Marings huisje van zijn fiets.

'Ik wil je niet bang maken, deerntje, maar... we krijgen bezoek...' zei Mans terwijl hij Geertje een beetje medelijdend bezag. 'Ik krijg hoog bezoek, jouw vader is in aantocht...'

'O, gut...' Geertje schrok zichtbaar, maar Mans was de kalmte zelf en zei: 'Rustig aan maar... Ik ga wel even naar de deur. Blijf jij zolang hier...'

Mans Maring was niet bang uitgevallen en terwijl hij op de voordeur toeliep herwon hij zijn zelfbeheersing en deed alsof hij werkelijk verrast werd toen hij de deur opende en zei: 'Wel, wel, dat gebeurt niet dagelijks dat ik de vóórdeur openen moet om een hereboer te woord te staan...!'

'Waar is Geertje?' Melle blikte hem woedend aan en wilde Mans opzijduwen en het gangetje binnenstappen.

Mans weerhield hem daarvan, versperde met zijn groot lichaam het deurgat en zei kalm: 'Ik heb je niet gevraagd om binnen te komen. Ik laat enkel mensen in mijn huis die met de beste bedoelingen komen en dat is, zo te zien, bij jou niet het geval! Bij jouw dochter Geertje ligt dat geheel anders en om je vraag te beantwoorden: zij is binnen...!'

'Schaam jij je niet, kerel, om dat wicht zo aan te halen...' siste Melle van machteloze woede. 'Ze is zeventien, bij haar vergeleken ben jij een oude vent...! Je moest je schamen, smeerlap...!'

'Ik hoef me nergens voor te schamen, zolang ik elkeen eerlijk in de ogen kan kijken, Melle Postema! Een mens met smerige gedachten en vooroordelen, zoals jij, die moest zich maar liever schamen...'

'Waar is Geertje...' herhaalde Melle dreigend zijn al eerder gestelde vraag.

Mans hoefde niet te antwoorden, dat deed Geertje zelf. Ze was geruisloos achter Mans geslopen, ze bibberde over heel haar lijf toen ze vaders barse stem hoorde, maar ze zei toch: 'Ik ben hier, vader... bij Mans...'

Alsof ze te vuil was om aan te pakken, zo bezag Melle haar een ogenblik om dan te tieren: 'Naar huis jij, vóór me aan!'

Geertje blikte hulpeloos naar Mans alsof ze van hem steun en raad verwachtte. Hij knikte haar geruststellend toe: 'Doe maar wat je vader verlangt, meidje...' Toen nam ze haar mantel van de spijker in de muur en schoot die aan.

'Als ik haar ooit weer hier tref dan... dan breek ik eigenhandig al de botten in je lijf...' bitste Melle tegen Mans die glimlachend zweeg. Toen hij een stap opzij deed om Geertje te laten gaan, hoorde hij haar fluisteren: 'Morgen kom ik weer, Mans...'

Arm klein ding, wat staat jou nu te wachten, dacht Mans bezorgd toen hij haar nakeek. Ze had haar handen in de zakken van haar mantel gestoken en hield haar hoofd ietwat gebogen en zo liep ze voor haar vader uit. Melle Postema, de rijke hereboer, peinsde er niet over om zijn dochter een plaats te bieden op de bagagedrager; evenmin was hij van plan van zijn fiets te stappen en de terugreis te voet met haar af te leggen. Hij torende op zijn fiets hoog boven haar uit en beet haar om de haverklap toe: 'Loop door...! Ik kan mijn tijd beter benutten dan achter jou aan te rennen...'

Geertje zweeg, maar haar gedachten tolden door haar hoofd als een op drift geslagen molen. Vader was ziedend, was in alle staten... Welke straf zou ze straks krijgen...? Ze mocht niet weer naar Mans, dat was wel zeker... Arme Mans, hij had zo verslagen naar haar gekeken toen ze fluisterde dat ze morgen weerom zou komen... Ze hadden zulke fijne plannen gehad samen en daar kwam nu niks van terecht. Ze kon Mans' huisje niet schoon en gezellig maken, ze kreeg de kans niet om hem met Kerst wat te verwennen... Hoe had vader geweten waar hij haar kon vinden? Iemand had haar verraden, de gemenerik...!

Haar blik verdonkerde, werd onheilspellend toen ze aan de woorden terugdacht die vader Mans in het gezicht had geslingerd. Wat laag van vader om Mans van zulke dingen te verdenken... Mans was geen smeerlap, hij hoefde zich nergens voor te schamen. Mans was enkel en alleen een goed mens, een fijne kameraad! Tussen Mans en haar was enkel pure vriendschap die door vader bezoedeld werd. Zij had er tenminste nog nooit aan gedacht dat Mans en zij... dat er tussen hen beiden meer dan vriendschap kon bestaan. Vader had haar echter op een idee gebracht, want nu kon ze het niet verhelpen dat ze opeens moest denken: Waaróm kan dat eigenlijk niet...? Omdat Mans eens zo oud was als zij? Dat gaf toch niks, dat kon haar tenminste niks schelen! Als ze Mans met Janske de Jong of met Evert de Groot of met welke willekeurige jongen van het dorp vergeleek, won Mans het van allemaal glansrijk! Ze had nog nooit van een jongen gehouden, ze wist amper wat liefde was, maar als ze ooit een man lief zou krijgen zou dat Mans moeten zijn...! Mans Maring, want hij alleen begreep haar. Hij wist wat er in haar omging, hij kende haar gemis en die vurige verlangens naar haar kindje. Als ze bij Mans was en ze was stiller dan gewoonlijk, wist Mans ogenblikkelijk waaraan ze dacht. Dan zei hij: 'Niet opkroppen wat hoog zit, meidje, dat is slecht voor je gezondheid! Praat maar over je kleine meidje, Mans luistert wel!'

Dan zei ze wat ze al zo vaak tegen Mans had gezegd: 'Als ik het maar eventjes had mogen zien, Mans... Als ik haar maar heel even in mijn armen had mogen hebben. Dat mis ik zo, dat ik het niet gekoesterd heb...'

Dan zei Mans altijd hetzelfde: 'Ze hebben jou het dierbaarste afgenomen wat er voor een vrouw bestaat: Een stukje van jezelf. Dat had nooit mogen gebeuren...!'

Nee, daar had Mans volkomen gelijk aan, maar het was wél gebeurd. En nu wilden vader en moeder haar andermaal iets ontfutselen wat haar dierbaar was: Mans Maring, die heel speciale vriend, een mens die goed was.

Maar dat liet ze niet toe, besloot ze koppig toen ze de oprijlaan van de hoeve insloeg. Achter haar hoorde ze vader brommen: 'Ziezo, we zijn er en geloof maar dat jij voorlopig deze laan niet weer uitkomt...!' Ze antwoordde niet, maar ze rechtte haar rug en hief het hoofd fier op. Dat valt nog te bezien, dacht ze koppig. Jullie kunnen niet met me blijven sollen, ik mag dan zeventien zijn en in jullie ogen een onmondig kind, ik heb het een en ander geleerd! Ik heb geleerd niet op alles ja en amen te knikken, ik heb een wil aangekweekt en die laat zich niet gemakkelijk meer buigen!

Geertje Postema was niet meer het kind. Ze stond niet óp de drempel die naar de volwassenheid voert, ze was die óvergegaan. Ze dacht nog niet aan liefde maar aan Mans Maring. Twee begrippen die in elkaar overvloeiden...

'Ze was daar dus wel...' fluisterde Wietske toen Geertje, op haar hielen gevolgd door Melle, de huiskamer binnenstapte. 'Ik had aldoor nog een stille hoop...'

'Die is je dan nu ontnomen, ze was wel degelijk bij die kerel...!' zei Melle hard. Hij blikte Geertje dreigend aan toen hij haar toebeet: 'Als ik je daar nog één keer weer vandaan moet halen... is het met jou niet te best...! Begrepen, Geertje...?'

Als Melle had verwacht dat Geertje benepen: 'Ja vader,' zou fluisteren kwam hij bedrogen uit. In plaats daarvan blikten een paar groene meisjesogen hem brutaal aan en zei ze zacht: 'Wat denkt u dat ik nog met me laat doen, vader...?'

'Kind toch...!' Wietske schrok van die brutaliteit. 'Hoe durf je vader zo tegen te spreken...!'

'Ik heb mijn jeugd en mijn trots in Bussum moeten achterlaten, moeder, maar... daarvoor kreeg ik durf en een enorme wil terug... Dat moeten jullie maar niet vergeten...'

Met die woorden keerde ze zich om en verliet met rechte rug de huiskamer. In niets geleek ze nu op het kind Geertje Postema en dat zagen zowel Melle als Wietske.

Wietske wachtte tot ze Geertjes voetstap op de trap hoorde en daarna de deur van haar slaapkamer open en weer dicht hoorde gaan, dan fluisterde ze tegen Melle: 'We zijn er nog niet met haar, Melle... Er staat ons nog een boel te wachten!'

Melle Postema antwoordde grimmig: 'Dan kent ze mij en mijn geduld niet, want dat is schoon op...! Zij dreigt ons met haar wil maar ze onderschat daarbij mijn wil, Wietske...!'

Wietske: 'Dat is het hem nou juist, jongen... twee harde koppen tegen elkaar, daar kan geen goeds uit voortkomen...' ging voor Melle verloren, want voor ze uitgesproken was beende hij de kamer uit.

Wietske bleef vertwijfeld achter. Wat moest ze nou? Naar Geertjes kamer gaan en pogen het wicht tot inkeer te brengen...? Dat was immers onbegonnen werk. Als Geertje in een bui verkeerde als daarnet, als ze zo brutaal en dwars was, kon je geen kant met haar op...! Ze had hen gedreigd met haar wil en ze hád sinds die vervelende geschiedenis een enorme wil...! En daarnaast stond Melle met eenzelfde onbuigzame wil en ertussenin stond zij, Wietske...

Ze kon tegen Geertje niet meer op. Als het wicht haar telkens herinnerde aan een bepaalde datum of de naam Bussum noemde, keerde heel het verleden terug en dan kon zij het niet verhelpen, dan vroeg ze zich bezorgd af of ze het goed hadden gedaan, Melle en zij... Dan werd ze bang.

Wietske voelde zich dikwijls heel alleen want over dit knellende, dat zo'n ommekeer in hun rustig bestaantje teweeg had gebracht, kon ze met niemand praten. Met Geertje mocht ze er vanzelf niet over praten en Melle wilde er geen woord over horen. Die vroeg zich vast niet af of ze goed of fout hadden gehandeld. Melle was altijd zo heel zeker van zichzelf. Die wist gewoon dat het zo had moeten gebeuren omdat het, in het belang van de hoeve en Geertje, niet anders had gekund. Als Geertje nu zo dwars ging liggen, vreesde Wietske het ergste! En zij kon niet als vredestichtster tussenbeide komen. Dat zou Melle van haar nooit nemen. Melle was de baas, in het vooreind, zowel als in de schuren en op zijn bunders land. Melle Postema, haar man, ze was altijd al een beetje bang voor hem geweest...

Wietske zuchtte toen ze bedacht: morgen was het Kerst, veel vrede zou er in dit huis niet aanwezig zijn, maar ze zouden ter kerke gaan. Met Pasen, Pinksteren en Kerst, dat was een vastgeroeste gewoonte, gingen Melle en zij naar de kerk. Geertje moest dit jaar maar niet mee...! Dat ze bij Mans Maring over de vloer kwam en dat Melle haar daar eigenhandig vandaan had gehaald, dat praatje zou in het dorp ongetwijfeld al wel weer van mond tot mond gaan. Als je daarbij dan ook nog haar voorgeschiedenis kende, kon zij zich maar beter wat afzijdig houden. Haar paste een kerkgang niet. Wietske besloot morgen voor hen allen te zullen bidden.

Ze vergat daarbij te bedenken dat er nog iemand was die best een gebed zou kunnen gebruiken. Maar Mans Maring was haar het overdenken niet waard.

HOOFDSTUK 7

Toen Geertje de volgende morgen beneden kwam voelde ze geen trots, maar moest ze eerlijkheidshalve wel toegeven dat haar ouders er beiden zeer voornaam uitzagen nu ze ter gelegenheid van de kerkgang hun beste goed aanhadden. Maar ze wisten dat zelf ook, want moeder hield haar kerkboek zo vast dat het gouden slot duidelijk zichtbaar in het oog sprong!

'De meiden hebben vrijaf dus ik verwacht dat jij de koffie klaar hebt staan als wij uit de kerk komen...!' zei Wietske met een blik op haar dochter.

'Ik zal mijn best doen...' antwoordde Geertje vlak. Moeder moest maar niet denken dat zij ging flikflooien! Vader en moeder hadden zelf nog geen enkele poging ondernomen om de sfeer weer wat dragelijk te maken. Vader deed domweg alsof zij lucht was, als was ze niet aanwezig en moeder deed koel en afstandelijk. Kerstfeest – vrede op aarde nou, die vrede was hier anders ver te zoeken en dat lag niet aan haar, vond ze zelf. Ze was niet ondeugend geweest, ze had niets gedaan dat niet door de beugel kon. Ze was alleen bevriend met een verschrikkelijk aardige man die Mans Maring heette en daarom in de ogen van haar ouders niet deugde. Mans was geen partij, omdat hij geen geld had en de macht daarvan miste. Maar vader en moeder vergaten dat Mans iets had wat van wezenlijk belang was: hij had een groot, eerlijk, warm kloppend hart...

'Zullen we dan maar...?' Wietske blikte naar Melle op die knikte: 'Ik heb de paarden al ingespannen, de koets staat klaar.' Na die woorden wendde hij zich voor het eerst die morgen tot Geertje. 'En jij weet wat je te doen staat: je komt de deur niet uit, is dat begrepen...!'

'Vredig Kerstfeest, vader...' Ze wist dat ze veel te ver ging en ze verwonderde zich over de durf die plotseling in haar was. Maar ze was dan ook geen zeventien meer... Haar jaren telden niet...

Geen woord van de preek drong tot Melle Postema door en in tegenstelling tot Wietske bemerkte hij al evenmin de vele heimelijke blikken die op hen werden geworpen. Het gerucht over Geertje Postema en Mans Maring had de ronde door het dorp al gedaan en Wietske leed daaronder in stilte. Ze schuifelde onrustig op haar zitplaats heen en weer en ook dat ontging Melle. Hij was met totaal andere dingen bezig. In gedachten bij Geertje, bij dat onhandelbare wicht, dat hem telkens opnieuw voor raadsels en schande plaatste, dwaalden zijn ogen door de kerk tot die bleven rusten op Nanko Bultema.

Nanko, iedereen wist dat hij de snuggerste niet was en dat er bij hem een steekje los zat. Hij liep tegen de veertig en hij was pafferig dik. In zijn rond gezicht lagen twee kleine ogen die onder witte wimpers door de wereld inkeken en op varkensoogjes leken. Hij had volle, dikke lippen, waar omheen altijd een goedige glimlach zweefde. Nanko, simpel van ziel, droeg de wereld geen kwaad hart toe.

Melle moest toegeven dat Nanko Bultema niet veel oogde maar... hij was boer en boerde zelfs niet slecht! Om Nanko's hoeve, die achterop de polder stond, hadden nooit vrouwen rondgezworven die in hem wel wat zagen. Nanko was vrijgezel gebleven en woonde na de dood van zijn ouders, die kort na elkaar overleden waren, alleen op zijn polderboerderij. Nanko's hoeve, wist Melle, telde zo'n kleine zeventig bunder land. Niet iets om over naar huis te schrijven, maar voor iemand die al haar kansen in het leven had verspeeld en nu drukdoende was om het laatste beetje glorie dat ze nog bezaten, van de kaart te vegen, was het nog heel wat! Nanko was een groenboer, zijn veestapel loog er niet om! Als Geertje nu eens op de polder bij Nanko Bultema... Mijn hemel, wat waren ze dan van een boel toestanden verlost...

In Melle Postema groeide een plan en hij telde daarbij enkel en alleen bunders land. Maar liefde en geluk lagen voor Melle dan ook uitsluitend op bunders vette klei...

Wietske wist niets van Melles gedachtegang en hij liet haar daar voorlopig onkundig over. Ze was echter wel verbaasd toen ze na de kerk op de hoeve terugkeerden en zij dadelijk in de gaten had dat Geertje ondanks Melles streng verbod, toch het huis uit was gevlucht en Melle op haar: 'Geertje is niet in huis... zou ze dan weer...' merkwaardig lauw reageerde: 'Mans Maring schijnt haar nogal te trekken, maar laat maar even begaan, vrouw... Dat is op het ogenblik het beste...' Hoe kon Melle in vredesnaam nou zo reageren terwijl hij het wicht gisteren nog bij Mans Maring vandaan had gesleept...? Nu deed hij opeens alsof het hem niks kon schelen dat zijn dochter omgang had met een kerel, jaren ouder en van arbeiderskomaf, die bovendien zijn bloedeigen vrouw had vermoord...! Wietske schudde vertwijfeld het hoofd: mannen, het waren aparte wezens waarvan je als vrouw vaak geen hoogte kreeg. Maar Melle zou wel weten wat hij deed, zij moest maar geen vragen stellen en liever afwachten.

Wietske nam een afwachtende houding aan, die hoorde bij haar en bij haar onderdanigheid jegens Melle. Zij had daar vrede mee, maar of diezelfde vrede in haar zou zijn als zij wist dat Melle het plan had opgevat om eens bij Nanko Bultema te gaan buurten...?

Geertjes gedachten waren niet op een machtige hoeve noch bij haar ouders. Toen zij het huisje van Mans binnenstapte en hij bezorgd vroeg: 'Doe je daar nou wel goed aan, meidje... na hetgeen er gisteren voorgevallen is...?' lachte ze jeugdig-overmoedig: 'Ik doe het enig juiste, Mans! Ik doe wat mijn hart me ingeeft. Ik moet een klein beetje Kerstsfeer proeven en dat kan alleen bij jou. Hier is het vredig.'

Toen Mans bedenkelijk zijn hoofd schudde, moest ze weten: 'Als je het niet prettig vindt dat ik bij je ben, dan moet je het zeggen, dan ga ik zo weerom. En ook als jij bang bent voor mijn vader!'

Mans Maring schoot in de lach en zei: 'Ik ben niet bang voor Melle Postema, deerntje, ik ben bang en bezorgd om jou! Ik wil niet dat jij verdriet hebt, je moet zo zoetjesaan eens gelukkig worden!'

'Dat kan ik alleen bij jou, Mans...'

Haar kinderlijke eenvoud vertederde hem, maar de ernst van haar woorden ontging hem. Mans voelde zich dan ook enkel een goede vriend, een soort vaderfiguur die haar een beetje moest beschermen en opvrolijken. 'Ik vraag me af hoe jij het huis uit kwam.' Mans bezag haar verwonderd. 'Zoals ik je vader hier gisteren heb zien tieren, moet dat niet eenvoudig zijn geweest...'

'Jawel, hoor!' lachte ze ondeugend, 'vader en moeder gingen naar de kerk en ik mocht niet mee, want dat zou de praatjes over jou en mij maar aanwakkeren, zei moeder. Ze vertrokken met een gerust hart alhoewel ik hun gisteravond duidelijk te verstaan had gegeven dat ik voortaan mijn eigen wil op zou volgen! De koets was het erf nog niet af of ik had mijn jas al aan en hier ben ik dan!'

'Wat bedoel je met die wil van je, die je voortaan op wil volgen...?' Mans keek haar doordringend aan.

'Dat ik altijd weer naar jou toe zal gaan, al haalt vader mij hier ook honderdduizend keer vandaan! Ik zal altijd een uitweg weten te vinden om van de hoeve naar jou te vluchten!' Toen ze zijn nog altijd bedenkelijk gezicht zag voegde ze er aan toe: 'Of jij moet me hier niet willen hebben... dan kom ik vanzelf niet meer...'

Mans' gezicht verhelderde, maar hij bleef ernstig toen hij zei: 'Mans Maring is al een lange tijd gewend, meidje, om zijn eigen leven te leiden. Ik leef hier in een klein wereldje, maar dat is wel mijn domein! Al wat mij lief is, haal ik in huis. Dieren in allerlei soorten, maar ook... een klein wichtje dat mij nodig heeft, zoals ik haar nodig heb. Ik moet alleen mijn best doen om niet te sterk aan haar te gaan hechten, want ze is nog heel jong en zal daardoor niet lang bij me kunnen blijven!'

Geertje hing aan zijn lippen. Toen hij zweeg en haar glimlachend bezag, straalde ze:, ‚Meen je dat, Mans...? Dat jij mij ook een beetje nodig hebt...?'

'Ik zeg nooit iets dat ik niet eerlijk meen. Ik probeerde jou duidelijk te maken dat ik me van geen mens wat aantrek, zolang ik voor mezelf weet dat ik niemand te kort doe of pijnig of zo. Als jij naar mij toe wilt komen, kom je maar en als je vader vindt dat hij je hier weg moet halen, zal ik hem met plezier te woord staan. Ik hou je hier niet vast en ik verbied je niet te komen. Zo denk ik erover en daar zal Melle Postema niks aan kunnen veranderen.'

Geertje knikte, ze was het volkomen met hem eens maar haar ogen dwaalden wel telkens naar het venster alsof ze daarvoor elk moment een gezicht verwachtte, dat allesbehalve vriendelijk het keukentje binnen zou gluren.

Melle Postema verscheen echter niet, maar er was iemand anders die op hun gepraat afkwam. Geertje zag hem het eerst en ze schaterde: 'O Mans kijk nou eens...!' Ze wees op de pony die de deur met zijn snoet openduwde en doodleuk binnenkwam.

Mans schrok daar niet van, vertelde laconiek: 'Joris weet precies wanneer het zondag is, hè kereltje? Dan mag hij binnenkomen om Mans gezelschap te houden en krijgt hij een klontje!' De pony legde zijn kop op Mans' schouder en Mans streelde het dier vol liefde.

Geertje, die een voorname huiskamer in het vooreind van een boerderij gewend was, schaterde: 'Het lijkt hier op het ogenblik wel een gekkenhuis, Mans Maring! Als ik goed tel zijn er op dit moment drie katten in huis, Nero kan niet over het hoofd worden gezien en Joris al evenmin! Het is maar goed dat hier geen dure kleden op de grond liggen. Als Joris iets laat vallen...'

'Joris gedraagt zich doorgaans netjes en als er iets valt is dat een ongelukje, niet jongen? Dan ruimen we het op en zeggen we tegen elkaar: het mag hier dan niet mooi en schoon zijn, het is wel gezellig omdat wij weten te leven!'

Leven wás er in het kleine vertrekje toen Joris een paar stappen in de richting van de katten deed. Twee poezen stoven bang weg en de derde kwam op Joris toe, zette een hoge rug en blies vervaarlijk. 'Bij de baas blijven!' beval Mans de pony, 'op het erf ben jij heer en meester, hier moet je je naar behoren gedragen. Zeker als er damesbezoek is!'

Mans duwde de pony weer naar buiten en Geertje lachte: 'Ik durf wedden dat als ik er niet ben het er hier af en toe ruig aan toe gaat?' Mans trok zijn schouders op: 'Ach, wat heet ruig? Ik leef hier met mijn dieren en als dat zo uitkomt, niet enkel buiten maar ook binnen! De deur staat doorgaans open en zo is het me wel gebeurd dat ik een kip in mijn kraak stoel vond. Dan kan ik zo'n beestje moeilijk verjagen, dan denk ik veel liever: lig je lekker, blijf dan nog maar even. Dan zoek ik me een andere stoel. Snap je?' lachte hij haar toe.

Geertje knikte: 'Ja, ik snap het, dat is jouw voorliefde voor dieren maar ik moet daar wel even aan wennen, hoor! Bij ons gebeurt dat niet!' Door die uitspraak bracht ze Mans' gedachten naar haar hoeve en hij zei: 'Je zit me niks in de weg, deerntje, maar moet jij zoetjesaan niet weer op huis aan? De kerk is al een tijdje uit, je ouders zullen thuis zijn en als ze jou daar missen, zal het niet moeilijk raden zijn waar jij heen bent...!'

'Dat kan me niks schelen...!' kwam het koppig en ze trok een pruillip.

Mans glimlachte: 'Het is Kerst, Geertje! Daar moeten we toch maar een beetje aan denken, jij en ik! Als dadelijk op jullie hoeve het kerstmaal wordt opgediend, hoor jij daarbij aanwezig te zijn.'

'Wat eet jij dan...?' Ze gluurde hem achterdochtig aan.

Mans schokschouderde, kon zo op slag geen behoorlijk maal verzinnen en zei daarom: 'Mans Maring heeft nog nooit honger geleden, meidje! Maak je daarover dus maar geen zorgen!'

'Je hebt niks in huis, niks klaar...!'

'Er staan nog koude aardappelen; opgebakken smaken die mij best! Gisteren heb ik karnemelksepap overgehouden, dat warm ik er bij op en Mans zal smullen!'

'Jakkes!' griezelde ze, 'de pap van gisteren, die was aangebrand, ik heb het zelf geroken, en die warm je weer op...?'

Mans schaterde om het vieze gezicht dat ze trok, maar hij hield voet bij stuk en spoorde haar aan: 'Kom, deerntje, het is je tijd!' Hij trok haar van de stoel omhoog en net als hij dat kort te voor bij Joris de pony had gedaan, zo duwde hij haar nu voor zich uit naar buiten.

'Tot morgen, hoor Mans!' Het was een groet en een belofte ineen.

Mans knikte en keek haar lange tijd na.

Tot morgen... Je haalt je een boel moeilijkheden op je hals, deerntje, maar wie ben ik om je weg te sturen of je te verbieden naar me toe te komen... Ik heb je veel te graag een beetje om me heen...

Joris, die als altijd als een oud wijf over het erf zwalkte en nieuwsgierig als hij was op alles dat bewoog afkwam, kwam nu op Mans toe en duwde hem met het hoofd tegen zijn rug. Mans lachte vermaakt: 'Hoorde je me denken, kereltje? En werd je haast jaloers? Dat hoeft anders niet, alhoewel jij wel moet bedenken dat Geertje een mens is... een vrouw in wording en dat is toch iets anders dan een pony...'

Mans Maring bracht de eerste kerstdag verder door te midden van zijn dieren en hij had daar volkomen vrede mee. Toen hij achter zijn opgewarmd prakje zat, dat hij voor zichzelf opdiende op een krant op een hoekje van de tafel, voelde hij zich niet alleen.

Op de tafel zaten twee katten die met hun bekjes verdacht dicht bij zijn bord kwamen. De derde kat zat op een stoel vlak naast hem. Om beurten kregen ze een stukje aardappel en het zwoerdje van het spek werd onder hen gedrieën eerlijk verdeeld.

Nero, de zwarte bouvier, lag uitgestrekt voor de potkachel en deed alsof hij, beter opgevoed, dit gedoe maar minderwaardig vond. Hij keurde de katten geen blik waardig, maar toen Mans zijn vork neerlegde sprong hij op en kwam kwispelstaartend naar Mans toe. Hij wist dat het nu zijn beurt was, dat hij Mans' bord uit mocht likken waarna hij een goed gevulde bak kreeg voorgezet.

Mans Maring was niet vies van zijn dieren, hij had maling aan het woord hygiëne en alles wat dat woord aan betekenis inhield. Mans, wat zonderling wellicht in de ogen van velen, leefde zijn leven!

Op de hoeve van Melle Postema zag de kersttafel er geheel anders uit. Voor deze speciale gelegenheid had Wietske het tafelzilver voor de dag gehaald evenals het kristallen glaswerk. De tafel was met zorg gedekt, was voorzien van brandende kaarsen en een overvloedig maal, dat Geertje niet smaakte omdat ze aan Mans' kersttafel moest denken. Geertje at weinig en ze was verdacht stil. Maar het was ook zo onwezenlijk, vond ze zelf. Toen ze thuiskwam had moeder haar verwijtend aangezien en gezegd: 'Jij bent me ook een mooie, zeg! Komen we uit de kerk, smachtend naar koffie die jij klaar zou hebben! En wat vinden we...? Geen koffie en al evenmin een Geertje! Waar heb je nou weer uitgehangen... Weer bij die... kerel...?'

Vader had moeder toen de pas afgesneden en tot Geertjes grote verwondering gezegd: 'Kom vrouw, het is Kerst, dan moeten verwijten en strenge blikken buiten de deur worden gehouden! Geertje is op tijd voor het eten en dat vind ik belangrijk, dat we het kerstmaal gezamenlijk kunnen nuttigen!'

Dat vader opeens zo vriendelijk deed, daar snapte ze niks van! Hij wist, of vermoedde, net zo goed als moeder, dat ze ondanks dreigingen en een streng verbod, toch weer naar Mans was geweest. Ze had dan ook heel wat verwacht, maar dit zeker niet! En ze moest zichzelf bekennen dat ze moeders strenge, afkeurende blikken veel liever had dan de vriendelijkheid waarmee vader haar bejegende...

Tijdens de maaltijd werd er geen woord gesproken, dat hoorde niet zo. Vader verbrak een enkele keer de stilte door haar aan te sporen: 'Neem nog wat, meidje!'

Na de maaltijd stak vader een plukje pruimtabak achter zijn kiezen en leunde verzadigd-vergenoegd tegen de rug van zijn stoel. Moeder zat rechtop en wachtte zwijgend tot de meiden de tafel hadden afgeruimd, dan geeuwde ze achter haar hand: 'En nou ga ik even een klein tukje doen. Een mens wordt ouder en niet beter...!'

Vader stond op en knikte moeder goedkeurend tegen: 'Doe dat, vrouw! Ik moet toch nog even weg!'

Gelijktijdig verlieten ze het vertrek. Bij de deur keerde moeder zich om en zei vermanend: 'Denk er om, jij blijft in en bij de hoeve, hoor...!'

De deur viel dicht en Geertje verzuchtte landerig: daar zit ik dan in mijn uppie, gezelligheid kent hier op de hoeve geen tijd...!

Eerste kerstdag; vader moest zo nodig weg en moeder deed als was ze oud en afgeleefd met haar vijftig jaar. Die moest nodig naar bed, anders kwam ze de dag niet door. Geertje ging in een laag stoeltje naast de schouw zitten en bedacht dat de sfeer hier in huis vroeger altijd al zo was geweest. Zij kon zich tenminste niet herinneren dat ze ooit spelletjes hadden gedaan of gedrieën hadden gelachen om kleine onnozelheden. Vader en moeder waren laat getrouwd en moeder was al in de dertig geweest toen zij, Geertje, geboren werd. Het was veel beter, bedacht ze wijs, dat je op jonge leeftijd kinderen kreeg. Dan was je zelf nog jeugdig en speels. Zij mocht nooit vriendinnetjes uit school meebrengen naar de hoeve. Dat was moeder veel te druk. Deed ze het toch omdat ze behoefte aan vriendschap had, dan deugde het betreffende meisje niet. Grietje van Dam waar ze goed mee overweg kon op school, paste niet bij haar want Grietje was een gewoon arbeiderswicht. Het gevolg was dat zij met Grietje mee naar huis ging. Naar arbeidersmensen die in eenzelfde klein huisje woonden als Mans en twaalf kinderen hadden! Het was daar bij de van Dams oergezellig geweest. Iedereen was welkom als je maar niet te beroerd was om aan te pakken. Grietje had na schooltijd geen vrij om te gaan spelen en moest dan een enorme bak vol aardappelen schillen. Zij, Geertje Postema, hielp haar vriendinnetje daarbij.

De vriendschap met Grietje verbrak doordat Grietje een ander vriendinnetje koos, bij wie zij ook eens binnen mocht. Toen koos zij, Geertje, voor Roosje die ook net zonder vriendin zat. Maar dat was alweer niet goed, want moeder had gevonden: 'Wat sleep je nu weer mee, kind! Roosje is een jodinnetje, die moet maar bij haar eigen volk blijven. Dat is veel beter, hoor. Waarom word jij geen vriendin met...' Moeder noemde dan wat namen van meidjes wier vader een boerderij had, maar aan die wichters vond zij niks! Zo bungelde ze tijdens haar schooltijd zonder vaste vriendin overal maar een beetje bij.

En nu was ze groot, had ze naar haar eigen gevoel al verschrikkelijk veel meegemaakt, en nu was ze nog alleen. Nu mocht ze nog niet kiezen bij wie ze wilde horen en deugde Mans Maring weer niet.

Mans, dacht ze stil en er krulde een glimlach om haar lippen. Morgen vond ze wel weer een tijdstip waarop ze naar Mans kon gaan. Dan zou hij weten wat lekker was, want toen ze thuiskwam en in de keuken voor het eten haar handen waste, had ze daar een ogenblik niemand aangetroffen! Dat ogenblik had ze niet onbenut gelaten, ze had van alles in een tas gestopt. Een kippenpoot, een fles wijn waar nog een staartje in zat, nog meer, maar dat wist ze zo niet meer. Het had ook zo vlug moeten gaan, dat stelen uit eigen keuken! Straks, als de meiden voor een paar uur de hoeve mochten verlaten omdat het kerstmiddag was, dook zij nog snel even in de kelder! Er was zo ontzaglijk veel overgebleven waarvan Mans zou smullen. Een beetje van de kerstpudding, een beetje tutti-frutti en zo was er nog wel meer. Morgen kreeg Mans zijn kerstmaal, beloofde ze zichzelf en glunderde daarbij als een kind dat jarig is en op cadeautjes zit te wachten.

Wat was het bij Mans een boel gezelliger dan hier, mijmerde ze stil voort, terwijl ze opstond en voor het venster over de uitgestrekte velden tuurde. Moeder zou vol afschuw haar neus optrekken als ze had kunnen zien hoe Joris doodgemoedereerd bij Mans het keukentje binnenwandelde! Dagen naderhand zou moeder zeggen dat ze het vieze beest nog rook. Het 'rook' bij Mans ook wel een beetje, maar daar was zij al aan gewend. Het deerde haar niet, omdat er in Mans huisje werd geléééfd! Alhoewel ze wist dat Nero schurftplekken had, aaide ze hem net zo gemakkelijk en kon ze net als Mans denken: je kan je handen toch weer wassen!

Sinds ze Mans kende en zijn manier van leven, was zij veranderd, vond ze zelf. Ze was nooit zo geweest als moeder, zo heel precies op alles, maar nu werd ze ronduit slordig en ze had daar nog plezier in ook! Als ze 's morgens bij het opstaan vond dat haar haar er voor vandaag nog wel mee door kon, prakkiseerde ze er niet over om de vlechten los te halen en het haar overnieuw te borstelen en te vlechten. Dan stak ze loshangende pieken even vast met wat schuifjes en klaar was Kees! Dan keek moeder lelijk en mopperde ze urenlang maar zij voelde zich prettig, voelde dat ze zo heel goed bij Mans paste!

Mans Maring, peinsde ze toen ze zich van het venster keerde en zich weer in haar stoeltje liet vallen, hij beheerste tegenwoordig heel haar leven, al haar gedachten. Alhoewel, sprak ze zichzelf tegen, dat laatste was niet helemaal waar: Mans moest haar gedachten delen met het... kindje. Twaalf mei was het geboren, wat leek dat nog maar kortgeleden en toch werd het de volgende maand al acht maanden...! Hoe zou het er nu uitzien...? Zou het een beetje op haar lijken of op...? Nee, daar wilde ze heel niet aan denken. Janske de Jong telde hierin niet mee... Bijna acht maanden geleden alweer, dat ze die hevige pijn leed. Wat afschuwelijk was dat geweest. Ze had om moeder gegild, dat wist ze nog best. Moeder was niet gekomen, die wilde haar niet zien, niks met de hele zwangerschap van doen hebben... Moeder wilde vergeten... Kon zij dat ook maar, die tijd en alles wat daar bij hoorde zomaar uit haar geheugen wissen... Mans zei dat dat niet kon, onmogelijk was, omdat het daarvoor een te ingrijpende gebeurtenis in haar jonge leven was geweest. Mans zou wel weer gelijk hebben, want dat dunne stemmetje zou ze haar leven lang niet vergeten... Zo'n heel teer, pril geluidje, wat voor mensje hoorde daarbij... Een klein wichtje, maar ze had het zelfs niet heel even mogen zien...

Geertje bleef in gedachten nog wat met haar baby'tje bezig en ze had er geen weet van dat op datzelfde ogenblik ergens op een polderboerderij het kindje ook ter sprake kwam.

Nanko Bultema stak de sigaar op die Melle Postema voor hem mee had gebracht. 'Dat is heel wat anders dan een pruimpje, Melle Postema! Ik ben er gek op, op zo'n lekker sigaartje, maar ik koop ze nooit. Ze zijn me te duur en smaken me daarom niet!'

'Ik heb ze ook alleen maar in huis voor bijzondere gelegenheden, Nankol Ik steek er zelf ook niet gauw eentje op, hoor! Maar dit is immers een bijzondere aangelegenheid of niet dan...!'

'Jazeker, het is Kerst!' lachte Nanko goedig-begrijpend en deed alsof hij het voorgaande gesprek alweer vergeten was. Melle hielp hem geduldig herinneren: 'We hadden het over mijn dochter, over Geertje...!' Nanko Bultema schuddekopte bedenkelijk: 'Ze heeft een kind en dat zit me niks lekker, Melle. Ik hou niet van kinderen.'

Melle boog zich voorover op zijn stoel naar Nanko toe en de toon van zijn stem was indringend. 'Geertje heeft géén kind, Nanko Bultema! Hoe vaak moet ik dat nog benadrukken! Ze heeft er afstand van gedaan, ze kan het nooit terugkrijgen! Jij tróuwt alleen met haar, niet met een vrouw die al een kind heeft!'

Nanko's kleine varkensoogjes gluurden Melle nieuwsgierig aan toen hij vroeg: 'Waar hebben jullie dat kind dan gelaten, Melle...?'

Melles antwoord kwam korzelig: 'Dat gaat jou geen steek aan! Dat weten we zelf niet, dat doet er ook niet toe. We moeten het over Geertje hebben, niet over die ene misstap die ze heeft begaan...!'

Toen Melle Postema na even gezwegen te hebben andermaal het woord nam, leek hij een boer die een van zijn beste paarden voor goed geld probeert te verkopen. 'Jij zal er geen spijt van krijgen, Nanko! Geertje is op het moment wat weerbarstig, maar als ze eenmaal hier bij jou op de polder is, wordt ze wel rustig. In haar hart is het een goed wichtje en ze mag gezien worden. Of niet soms?'

'Ze is nog zo jong, ik kon haar vader wezen of geeft dat niks...?' Nanko liet door dat laatste blijken niet veel kijk op die dingen te hebben. Melle haastte zich te zeggen: 'Nee kerel, dat geeft niks! We hadden het er immers al over dat jij niet met haar naar bed hoeft...! Ze komt hier bij je om je boeltje te bestieren, om voor jou te zorgen. Me dunkt dat is al heel wat...?'

Toen Nanko bedenkelijk bleef kijken en zei: 'Ik weet het niet, Melle... of ik er wel zo'n behoefte aan heb om een vrouwmens over de vloer te hebben. Ik ben het alleen-zijn gewend en vrouwen zijn altijd zo bazig...' antwoordde Melle andermaal rap:

'Kerel, je weet niet wat je te wachten staat! Denk je nou eens in: als jij in het vooreind komt na een drukke dag staat je kostje gekookt, is je boeltje aan kant! En 's avonds heb je aanspraak, dat is toch gezellig, man! Ik kan je verzekeren dat je nergens tegenop hoeft te zien, want Geertje is niet bazig! Om het jou helemaal naar je zin te maken kan ik je nog wel verklappen dat Geertjes bruidsschat niet gering zal zijn...!'

'Ik heb eigenlijk geen verlet om geld. Ik heb voor mezelf zo weinig nodig dat ik het niet eens op kan. Vraag maar bij de Boerenleenbank hoe Nanko Bultema ervoor staat...!' glunderde hij trots.

Daarover hoefde Melle Postema geen navraag te doen want iedereen wist dat Nanko Bultema, alhoewel hij niet voor vol werd aangezien, goed boerde en een beste cent bezat.

Melle Postema slaakte een stille zucht van opluchting toen hij Nanko hoorde zeggen: 'Ik kan het natuurlijk wel proberen, dat met je dochter Geertje... Ik wil er bij avond weleens uit en als jij zegt, zoals daarnet, dat ik geregeld eens een avond onverwacht moet binnenvallen bij jullie, wel... dan doe ik dat toch...!'

'Dat is dan afgesproken!' zei Melle en hij legde nog een sigaar op de tafel, 'maar één ding moet je me beloven: dit gesprek blijft onder ons! Mijn vrouw weet nergens van en Geertje al evenmin. Voorlopig hoeven die twee het nog niet te weten ook. Wij beiden, we moeten dit een beetje voorzichtig spelen, ook al omdat Geertje nog een beetje jong is, snap je...?'

'Ik hoef dus niet tegen Geertje te zeggen dat ik met haar wil trouwen, omdat jou dat het beste lijkt voor ons allemaal? Ik hoef niks te doen wat andere kerels doen als ze een vrouw zoeken?' Nanko blikte Melle schaapachtig vragend aan.

'Nee, jij hoeft niks te doen, ik regel alles. Te zijner tijd bereid ik mijn vrouw voor én Geertje!'

Nanko zuchtte: 'Dan is het afgesproken! Ik moet er ook ja niet aan denken dat ik Geertje iets zou moeten vragen... dat ik haar hand vast moest houden of zo...'

Melle Postema kon het niet verhelpen dat hij bij die woorden van Nanko een rilling over zijn rug voelde gaan. In gedachten zag hij opeens het jonge meidje in zijn dochter, zag hij haar naast Nanko Bultema... Melle schoof die opkomende weerzin echter ver van zich af. In het belang van de hoeve moest je als boer iets

kunnen overzien. Als Geertje hier met Nanko op de polder leefde, zou men daaraan gauw genoeg gewend zijn. Dan zouden de
praatjes over haar weldra verstommen en kon hij zijn die hij was:
Melle Postema, de machtigste boer uit de wijde omgeving.

Alles was beter dan niets en als hij aan Mans Maring dacht...
was Nanko in zijn ogen meer waard. Veel meer, want Nanko was
in elk geval boer!

HOOFDSTUK 8

Begin april wees alles in de natuur op het voorjaar. Tulpen, krokusjes, narcissen en andere vroeg bloeiende bloemen brachten aarzelend weer kleur en fleur. Bomen, struiken en heesters botten uit en bij avond dansten tientallen muggen een onvermoeibare, eindeloze dans.

De winter was voorbij en daar was vooral Geertje heel blij mee, want het betekende dat vader meer op het land, dat nu weer bepoot en ingezaaid moest worden, te vinden was dan in en om de hoeve. En dat betekende weer dat ze vaker even naar Mans kon vluchten!

Haar bezoekjes aan hem, waar ze het moeilijk zonder kon stellen, moesten telkens steels gebeuren want van vaders vriendelijkheid die hij de eerste kerstdag ten toon spreidde, was kort daarna al niet veel meer over! Ze mocht niet naar Mans, maar ze ging toch. Niet elke dag, maar wel als ze een vluchtpoging schoon zag en die dadelijk beetgreep, zoals nu het geval was!

Tijdens het middagmaal had vader tegen moeder gezegd dat hij naar het land ging, dat een kwartier gaans van de hoeve lag verwijderd. Daar moesten de bieten erin en aangezien hij vanuit de hoeve de arbeiders niet gade kon slaan met zijn veldkijker, vond hij het wenselijk zelf te gaan en aldoende zijn arbeiders en hun werklust in de gaten te houden en hen zonodig aan te sporen.

Moeder had begrijpend geknikt en geantwoord: 'Ik moet vanmiddag maar even naar het dorp. Ik ben nog niet bij Jantje Werkman, de vrouw van een van de arbeiders die een kind kreeg, geweest. Dat kost me anders wel weer tijd, tien eieren en een stevige wandeling! Het is de zevende, alsof dat soort mensen niets anders weet te doen...' schuddekopte ze afkeurend. Zij, Geertje, had in stilte gejuicht; dit was haar kans en nu was ze al onderweg naar Mans en vond ze dat het net was alsof de afstand steeds kleiner werd. Maar dat was vanzelf maar schijn, het kwam doordat ze hetzelfde stuk zo dikwijls aflegde!

Haar blije gezichtje verdonkerde toen ze bedacht: 'Moeder gaat wel op kraambezoek bij de vrouw van een arbeider van vader, maar toen mijn kindje geboren werd en ik moeder zo nodig had, wilde ze niet komen...

Volgende maand, de twaalfde, werd het kindje al een jaar...! Zou het voorlijk zijn en al kunnen staan en enkele pasjes lopen...? Zou het mama zeggen tegen een vreemde vrouw, die die naam mocht gebruiken omdat de werkelijke moeder het niet wilde... Ik wilde het wel, kermde het in haar, ik mócht het niet... Ik mocht je niet eens zien of vasthouden, maar je bent in gedachten mijn kindje... Dat kan niemand me afnemen, dat ik van je blijf houden, dat ik ontzaglijk veel aan je denk, mijn kleine wichtje...

Er drupte een traan uit haar ogen die op haar wang bleef rusten. Met de rug van haar hand veegde ze de traan weg en zuchtte diep: Ze was vlak bij Mans' huisje, ze wilde niet dat Mans haar tranen zag.

Dat Mans even later toch tranen uit haar ogen zag druppen en die eigenhandig met zijn rood gebloemde zakdoek af wiste, kwam door een andere oorzaak.

Toen Geertje op het huisje toeliep, stond Mans net voor de ingang van de nieuwe schuur. Hij lachte haar breed tegen: 'Dat is een verrassing, meidje, dat jij er weer eens aankomt! Ik had al een stille hoop want ik moet je iets laten zien!'

'Wat dan...?'

'Kom maar mee!' Achter hem aan liep ze de schuur in en daar wees Mans op een der stallen. Geertje boog zich over het schot en blikte in een paar grote, vragende ogen. De ogen van een kalfje dat in elkaar gerold op het stro lag, maar overeind krabbelde toen het haar gewaar werd.

'Ach Mans, wat een schatje...! Zo klein, zo vreselijk lief...' Ze streelde het diertje dat nog wankelend op de pootjes stond.

'Het is nog maar een paar uur oud, ik heb het vanmorgen net gekocht! Die tijd komt nu weer aan en over een poosje heb ik de hokken hier weer vol van dat jonge spul!'

Geertje antwoordde niet. Ze had haar hand in het natte kalverbekje gestoken en het diertje sabbelde er op dat het een lieve lust was. Geertje liet het toe, schreiend...

Ze schreide geluidloos maar Mans zag aan het schokken van haar schouders en aan haar stille, voorovergebogen houding dat er iets met haar aan de hand was. 'Geertje...?'

'N... niks... laat me... maar...' Ze kon haar snikken niet meer inhouden en voor Mans schaamde ze zich opeens niet.

Mans Maring schrok: 'Meidje toch... Je staat te huilen...!'

Toen ze niets zei en alleen maar naar het kalfje staarde en het diertje op haar hand liet sabbelen, nam hij haar bij haar schouders en keerde haar zacht naar zich toe. 'Wat is er, meidje... Vertel het mij maar...' Ze legde haar hoofd tegen zijn borst en snikte: 'Dat kalfje maakt me zo... van streek... Ik stel me aan maar... ik kan er niks aan doen... Dat kalfje... zo bij de moeder weggehaald... Wat wreed is dat... Toen moest ik aan... het kindje denken...'

'Dat werd ook wreed bij jou weggehaald... Zo voel je dat nog steeds, niet deerntje...?' fluisterde Mans bewogen terwijl hij onafgebroken haar haar streelde.

'Ja... het is in feite net als bij de kalveren... Zou het moederdier nu ook zo'n verdriet hebben, Mans...?'

Mans troostte: 'Een dier heeft een zeer kort geheugen, meidje... dat hebben ze op ons mensen voor...' Hij hief haar betraand gezichtje op en wiste haar tranen af. 'Stil nou maar...' Hij drukte voorzichtig een kus op haar voorhoofd.

Ze glimlachte door haar tranen heen naar hem op. Haar lippen trilden toen ze fluisterde: 'Je vindt mij lief, hè Mans...?'

'Ja, mijn meidje... ik vind jou lief...' Zijn stem klonk bewogen.

'Ik jou ook...'

'Dat weet ik...'

Ze blikten elkaar aan en Mans zag haar jeugd die als een mantel om heel haar wezen hing. Hij zuchtte onhoorbaar, slikte een keer en zei: 'Morgen ben je jarig, dan zul je wel niet naar mij toe kunnen komen, maar ik heb een cadeautje voor je! Als ik jou dat nu vast eens gaf...?' Ze glunderde kinderlijk blij: 'Ja, Mans, en dan vieren we het nu ook een beetje, jij en ik samen, want morgen is er toch niks aan...' Haar tranen waren verdwenen, Mans sloeg een arm rond haar middel en zo liepen ze op het huisje toe.

Toen Mans de achterdeur opende, zag ze hem dadelijk en fluisterde opgetogen: 'Joris in het klein... Joris als dwergje... Wat een dot, Mans! Is die voor mij...?'

Mans knikte: 'Qua uiterlijk en tekening lijkt het inderdaad een af treksel van Joris maar vergis je niet; ze zal eens zo klein blijven! Ze is als dwergje geboren en zo zal ze door het leven moeten! Vind je haar leuk...?'

'Een pony-veulen... wat ben ik daar blij mee...!' Ze wipte op haar tenen en kuste hem: 'Dankjewel, Mans!'

Ze keek bedenkelijk toen ze vroeg: 'Maar kan dat nou wel...? In verband met Joris, bedoel ik? Hij had hier de eerste rechten; wordt hij niet jaloers...?'

'Daarom zit de nieuwkomer voorlopig in het achterhuis! We moeten ze voorzichtig aan elkaar laten wennen en dan moet jij eens opletten wat er gebeurt! Die twee worden vast de grootste vrienden!'

'Wat leuk, zeg... als hier straks twee pony's vrij om het huis lopen! Die van jou en die van mij, leuk, hè Mans?' verkneuterde ze zich bij voorbaat.

'Hoe doop je haar?' moest Mans weten.

'Het is een meisje... een merrie... Het is nu nog net een knuffeltje en zo gaat ze ook heten: Knuffel!' Ze blikte Mans ernstig aan toen ze zei: 'Daar heb ik nou van kindsbeen af al om gezeurd, om een eigen paard. Ik kreeg hem van vader niet, die vond het geldverspilling, en nu krijg ik hem van jou... Een verkleinde uitvoering, maar het is een paard... Ik vergeet nooit, Mans, dat jij een hartenwens van mij in vervulling liet gaan...' besloot ze zacht.

Mans zweeg, omdat hij vond dat hij zijn gedachten niet uit kon spreken: jij hebt zo veel wensen van mij in vervulling doen gaan, deerntje. Je gaf mij je warme vriendschap, je aanhankelijkheid, zelfs je liefde, al besef je dat zelf nog niet helemaal. Dat is voor een ruwe bink als Mans Maring meer dan hij ooit had durven hopen.

Mans sprak al deze gedachten niet uit, maar stelde in plaats daarvan een vraag: 'Je zei daarnet in de schuur dat er morgen op je verjaardag thuis niks aan zou zijn. Doen ze er dan niks aan, je ouders? Bezoek uitnodigen of zo...?'

Geertje krabde Knuffel tussen haar oren toen ze schamper opmerkte: 'O ja, er is bezoek uitgenodigd en jij kan nooit raden wie...!' Op Mans vragende blik vervolgde ze: 'Ik heb je toch meerdere malen verteld wat een gruwelijke hekel ik eraan heb dat Nanko Bulterna tegenwoordig zo veel bij ons over de vloer komt? Altijd onverwacht en altijd bij avond! Moeder snapt ook niet wat die man telkens bij ons te zoeken heeft, maar vader schijnt nogal een zwak voor hem te hebben. Die zegt telkens: Ontvang Nanko maar een beetje vriendelijk, die man heeft zo weinig in het leven!

Dat mag dan waar zijn, maar ik vind hem een grote griezel. Hij kijkt je niet gewoon aan, hij begluurt je tussen zijn witte oogharen door! Nou en uitgerekend Nanko Bultema komt morgenavond om met ons mijn achttiende verjaardag te vieren! Kan jij je voorstellen dat ik mijn lol bij voorbaat al wel opkan?'

Mans schaterde om haar verongelijkte gezicht maar moest toch bekennen: 'Nanko lijkt mij inderdaad niet de aangewezen persoon om een beetje stemming te komen brengen voor een achttienjarige! Je ouders hadden naar mijn mening beter wat jongvolk uit kunnen nodigen.'

Geertje sneerde: 'Ben jij gek! Die willen niet naar de hoeve van Melle Postema komen! Die dochter daar, weet je nog wel...!'

Mans schuddekopte: 'Tja meidje, als je op een dorp eenmaal een stempel opgedrukt hebt gekregen is het de vraag of je dat ooit weer kwijtraakt...! Ik weet er alles van.'

'Het kan me allang niks meer schelen, hoor!' lachte ze hem bevrijd tegen. 'Sinds ik jou ken ben ik toch wel gelukkig!' Ze keek olijk en wijs tegelijk toen ze zei: 'Wat klinkt dat al, hè Mans? Achttien! Dat hoort heel anders dan zeventien. Ik ben blij dat ik eindelijk achttien ben!' besloot ze met een zucht.

'Achttien, dan heb je de huwbare leeftijd zo'n beetje bereikt!' lachte Mans speels en hij had er geen flauwe notie van dat Melle Postema ongeveer dezelfde woorden uitgesproken had tegen Nanko Bultema. 'Kom op haar verjaardag naar ons toe, Nanko, dan zal ik van te voren mijn vrouw inlichten. Over een dag of wat heeft Geertje de huwbare leeftijd. Dan moet het er maar eens van komen, want zo kunnen we vanzelf niet door blijven gaan! Achttien jaar, dan wordt het al wat!'

Het moet er dan maar van komen, dacht Nanko Bultema op de avond van Geertjes verjaardag terwijl hij onderweg was naar de hoeve van Melle Postema. Nanko op vrijersvoeten, schudde hij in gedachten vertwijfeld het hoofd. Wie had dat nou gedacht, dat hij op oudere leeftijd nog achter het vrouwvolk aan zou zitten! Als het aan hem had gelegen was hij heel niet gegaan, maar Melle had de laatste tijd zo vaak gezegd dat dit werkelijk het allerbeste voor hem was, dat hij het wel geloven moest. Melle Postema was per slot niet de eerste de beste, Melle zou het wel weten. Hij was een wijs man!

Wat moest hij nou straks tegen dat jonge wicht zeggen, wat doen? vroeg Nanko zich bezorgd af. Melle had hem verzekerd dat hij de helpende hand zou bieden en dat hij, Nanko, zich nergens druk over behoefde te maken, maar voorlopig stond hij toch maar mooi alleen voor dit karwei! Hij voelde zich zo beklemd, maar dat zou vermoedelijk ook aan de kleren liggen die hij droeg. Hij had zich voor deze gelegenheid in zijn goede goed gestoken. Zijn streepjesbroek en de zwarte jas die daar bijhoorde. Nanko veronderstelde dat het toch zeker zo'n vijftien jaar geleden was, dat hij dit pak had aangeschaft. Voor welke gelegenheid dat was geweest wist hij niet meer, wel dat het pak hem nu niet lekker zat!

Hij was in de loop der jaren aardig dikker geworden; het pak knelde aan alle kanten. Hij moest zijn dikke lijf intrekken wilde hij de knopen van broek en jas dicht krijgen. De stijve boord was een beetje vergeeld en sloot als een bankschroef om zijn nek, en zijn schoenen, mijn hemel daar hield hij het geen avond op vol! Hij had nu al het gevoel op gloeiende eierkolen te lopen!

Het kwam niet alleen van de knellende schoenen, dat Nanko's goedige gezicht pijnlijk vertrokken stond toen hij het vooreind van Melles boerderij binnenstapte. Niet enkel zijn voeten, maar veel meer zijn hart brandde in zijn lichaam. Nanko Bultema was bang. Bang voor het vrouwvolk en dat was hij altijd al geweest.

Op Melle Postema's hoeve werd die avond met gemengde gevoelens naar de komst van Nanko uitgekeken. Geertje was onkundig van de reden van dit bezoek, maar Wietske was door Melle op de hoogte gesteld. Toen ook zij beiden zich in de slaapkamer voor deze gelegenheid in het goede goed staken, fluisterde Melle: 'Heb jij nog heel niet in de gaten waarom Nanko hier tegenwoordig nog al eens verschijnt, vrouw...?'

Wietske stond voor de spiegel en spelde haar knot in de nek vast. Haar gezicht glom van de wasbeurt met groene zeep en tussen haar lippen klemde ze een paar schuifjes die nog in de knot moesten. 'Omdat die man zo weinig in het leven heeft en jij wat medelijden met hem hebt,' antwoordde ze nadat ze eerst de schuifjes uit haar mond had gehaald. 'Omdat hij vanavond om Geertjes hand komt vragen...' zei Melle en hij glimlachte daarbij vergenoegd.

Wietske lachte niet, haar gezicht werd een groot vraagteken en haar mond viel open van verbazing. 'Dat zal toch niet waar zijn, Melle...' Ze begreep opeens een heleboel dingen tegelijk. Ze wist opeens de reden van Nanko's veelvuldige bezoeken aan deze hoeve. Ze blikte Melle aan en het verwijt van haar ogen lag in haar stem besloten toen ze fluisterde: 'Daar heb jij het op aan gestuurd, Melle... Jij hebt Nanko naar de hoeve gehaald om Geertje...'

Hij brak haar af en zei kort en bondig: 'Dat heb je nu eens dadelijk goed geraden!'

'Dit kan niet... dit mag niet...'

Andermaal onderbrak hij haar: 'Dat zal wel móéten, het is de enige kans om haar én de hoeve, te redden van een totale ondergang! Nanko mag zijn zo die is, hij is in alle opzichten een betere partij dan Mans Maring. Of ben je dat soms niet met me eens?'

'Jawel, maar...' Wietske zuchtte diep, dan vervolgde ze: 'Het is ja heel niet gezegd dat Geertje en Mans Maring... Het wicht zegt telkens dat ze alleen maar bevriend met hem is!'

'En dat geloof jij!' sneerde Melle verachtelijk. 'Je zou er beter aan doen als je mij wat meer vertrouwde! Ik heb een leven lang het beste met het wicht voorgehad! Met haar en de hoeve, dat moest jij zo langzamerhand toch wel weten!'

'Dat weet ik ook wel...'

'Dan is het goed, vrouw!' knikte Melle alsof hij haar een misdaad vergaf. 'Dan moet jij straks maar eens laten zien in hoeverre je achter me staat! Als jij mij en Nanko helpt, help je daarmee je dochter! Is dat duidelijk...?'

'Ja Melle... dat is duidelijk...' Wietske was de onderdanigheid zelf maar zo was haar dat ook geleerd. Ze wist niet beter. Melle was de baas en hij zou wel weten wat goed of slecht was. Zij was zijn vrouw; ze had hem te gehoorzamen. Met een hart vol bange twijfels, dat wel... Toen tegen goed zeven uur de bel van de voordeur door de gang galmde, stond Melle haastig op en verliet het vertrek om Nanko binnen te halen. Wietske blikte heel even naar Geertje, die in een boek bladerde als ging heel dit gebeuren haar niet aan. Wietskes hart was vol maar ze zweeg. Want ook zwijgend vond zij, kon ze achter Melle staan. Wie zwijgt stemt toe...

'Kom erin kerel, kom erin!' begroette Melle een bedenkelijk kijkende Nanko die behulpzaam uit zijn jas werd geholpen, waarna Melle fluisterde: 'Ik heb hier een pakje en dat moet jij Geertje overhandigen als je haar gelukwenst met haar verjaardag...! Er zit een gouden ring in, snap je...?'

Toen Nanko verdwaasd naar het kleine pakje in de palm van zijn hand staarde en daarmee te kennen gaf dat het hem niet helemaal duidelijk was, fluisterde Melle: 'Bij een verjaardag hoort een cadeautje en als je gelijktijdig om de hand van een meidje komt vragen, is een ring een bij uitstek gepast cadeautje! Snap je het nu...?'

Nanko knikte, maar toen hij kort hierna Geertje de hand schudde, keek hij haar daarbij niet aan en toen hij haar het pakje toestak mompelde hij iets van: 'Ik hoop dat het een mooie is...'

Geertje kon niet weten dat de ring weken geleden al door haar vader in de stad was gekocht, toen hij daar de wekelijkse veemarkt bezocht. Ze blikte Nanko eerlijk verbaasd aan toen ze de ring om en om in haar handen draaide en zei: 'Het is een mooie, maar... dat is toch veel te gek, Nanko!'

Het was veel te veel, vond ze, als ze bedacht dat ze van vader en moeder een paar nieuwe schoenen had gekregen. Een nuttig cadeau, je moest nooit onnodig met geld smijten, zei vader altijd. Nanko dacht daar blijkbaar anders over!

Nanko haalde verlegen zijn schouders op: 'Ik vind hem zelf ook mooi...'

Geertje, verlegen met de situatie, schoof de ring niet aan haar vinger, maar legde deze voor zich op tafel. Ze was blij toen moeder zich met de koffieboel ging bemoeien en sprong hulpvaardig bij: 'Ik help wel even...'

Toen ze een kopje voor Nanko neerzette, vond ze vaders opmerking: 'Nu zie je eens, Nanko, welk een goede gastvrouw mijn dochter is!' nergens op slaan.

Melle en Nanko raakten in een gesprek verwikkeld dat over het boeren ging, Wietske breide aan een zwarte sok voor Melle alsof haar leven daar van afhing. Vrouwenhanden mochten nu eenmaal niet stil staan. Geertje zat er wat verveeld bij en had niet het gevoel jarig te zijn.

Na het tweede kopje koffie zette Melle de karaf met brandewijn op tafel en schonk voor Nanko en hemzelf een borrel in. Wietske kreeg een wijntje en Geertje vruchten waarover Melle een kleine scheut wijn deed. Omdat ze jarig was!

Of het bij de tweede of de derde borrel was, wist Geertje niet goed, maar opeens, toen ze toevalligerwijs in de richting van haar vader blikte, zag ze deze vreemde grimassen trekken tegen Nanko. 'Wat zit u nou gekke gezichten te trekken, vader...' sprak ze haar gedachten hardop uit. Toen kon Melle naar zijn oordeel niet anders dan zeggen: 'Nanko is wat verlegen uitgevallen... Ik spoor hem een beetje aan...' Wietske bloosde diep maar Geertje vroeg argeloos: 'Jullie praten immers onafgebroken... Waarvoor heeft Nanko dan een aansporing nodig...?' Toen Nanko in alle talen zweeg, zei Melle: 'Zal ik het dan maar zeggen, Nanko...?'

'Astjeblieft...!' kwam het uit de grond van Nanko's bezwaarde hart. Toen zei Melle Postema tegen zijn dochter: 'Nanko is hier vanavond naartoe gekomen met een wens, Geertje... Hij heeft mij om jouw hand gevraagd...'

Vandaar die ring, schoot het door haar heen en ze had er geen vermoeden van hoe verwonderd groot haar groene ogen in haar gezicht stonden. Haar blik, bang en onzeker, vloog naar Wietske, maar die boog zich over haar breiwerk en de naalden tikten driftig tegen elkaar. Ze keek naar haar vader, zag zijn blik waarin een zekere triomf lag; ze blikte naar Nanko die zijn ogen door het vertrek liet dwalen. Opeens voelde ze weer de hand die hij haar gaf toen hij haar gelukwenste met haar verjaardag. Het was een kleffe handdruk, van een hand die dik en warm was... Een zweterige hand... Ze rilde opeens over heel haar lijf. Van heel ver leek het kwam vaders stem naar haar over: 'Je boft Geertje, dat Nanko met je wil trouwen en jou op zijn polderboerderij wil brengen...! Moeder en ik zijn hier bijzonder content mee, want dit geluk hadden wij voor jou niet meer verwacht.'

Vader zei nog meer, maar die woorden drongen niet tot haar door. Ze hoorde enkel dat ene: dit geluk hadden wij voor jou niet meer verwacht...

Dit geluk...? Ze voelde aldoor die zweterige hand... ze werd opeens zo misselijk... Dit kon niet waar zijn... dit mocht niet... Heel bleek was ze toen ze op de ring staarde die als een stille getuige voor haar lag. Ze zag het in gedachten; Nanko, die niet helemaal goed bij het hoofd was, dik en pafferig en oud in haar ogen, wilde haar naar de polder brengen... De ring voor haar veranderde van vorm, werd Knuffel... het levende cadeau van Mans...

Mans... kermde het in haar, Mans... help me...

Een onpasselijk gevoel overspoelde haar, ze dacht te moeten overgeven en fluisterde bibberend: 'Ik... ben misselijk... moet even naar... achteren...' Ze schoof haar stoel naar achteren en rende de kamer uit, drie volwassenen achterlatend die verbouwereerd pas weer tot hun positieven kwamen toen ze de zijdeur open en dicht hoorden slaan en ze vlugge, vluchtende voetstappen op het grint opzij van het huis hoorden. Toen schreide Wietske: 'Heb je nou je zin, Melle Postema...? Het wicht is helemaal overstuur... ze vlucht... regelrecht in de armen van... Mans Maring...'

Melle zweeg met verbeten gezicht en Nanko Bultema stond langzaam op. 'Dit wordt niks, Melle... ik zie ervan af... Wat moet ik met zo'n schrikachtig vrouwmens op mijn boerderij... Ik zou daar zelf bang van worden...' Nanko wilde de ring grijpen die verloren op de tafel lag, maar Melle weerhield hem daarvan en beet hem toe: 'Afblijven...! Dat ding heeft me weer geld gekost, wat niet nodig was geweest!'

Melle nam de ring en stak die in zijn zak. Wietske zou wel eens weer jarig worden en dan had hij meteen een cadeau voor haar. Zonde van het geld...

Na Geertje leek het alsof Nanko Bultema van de hoeve wegvluchtte. Hij voelde zijn zere, opgezwollen voeten nu niet en evenmin de stijve boord, die een rode striem in zijn nek tekende. Nanko was opgelucht en zou zijn verdere leven in z'n eentje op de polderboerderij slijten. Als nooit tevoren wist hij niets meer met vrouwen van doen te willen hebben. Schrikachtige wezens waren het, die hem bang maakten. Geertje Postema, met haar zwarte haar en haar groene ogen, had op een kat geleken, vond Nanko toen hij, zo vlug zijn voeten dat toelieten, zich naar zijn hoeve terughaastte. Een grillige zwarte kat kon elk moment haar nagels uitslaan... Toen Nanko de stilte van de polder om zich heen voelde, was hij in al zijn simpelheid een blij mensenkind. Hij was de dans ontsprongen en prees zich gelukkig!

Ik zie ervan af...! Hoe kon Geertje weten dat Nanko deze woorden had uitgesproken kort nadat zij de hoeve had verlaten? Tijdens haar vlucht zag zij enkel die dikke, pafferige man met zijn klamme, zweterige handen die op klauwen leken. Klauwen die haar vast wilden grijpen om haar naar de polder te slepen. Ver weg van Mans... Bang als een wezeltje was ze gevlucht naar een veiliger heenkomen.

Mans Maring blikte geschrokken op toen de deur van zijn keukentje open werd gesmeten en Geertje in het deurgat stond. Lijkbleek, met trillende lippen, fluisterde ze nauwelijks verstaanbaar: 'Help me... Mans...'

Hij was in één sprong bij haar en zonder te weten wat er aan de hand was, trok hij haar beschermend tegen zich aan. 'Stil maar, je bent nu bij mij...'

Ze huilde niet, ze ademde amper maar hij voelde hoe heel haar wezen gespannen was. 'Wat is er gebeurd, deerntje...'

Toen ze zich onder zijn kalme woorden ontspande en diep zuchtte, zei Mans zacht: 'Vertel het me maar...'

Ze maakte zich van hem los en blikte hem aan. Haar ogen waren als die van een verschrikt, opgejaagd dier in nood. 'Ik moet... trouwen met... Nanko Bultema... Dat wil ik niet, Mans... met zo'n griezel...'

Mans Marings gedachten stormden door zijn hoofd. Dus daarom kwam Nanko zo regelmatig op de hoeve, begreep hij ogenblikkelijk. Dit was doorgestoken kaart, Melle Postema was weer eens bezig het leven van zijn dochter in eigen hand te nemen! Hij wilde dit lieve wezentje verbinden met... Nanko Bultema, over wie wel nooit een kwaad woord werd gezegd maar om wiens onnozelheid werd gelachen... Dit was godgeklaagd, onbegrijpelijk voor Mans. Dat deed een vader niet als hij een beetje gevoel in zijn voorname lichaam had...

'Wat moet ik nou, Mans...? Zeg dan iets waar ik houvast aan

heb...' fluisterde Geertje zacht.

Mans had de situatie in gedachten al overzien maar stelde toch een overbodige vraag: 'Vertel me eens precies wat er gebeurde, deerntje...?' Geertje vertelde. Van Nanko's komst naar de hoeve, van de ring die ze van hem kreeg en hoe de reden daarvan haar al gauw duidelijk werd gemaakt door haar vader. 'En moeder breide maar... die zei niks... die is er nooit als ik haar zo nodig heb...' snikte ze nu zacht-verdrietig. Ze wiste haar tranen weg en vervolgde dan opstandig-fel: 'Onder het mom dat ik naar 't huuske moest om over te geven, ben ik weggevlucht... Onderweg heb ik werkelijk over moeten geven... Ik was zo misselijk.' zo ziek...'

'Arm ding...' Zijn stem smolt van medelijden.

Proefde ze dat medelijden en gooide ze daarom het hoofd in de nek om vervolgens – veel te kalm voor dit moment – te fluisteren: 'Arm ding...? Ja Mans, dat was ik wellicht toen ik zwanger werd en daarmee voor de dag moest komen...! Toen ik naar Bussum werd gestuurd om mijn eigen kind daar af te staan aan vreemden... Toen het geboren werd en de wereld en mij begroette met een klagend geluidje... wás ik geen arm ding meer, Mans...! Toen was ik volwassen en nu ben ik nóg volwassener geworden. Ik weet dat ik door het gebeurde geen reden heb om trots op mezelf te zijn, maar ik ben wel trots op mijn wil die ik voortdurend in me voel! Die wil, Mans... zegt mij dat ik nooit met Nanko Bultema zal trouwen...' Haar stem verloor al haar kracht en fierheid toen ze er kleintjes aan toevoegde: 'Maar ik weet niet hoe ik dat moet klaren... Vader is zo sterk... zijn overmacht nog altijd zo groot... Help me, Mans...' smeekte ze dat laatste zacht en met vochtige ogen. Terwijl Mans Maring naar haar had geluisterd, hadden zijn gedachten niet stilgestaan. Toen zij zweeg en haar gezichtje hoopvol naar hem ophief, kón hij haar niet teleurstellen. Toen zei hij wat zijn gedachten al hadden uitgedokterd, wat zijn hart hem ingaf. 'Voor zover ik het op dit ogenblik kan bezien, deerntje... rest er jou maar één ding dat je kunt doen om uit handen van Nanko Bultema te blijven...'

'Wat dan...?'

Mans zuchtte diep, zweeg een moment en zei dan: 'Je moest maar met mij trouwen, meidje... dan was jij in elk geval veilig! Dan kon ik tenminste elk moment van de dag op je passen en dat is nu uitgesloten. Met alle gevolgen van dien!' besloot hij grimmig.

Geertjes groene ogen blonken hem warm tegen, waren al een bevestigend antwoord op hetgeen hij had voorgesteld maar toch fluisterde ze: 'Hou jij dan van mij, Mans...?'

Hij glimlachte haar teder en warm tegen: 'Enige tijd geleden heb ik je immers verteld dat ik je lief vond, weet je nog? En jij vond mij lief, dat is toch ruimschoots voldoende...?'

'Ja... o ja, dat is genoeg...' Haar blik verduisterde toen ze na een ogenblik van nadenken vervolgde: 'Vader en moeder willen me graag op de polder naast Nanko zien, maar jij, Mans Maring... jij bent te min in hun ogen... Jij bent geen boer en je hebt geen aanzien. Wat denk je wat ze zullen zeggen als ik vertel dat jij en ik samen verder willen...?'

Mans glimlachte toen hij antwoordde: 'Ze zullen jou naar de polder willen slepen, maar zullen daarvan weerhouden worden als jij zegt... dat je met Mans Maring móet trouwen...'

'Dat is... liegen...' Ze blikte hem geschrokken aan.

'Een leugentje om jouw bestwil, deerntje. Als jij daarmee instemt kon dat jouw redding wel eens zijn...! Ik dwing je tot niets, begrijp me goed, maar overdenk mijn voorstel toch maar eens...!'

In een golf kwam het verleden bij haar boven en fluisterde ze benauwd: 'Ze zullen me weer wegsturen, Mans... naar Bussum of waar ook naartoe...'

Mans schudde zijn hoofd: 'Dat zullen ze niet, want jij staat nu niet alleen, deerntje! Ik zal jouw leugen bevestigen en je niet laten gaan!'

Toen hij haar bedenkelijke blik zag en daarvan de reden wel raden kon, zei hij: 'Zo gauw we getrouwd zijn, trekken we onze leugen in! Die zou trouwens ook zonder dat wel uitkomen, want jij bent niet zwanger! Dat zal gauwer dan we zelf willen bekend zijn, meidje!'

Haar ogen werden warm en dromerig toen ze fluisterde: 'Dan zal ik altijd bij je mogen zijn, Mans...'

'Dan zal ik altijd op jou mogen passen, deerntje...'

Ze spraken beiden het woord liefde niet uit, maar ze sloten een verbond. Dat dit alles gebeurde door hun liefde voor elkaar realiseerde Geertje zich nog niet en Mans dacht: ik moet geduld met haar hebben. Ik moet eerst Melle Postema verslaan, dan zal ik haar hier op de ruimte tussen twee dorpen in een veilig bestaan geven. Dan zal ik haar gelukkig maken.

'Ik moet nu weer naar huis, maar... ik durf niet...' fluisterde ze klein en bang.

'Voortaan hoef jij nergens meer bang voor te zijn, ik ben bij je en neem al je angsten weg. Kom maar, we gaan samen naar je ouders... Mans Maring zal daar een tijding brengen die in een leugen is verpakt en wel een 'verrassing' in zich zal dragen maar geen vreugde. Jammer genoeg, geen vreugde...'

HOOFDSTUK 9

Nee, er was geen vreugde toen Mans Maring en Geertje Postema eind mei trouwden. Op die stralende meidag was er geen zichtbare vreugde, werd er niet gelachen wel gehuild, maar ondanks dat alles jubelde het in Geertje. Die jubel uit haar hart weerkaatste in haar groene ogen en maakte van haar een aandoenlijk bruidje.

Die dag scheen de zon volop en maakte het Groningerland licht en vrolijk, maar verder bezat deze dag geen enkele franje. Geertje Postema's trouwdag werd bijzonder sober gehouden. Dit had vooral Melle zo gewild, het was zijn uitdrukkelijke wens. Toen Mans Maring Geertje die bewuste avond weer op de hoeve terugbracht en zonder veel ophef te kennen gaf dat hij en Geertje... moesten trouwen, werd Melle overspoeld door een golf van machteloosheid. Wietske had alleen maar gejammerd: 'Zo'n wicht toch... Wanneer houdt dit eens op... Al die schande is ja niet te dragen...' Melle had zich gelukkig in het bijzijn van Mans in kunnen houden. Toen hij wat van de schrik bekomen was, had hij schijnbaar kalm weten te zeggen: 'De schande die Geertje telkens maar weer over ons en de hoeve weet te brengen, houdt op zodra zij bij Mans Maring op de ruimte woont, vrouw...!'

'Wil jij daarmee zeggen...' had Wietske gekermd, maar hij had haar onderbroken: 'Ja, dat wil ik zeggen, want of ze nou met Nanko trouwt of met Mans Maring... het kan mij niets meer schelen...! Als zij enkel het slechtste zoekt, kan ze dat van mijn part krijgen!' Hij had Mans donker aangeblikt en gezegd: 'Trouw zo vlug mogelijk... des te eerder kan ik de kroon weer op deze hoeve plaatsen...!'

Mans had een datum eind mei genoemd en hij, Melle, had bedisseld: 'Dit hele schandelijke gebeuren wordt zo sober mogelijk gehouden, begrepen! Het gemeentehuis, daar kom je jammer genoeg niet omheen, maar de kerk, daar hoor jij niet thuis, Geertje...!'

Heel even was ze teleurgesteld, Geertje, en voelde ze schaamte; maar toen ze als om hulp vragend stil naar Mans opblikte en hij geruststellend tegen haar knikte, fluisterde ze: 'Als ik maar bij Mans kan zijn... weg van deze hoeve... vind ik alles best...'

Weg van de hoeve, ze wilde niks liever dan dat. De weken die haar nog restten voor de trouwdag en die ze noodgedwongen op de hoeve door moest brengen, werden een ware kwelling. Melle deed als was ze al niet meer thuis en zijn dochter, Wietske klaagde en huilde steen en been. Elke dag vulde zij met verwijten aan Geertje. Het woord schande was praktisch niet van haar lippen, de tranen van zelfbeklag niet uit haar ogen. Het werden weken vol spanningen die tergend langzaam voorbij kropen. Die drie mensen die bij elkaar hoorden door de bloedband waren volkomen uit elkaar gedreven.

Mans kwam die morgen lopend naar de hoeve – op Melles wens, die op een dreiging leek, geen minuut te vroeg. Toen hij arriveerde stond de koets al ingespannen en zaten Wietske en Geertje hem daarin al op te wachten en hield Melle, op de bok, de leidsels al vast. 'Ik zeg; goedemorgen allemaal...!' groette Mans stroef terwijl hij naast Geertje schoof. Zijn groet werd niet beantwoord. Geertje legde haar hand in die van hem en fluisterde zacht: 'Mans...' Hij drukte haar hand maar zweeg en zo reden ze, stil en stijf naast elkaar, even later het dorp binnen.

Geertje Postema en Mans Maring mochten dan met de nek worden aangekeken, hun trouwdag had de dorpelingen wel op de been weten te brengen. Men dromde voor het gemeentehuis samen, waar het een geroezemoes van stemmen was.

'Ook dat nog...!' siste Melle tussen zijn tanden toen hij de nieuwsgierigen in het oog kreeg. Wietske snikte onderdrukt: 'En daar moeten we tussendoor... Ik weet niet hoe ik kijken moet... welke houding ik aan moet nemen. Dit is ja vreselijk!'

Voor het eerst opende Mans zijn mond, hij drukte Geertjes hand, die koud aanvoelde door de zenuwen in de zijne, en zei kalm als altijd: 'Een mens moet onder alle omstandigheden zichzelf blijven. Dat lijkt mij het juiste.'

De blijde jubel in Geertje ebde weg toen zij al die nieuwsgierige blikken op de koets gericht zag. En toen ze kort daarna aan Mans arm de stoep voor het gemeentehuis beklom zag ze in een flits bekende gezichten, als die van een paar vroegere schoolvriendinnen en het gezicht van Evert de Groot! De meisjes waar ze vroeger mee gespeeld en gelachen had ginnegapten haar verbaasd aan. In hun ogen blonk spot. Evert de Groot keek ernstig en toen haar ogen zich in een fractie van een seconde in die van hem boorden, knikte hij haar toe. Betekende die knik van hem: Veel geluk verder, of... Ben ik even blij niet met jou verder te hoeven...? Geertje zou daarop nooit het antwoord krijgen en dat deerde haar niet of nauwelijks.

Evert mocht gerust met Anske verdergaan, zij zou nooit van hem hebben kunnen houden. Zij had Mans, haar grote, sterke kameraad met wie ze voortaan op de ruimte tussen twee dorpen in zou wonen en leven. Toen ze dat bedacht plooiden haar lippen zich in een gelukkige lach en werd ze toch weer een stralend bruidje.

Een heel eenvoudig bruidje, want Melle en Wietske waren het roerend eens geweest dat Geertje, hun enige dochter en zolang een begrip in het dorp, niet in het wit kon trouwen. Haar voorgeschiedenis verhinderde dat en nu ze weer een kind droeg, van Mans Maring nog wel, kwam een smetteloos wit kleedje niet eens meer ter sprake! Hun dochter trouwde in een nieuw kleedje, dat kon nog net, maar verder was het japonnetje zo gekozen dat het wicht het later gewoon zou kunnen dragen. Een kleedje zonder franje, want franje of opsmuk hoorde niet bij Mans Maring en Geertje verdiende dat nergens aan. Zij was niet rein maar besmet en smerig. Ook hierover waren Melle en Wietske het eens en ze dachten dan voornamelijk aan het kind van Mans Maring... Die schande was de ergste van alle en ze waren dan ook blij toen het officiële gebeuren achter de rug was en ze het gemeentehuis konden verlaten.

In het portaal bleef Melle staan en blikte Wietske ietwat onzeker aan. Hij was opeens niet meer die machtige hereboer, die voor niets en niemand het hoofd boog. Melle was klein en onzeker, toen hij tegen Wietske fluisterde: 'Wat moeten we nou...? We kunnen hier toch niet uit elkaar gaan zoals afgesproken was? De mensen staan er nog allemaal!' Geertje deed een stapje naar voren en haar stem trilde van ingehouden emotie toen ze fluisterde: 'Mans en ik... wij storen ons niet aan de mensen, vader...! We doen zoals dat besproken was: Mans en ik gaan van hieruit te voet naar ons huisje... We moeten elkander niet langer dwarszitten dan strikt noodzakelijk is...'

Wietske had zorg om haar dochter en liet dat merken door te zeggen: 'In de koets zul je wat beschermder zitten, kind... Het is ja verschrikkelijk, al die nieuwsgierige blikken het hoofd te moeten bieden... Al dat gefluister te moeten aanhoren... Laten wij hen maar even buiten het dorp afzetten, Melle...'

Melle wilde wat zeggen maar Mans kwam naast Geertje staan en nam het woord. Hij was merkwaardig kalm toen hij Melle Postema recht in de ogen zag en zei: 'Ik ben gewend om al te nieuwsgierige blikken het hoofd te bieden. Dat word je mogelijk gemaakt, Melle Postema, als je zoals ik en Geertje een zuiver geweten hebt...!'

'Hoe durf je zo te praten, kerel...' siste Melle toornig. 'Noem jij het zuiver als je een wicht als zij... een kind nog haast... gedwongen naar het gemeentehuis sleept? Je moest je diep schamen, Mans Maring, dat moest jij...!'

Mans wist een glimlach om zijn mond te leggen alvorens hij zei: 'Ik zou mij inderdaad schamen als dat waar was, maar ik kan jullie beiden met de hand op het hart verzekeren dat ik haar nog nooit met een vinger heb aangeraakt...! Ik heb haar getroost en soms moest ik haar tranen wegkussen, maar daar schaam ik me niet voor, Melle Postema! Jullie veroorzaakten bij haar tranen toen je het dierbaarste dat een vrouw kan krijgen, wreed bij haar weghaalde!'

Melle onderbrak hem: 'Zwijg, kerel... daar hebben wij het allang niet meer over... dat behoort tot de vergetelheid...!'

'Bij jullie wellicht, maar Geertje zal dat nooit kunnen vergeten... Ik heb haar niet getrouwd omdat het moest, omdat zij voor de tweede keer gedwongen werd... Ik trouwde jullie dochter omdat het zo'n verdraaid lief deerntje is en ik ervoor wil zorgen dat ze nooit meer hoeft te huilen...!'

'Wil je daarmee zeggen...' fluisterde Wietske ontsteld en nu was het Geertje die antwoordde en zacht zei: 'Ik krijg geen kindje van Mans, moeder... Dat was een voorwendsel om uit handen te blijven van... Nanko Bultema! Op die polderboerderij naast hem, zou ik dood zijn gegaan, naast Mans op de ruimte zal ik leven en zo... vreselijk gelukkig worden...'

Wietske had geen weerwoord, ze stond perplex en wist niets beters te doen dan haar kanten zakdoekje tevoorschijn te halen en daarin te snotteren: 'Hoe kun je ons... zo veel verdriet bezorgen, kind... Dit hebben we niet aan je verdiend!'

Melle overzag en begreep de situatie beter. Een machteloze woede overspoelde hem toen hij siste: 'Je hebt ons, je eigen ouders bedrogen... in een val gelokt...! Dit vergeef ik je nooit, Geertje...! Jou niet en hem niet...' Hij blikte bij dat laatste Mans dreigend aan en voegde er aan toe: 'Neem haar mee naar je krot... naar je armoede, waar heel de omgeving daar naar stinkt... Het is beter geen dochter te hebben dan zo eentje...! Kom, vrouw, we gaan naar de hoeve en zullen daar pogen de kroon er weer op te krijgen... Een hoeve zonder kroon, daar kan geen boer mee leven...'

Na die woorden waarmee Melle naar zijn mening overduidelijk was geweest, nam hij Wietskes hand en trok haar mee naar buiten. Mans wachtte tot hij de koets weg hoorde rijden, dan zei hij zacht: 'Kom, deerntje, we gaan naar huis!'

Naar huis, Geertje wilde niks liever dan naar dat plekje waar ze zich thuis voelde omdat Mans daar bij haar was. Mans Maring, die beloofd had dat ze nooit meer zou huilen... Maar ze huilde wel toen ze aan Mans arm de stoep van het gemeentehuis afdaalde. Zacht en geluidloos drupten er telkens tranen uit haar ogen en door dat waas van tranen zag ze niet al die gezichten waarop nu medelijden te lezen lag. Ze hoorde niks van het gefluister: Dit is toch wel heel verschrikkelijk... Een bruid die schreiend het gemeentehuis uit kwam aan de arm van een man die zijn vorige vrouw... de dood in had gejaagd... Wat moest er van Geertje Postema, eens rijk en voornaam, een meidje met aanzien, terechtkomen...? Mans Maring mocht zich schamen zo'n jong ding zwanger te maken...! Melle Postema en zijn vrouw, vond men eensgezind, moesten zich trouwens nog dieper schamen! Naar horen zeggen had Geertje Postema destijds haar kind móéten afstaan omdat Melle en Wietske zich die schande niet konden permitteren. De schande dat ze nu met Mans Maring moest trouwen, konden die twee zich vanzelf helemaal niet permitteren en dat hadden ze open en bloot laten zien toen ze, voor het bruidspaar aan, het gemeentehuis verlieten en samen naar de hoeve terugreden. Mans moest zich maar redden met hun dochter, daar kwam het toch op neer toen ze haar gewoon bij hem achterlieten...? Wat een trouwerij en wat een hemelsbreed ver-

schil vergeleken bij het trouwen van andere welgestelde boeren-
dochters! Dan werd er op niets bespaard, was het een groot feest,
straalde de glorie je van alle kanten tegemoet. Arme Geertje
Postema, maar ze wilde ook immers niet anders. Ze zocht telkens
haar eigen ongeluk en liep dat met wijd open ogen tegemoet.
Over Geertje Postema zou nog lang gesproken worden. Nu, maar
ook in de toekomst.

Geertje dacht niet aan die toekomst toen ze dapper tegen Mans
fluisterde: 'Het is al over, hoor... Dat vader zei dat hij liever geen
dochter had dan mij... dat deed zo zeer, Mans.'

Mans fluisterde terug: 'Stil maar... we zijn het dorp zo uit. Dan
drogen je tranen vanzelf, dan maak ik je gelukkig!'

Ze waren het dorp nog niet uit, dat realiseerde Geertje zich
toen ze in de hoofdstraat liepen en langs het kruidenierswinkeltje
kwamen van De Jong. Toen ze Janske de Jong in de deuropening
van de winkel zag staan, kon ze het niet helpen dat ze haar rug
rechtte en hem open aanzag.

Toen ze zijn nieuwsgierigheid meende te proeven was ze heel
even weer de Geertje van vroeger: voornaam en eigengereid koppig. Toen beet ze hem toe: 'Je had op de stoep van het gemeentehuis moeten gaan staan, Janske... Dan had je de boel veel beter
kunnen overzien...'

Janske bloosde diep onder deze niet mis te verstane terechtzet-
ting. Zijn woorden waren eerlijk gemeend maar kwamen er onzeker en hakkelend uit: 'Ik ben niet nieuwsgierig... ik stond je op
te wachten om je... geluk te wensen!'

'Dat is dan mooi...!' Het kwam er hooghartig en koel uit.

Mans blikte haar van opzij ietwat verbaasd aan toen hij vroeg:
'Moest dat nou zo, deerntje...?'

'Ja, dat moest...'

'Zo ken ik je niet, zo kattig...'

'Het is me wel geleerd om van me af te bijten...' Wat kon ze
anders zeggen? Het was de waarheid. Ze kon het niet velen dat
juist Janske de Jong daar stond. Vandaag of morgen zou hij er
met de overige dorpelingen wel achter komen dat Geertje Postema helemaal niet behóéfde te trouwen, dat ze haar ouders een
poets had gebakken om bij Mans te kunnen zijn. Over het waarom daarvan zou Janske onkundig blijven, want ze rekende erop
dat vader of moeder niet zou prijsgeven dat ze haar aan Nanko

Bultema hadden willen geven. Weg is weg...

Janske zou dat allemaal niet weten, net als hij niets over haar verleden wist. Niet hoe de vork precies in de steel zat tenminste. Stel dat Janske dat wel wist...? Wat zou hij zeggen of doen als hij te horen kreeg, dat hij vader was van een klein wichtje dat inmiddels al een jaar was...? Zou hij dan willen weten waar het was, omdat hij ernaar verlangde? Of zou hij zeggen dat Geertje Postema bij al hetgeen ze uit had gespookt ook nog een grote leugenaarster was omdat Janske met Netteke Poelman gelukkig wenste te worden? Dat laatste leek haar aannemelijk en daarom was ze blij dat Janske van niets wist.

Hij mocht van haar gelukkig worden met Netteke Poelman met wie hij sinds enige tijd verkering had. In gedachten zag ze Janskes leven voor zich. Janskes vader, de oude de Jong, was al geruime tijd ziekelijk. Janske bracht allang geen boodschappen meer rond, daarvoor was nu een knechtje in dienst genomen. Over niet al te lange tijd zou Janske trouwen en samen met Netteke Poelman zou hij het winkeltje besturen. Er zouden kinderen komen, Janske was gelukkig en prees zich gelukkig dat hij geen vrouw als Geertje Postema had gekregen...! Netteke Poelman zou nooit weten, als ze naast Janske achter de toonbank stond, dat er ergens op de wereld een klein meidje rondliep dat dezelfde rechten had als haar eigen kinderen. En zo was het goed, zo had zij dit ook gewild.

'Waar denk je aan, of heb je nu al spijt...?' onderbrak Mans haar gedachten en legde vertrouwelijk een arm rond haar middel.

Ze maakte zich niet vrij uit zijn omarming. Ze vond het prettig zo'n ruggesteuntje en bovendien waren ze nu uit het dorp en kon niemand het zien en er dus ook niet over praten. Ze glimlachte naar hem op: 'Ik zal nooit spijt krijgen, Mans... nooit van mijn leven!'

'Je gaat een leven tegemoet dat in niets op het voorgaande zal lijken, mijn deerntje...! Ik kan je weinig bieden!'

'Jij biedt mij al hetgeen een mens nodig heeft: vriendschap die in een warme genegenheid ligt besloten...'

Ze noemde het woord liefde niet en dat proefde Mans. De smaak daarvan was wat bitter maar hij bedacht, zoals hij dat in het verleden zo dikwijls had gedaan: een mens moet geduld weten op te brengen en niet alles tegelijk willen. Mans vond dat hij het geduld van heel de wereld bezat.

Geertje Postema was getrouwd, maar ze voelde zich in geen enkel opzicht een bruidje. Daarvoor miste ze de sfeer. Ze droeg geen fraaie trouwjurk en er was geen feest. Er waren geen mensen die hen beiden gelukwensten, die een toost op het gelukkige paar uitbrachten. Toch schreide ze tranen van puur geluk en dat kwam doordat Mans, toen ze bij zijn huisje aankwamen, haar opeens in zijn sterke armen nam en haar over de drempel van de voordeur droeg. 'Welkom thuis, vrouw...!' Hij kuste haar, voor het eerst sinds ze elkaar kenden, op haar mond. Mans liefde jegens haar grensde aan eerbied.

Toen ze fluisterde: 'Mans... lieve Mans...' waren haar ogen vol tranen van vertedering en geluk.

Ze waren alleen, maar niet eenzaam, want alsof de dieren het aanvoelden dat deze dag heel bijzonder was, zo streken de katten met opgeheven staart langs hun benen en gaven aanhalig alsmaar kopjes. 'Ze hebben honger!' meende Mans nuchter maar Geertje, die de romantiek vast wilde houden, glimlachte: 'Ze komen ons begroeten en veel geluk wensen...!'

Nero was hun van ver al tegemoet komen rennen en had tot het huisje speels en dartel om hen heen gesprongen. Nu leek hij het welletjes te vinden en strekte hij zich kreunend languit in het keukentje. Zijn trouwe snoet legde hij op de voorpoten en zo hield hij alles in de gaten. Vooral de katten, want die duldde hij als waren het minderwaardige schepsels. Hij, Nero, de zwarte bouvier, was hier heer en meester. Met de levende have die hier verder nog rondscharrelde, hield hij wijselijk vrede, maar geen vriendschap!

Een beetje verloren-onwennig stond Geertje in het keukentje en overzag het geheel alsof ze hier voor het eerst binnenkwam. 'Wat nou, meidje... Voel je je nog niet op je gemak...?' Mans blikte haar peilend aan.

Ze schokschouderde: 'Het is zo vreemd... de gewaarwording dat ik hier nu echt thuishoor... dat ik voortaan baas ben, hier in het vooreind...'

Het vooreind, dacht Mans stil. In haar gevoelsleven was ze nog op en top een boerendochter. Ze sprak over het vooreind zonder te beseffen dat ze baas mocht spelen in een klein, bouwvallig arbeidershuisje... Of haar dat op de lange duur niet zuur zou opbreken...? Niet aan denken, schudde hij die sombere gedachten dadelijk van zich af. Een mens moest niet gaan wrocten in en pickeren over de dingen die wellicht konden komen, een mens moest de dag plukken zoals die geboden werd. Mans Maring was een levensgenieter, hij bezat zwier en lef maar ook een gevoelig hart en dat liet hij spreken toen hij zei: 'Zo jong je bent, jij zult nooit met plezier aan je trouwdag terug kunnen denken. Daarvoor is er op deze ene dag te veel gebeurd dat zeer doet... Dat spijt mij meer dan ik verwoorden kan, deerntje, want ik ben me er terdege van bewust dat ik hieraan grote schuld draag...'

'Hoe bedoel je dat...' Ze blikte hem niet-begrijpend aan.

Mans vervolgde: 'Ik was het immers die jou het plan voorlegde om er een 'moetje' van te maken...! Ik deed dat om jou te beschermen, om je uit handen te halen van Nanko Bultema, maar ook omdat ik... je hier zo graag bij me wilde hebben... Toen ik jou dat plan voorlegde was daar een behoorlijke dosis eigenbelang bij... Nu het plan ten uitvoer is gebracht, vraag ik me af of ik er goed aan deed...'

Haar jonge gezicht was een en al ernst toen ze fluisterde: 'Voor mij heb jij het enige juiste gedaan, Mans...! Ik zou niet weten bij wie ik me meer thuis en op mijn gemak voel dan bij jou! Ik ben blij dat alles zo gelopen is. Geloof dat nu maar!'

Dat ze zich nog geen huisvrouw voelde en niet de baas in het 'vooreind', liet ze merken toen ze kalm toekeek hoe Mans in de weer ging om een kop koffie klaar te krijgen en zij geen hand uitstak om hem daarbij te helpen. 'Lekker, de geur van versgemalen koffie!' prees ze met een lieve lach en toen Mans even later een kopje voor haar neerzette: 'Dank je wel, Mans!'

Hij glimlachte om dit kinderlijke in haar, maar was ernstig toen hij tegenover haar aan de tafel plaatsnam en vroeg: 'Realiseer jij je wel voldoende wat je vader je in het portaal van het gemeentehuis duidelijk poogde te maken, meidje...?'

'Jawel... Met andere woorden vertelde vader mij dat hij geen dochter meer had en met ene Geertje Postema niks meer van doen wilde hebben... Maar dat had ik verwacht, Mans.' Ze zweeg een moment en voegde er dan zacht aan toe: 'Ik was al zo lang zijn dochter niet meer... Sinds het moment dat ik als heel jong wichtje thuis vertelde dat ik zwanger was, veranderde er bij ons op de hoeve ontzettend veel... Er brak een band die nooit meer hersteld kan worden.'

'Dat spijt me toch zo voor je.'

Ze haalde haar schouders op en leek heel wijs en volwassen toen ze zei: 'Over een boel dingen heb ik ook oprecht spijt... Die zwangerschap bijvoorbeeld en dat ik het kind niet mocht houden... Over al hetgeen volgde niet, Mans! Ik ben blij hier bij jou te mogen zijn. Ik begrijp opeens dat je niet of minder in tel bent als je niet precies leeft zoals een ánder dat graag wil of van je verwacht. Maar dit is mijn leven, dat ik naar eigen goeddunken wil leven. Voor mijn vriendschap met jou, mijn keus voor jou, heb ik veel in moeten leveren, maar dat heb ik ervoor over... Vol vertrouwen geef ik jou een hand en ga ik samen met jou verder.'

Als Mans zijn vertedering over hetgeen ze zei ruim baan had gegeven, had hij haar in zijn armen genomen en haar gekust dat het klapte. Hij deed dat niet, herinnerde zich dat hij geduldig moest zijn en zei daarom lachend: 'Dan moeten we maar verdergaan, jij en ik! Daar bedoel ik mee, deerntje, dat ik aan de slag moet! Kalveren hebben er namelijk geen notie van wat een trouwdag inhoudt. Die willen domweg gevoerd en gemest worden!'

Ze lachte stralend gelukkig: 'Jij gaat naar achteren en ik blijf in het vooreind om de boel te beredderen en de etenspot op tafel te krijgen! Zo hoort dat... dan is het pas echt...'

Mans knipoogde haar begrijpend tegen en voor hij het keukentje verliet, zei hij: 'Niet ongerust worden als je mij achter mist, hoor! Als ik de kalveren heb verzorgd, moet ik nog even naar boer Dijkema, want ik hoorde terloops dat die goede kalveren te koop aanbood!' Hij lachte breed toen hij besloot: 'Het werk gaat bij mij niet voor het meisje, maar het moet wel gebeuren, want anders zou ik haar niet kunnen onderhouden!'

Malle Mans, glimlachte ze in gedachten toen de deur achter hem dichtviel, het was net alsof hij zich tegenover haar verontschuldigde. Ze begreep toch wel dat er gewerkt moest worden. Bij vader ging het bedrijf immers ook altijd voor alles!

Vader... Haar gezichtje verdonkerde toen ze aan hem dacht. Aan hem en aan moeder. Toen moeder zich in het portaal van het gemeentehuis van haar afwendde, huilde ze en zei ze zacht: 'Dag kind...'

Dag kind, alsof dat een afscheidsgroet was... Ze wilden niks meer te maken hebben met hun dochter die alle regels over het hoofd zag en haar eigen leven uitstippelde. Nanko Bultema was goed genoeg geweest; Mans Maring, daar spogen ze liever op dan hem een hand te geven. En Mans was juist zo'n fijn mens!

Dat moeder zo in alles met vader mee kon gaan, dat kon zij moeilijk begrijpen. Moeder was onderdanig, haar leven lang al geweest, maar zij was toch haar dochter... Haar kind...

Als zij haar kindje had mogen behouden, zou ze daarvoor door het vuur zijn gegaan! Ze had het niet mogen hebben, het kind was als een vloek dat ver van de hoeve moest worden gehouden.' Eén jaar was het... zou het al lopen...? Wat zou ze het verschrikkelijk graag even willen zien... Desnoods op een afstand.' Als ze maar wist waar het was, waar het leefde en woonde... dan ging ze vast stilletjes een keertje kijken... Toen ze voelde dat er tranen achter haar ogen prikten, schudde ze het hoofd: ze moest niet aldoor zo aan het kindje denken. Daar werd ze treurig van en dat moest ze zien te voorkomen. Voor Mans, omdat die altijd vrolijk was en zij in die vrolijkheid wilde delen.

Ze moest het verleden, waar ook vader en moeder toe behoorden, pogen uit te wissen en haar oog richten op het heden, op de toekomst. Ze moest Mans gelukkig proberen te maken zoals hij dat haar deed! Toen ze dat laatste bedacht, foeterde ze in zichzelf: dan moet je hier ook niet als een kind blijven zitten dromen, dan moet je je handen uit de mouwen steken en laten zien wie je bent: de vróuw van Mans Maring!

Vrouw Maring, lachte ze hardop om die naam die nog niet geheel bij haar paste, gaat het vooreind aan kant maken. Dan duikt ze in de kelder en gaat ze zien wat ze op tafel kan toveren. Aardappels kon ze schillen en koken, mosterdsaus maken ging ook en in de kelder stond altijd een bord gekookt koud spek. Het was Mans' lievelingskostje; zij kon wel gruwen als ze aan spek dacht maar daar moest ze maar aan wennen! Het was goedkoop en voedzaam en dat was het belangrijkste. Dat zei moeder immers ook altijd, als zij in het vooreind een stukje vlees op hun bord kregen en de meiden in de keuken een stukje doorregen spek. Moeder noemde dan het woord goedkoop niet, ze zei dat er in spek een boel kracht zat en dat de meiden die nodig hadden.

Al mijmerende was ze drukdoende, veegde met stoffer en blik de houten vloer en vond dat het hier behoorlijk smerig was! Van alles kwam ze tegen: stro en hooi dat aan Mans' voeten vast bleef plakken als hij binnenkwam, zelfs plakken mest! Maar het was droog, ze kon het zo opvegen. Mans was een slordige man, hij veegde zijn voeten niet op de zak die daarvoor toch voor de deur lag. Er lag overal ook een laag stof en ze vermoedde dat Mans niet elke dag het huisje veegde en stofte. Dat zou zij voortaan maar wel doen, dan was het een kwestie van bijhouden, had ze het er veel gemakkelijker mee. Nu was er haast geen doorkomen aan en ze wilde alles netjes hebben als Mans weerom kwam. Ze had hem kort geleden weg zien gaan naar boer Dijkema om weer een aantal kalveren te kopen die met winst verkocht werden als ze vet gemest waren. Of dat een goede bron van inkomen was, kalveren mesten? Ze wist het niet. Wat ze wel wist en voelde, was dat ze het smoorheet had en zweette zoals de meiden op de hoeve konden zweten als die drukdoende waren! Geertje stond op uit haar gebukte houding en wiste het zweet van haar voorhoofd. Toen ze bedacht: 'Een bruid in zweet...' lag er in de grimas die om haar mond trilde, een lach en een traan...

Ze gaf aan beide niet toe, liet zich weer op de knieën vallen en veegde driftig verder. Ze kon het echter niet verhelpen dat ze dacht: het zou wel een genot zijn als een van de meiden me een poosje kwam helpen... Op datzelfde moment werd er aan de achterdeur 'Is hier volk...?' geroepen. Geschrokken bleef ze een moment in haar gehurkte houding zitten. Wat moest ze nou doen...? Mans was er niet... moest ze nu zelf naar de deur en wie stond daar dan...

Dan stond ze op en terwijl het door haar heen schoot: ik ben Mans' vrouw, natuurlijk moet ik gaan kijken wie daar is, liep ze op de achterdeur toe. Ze was zich er niet van bewust dat ze in haar onzekerheid haar rug rechtte en voornaam op de deur toe-liep. Maar Jan Kooi, een van de arbeiders van de hoeve, zag haar houding wel degelijk en hij zou later in het dorp weten te vertel-len: Geertje Postema, die heeft nergens van geleerd! Die loopt met een air van-heb-ik-jou-daar in dat krot rond als bezit ze nog steeds de grootste hoeve in de omgeving! Bij haar zal het boeren bloed er nooit uit gaan en daar kan Mans Maring het nog weleens knap moeilijk mee krijgen!'

Zo zou Jan Kooi gaan spreken; op dit moment was hij nog onderdanig want per slot was Geertje de dochter van zijn boer en het was toch al niet zo'n mooi karwei waar hij mee opgescheept was! Toen Geertje hem verbaasd en aarzelend begroette: 'Kooi...?' tikte hij tegen zijn pet, sloeg zijn ogen gewoontegetrouw neer en zei dan, terwijl hij achter zich op de paardewagen wees: 'Complimenten van de boerin en of... ik dit hier af wilde geven...'

Geertjes ogen dwaalden naar de wagen waarop een grote hutkoffer stond. Ze begreep een boel, maar zweeg en daarom vroeg Jan Kooi: 'Waar wil je hem hebben? Hij is nogal zwaar, dan zet ik hem er even voor je neer...'

'O ja...' herstelde ze zich. 'Zet hem zolang maar in het achterhuis neer...'

Je komt geen stap verder dan het achterhuis, dacht ze terwijl Kooi de hutkoffer van de wagen trok en hem binnenbracht. Je komt niet in de keuken, jij zal door mijn toedoen niet rond kunnen vertellen in wat een armzalig boeltje Geertje Postema haar leven leidt.

'Het beste dan maar...' Kooi tikte andermaal als groet tegen zijn pet en vertrok. De manier waarop hij het paard aanspoorde leek op haast, haast om hier weg te komen.

Geertje vergat Jan Kooi en een smerig huisje, dat ze schoon had willen hebben als Mans thuiskwam. Ze sloot gejaagd de deur achter de arbeider en knielde bij de hutkoffer neer. 'Ga weg, oud wijf...' Ze duwde Nero weg, die nieuwsgierig als altijd met zijn kop in de koffer dook, toen Geertje die had geopend. Nero droop verongelijkt af en Geertje staarde stil naar de inhoud.

In de koffer lagen haar kleren, keurig door moeder opgestapeld... Gut, daar had zij nog helemaal niet aan gedacht, dat ze het enige dat ze bezat, aanhad... Moeder wel, bedacht ze, terwijl ze stapeltjes opbeurde en daaronder keek. Moeder had de hutkoffer van de zolder laten halen en op haar kamer laten brengen. Dan had ze haar kasten leeggehaald en alles in de koffer gepakt... Werktuigelijk begon ze uit te pakken, legde ze stapeltjes goed rond zich neer op de vloer van het achterhuis. Het zomergoed lag bovenop, het wintergoed onderin. Jurken en rokken en truien... haar ondergoed, een stapeltje nachtponnen... Daar vond ze haar wintermantel, die moest ze maar dadelijk uithangen... Ze stond op, vouwde de mantel open en toen viel de brief op de grond voor haar voeten. Ze staarde naar die brief, zag het handschrift van moeder en terwijl de letters vervaagden zag ze in gedachten een andere brief... Die lag op het bureautje van tante Beppie uit Bussum... Ze nam toen de brief en las dat moeder niet wilde komen... Moeder wilde haar en vooral haar dikke buik niet zien. Moeder wilde vergeten...

Deze brief was zonder enveloppe en leek in aller haast te zijn geschreven. Toen ze hem opraapte, schoot het door haar heen: moeder stuurt me mijn kleren, de laatste herinnering moet zo vlug mogelijk het huis uit... Moeder wilde andermaal vergeten...

Dan las ze: Lief kind, het spijt me allemaal zo. Hier zijn je kleren, daar kun je toch niet zonder. Vader vond het goed dat ik je ze door een arbeider liet brengen. Je hebt ons veel aangedaan maar ondanks alles ben ik in gedachten met je bezig. Je hebt een gat geslagen waarover een lange tijdsduur zal moeten gaan om dat te kunnen dichten, deerntje... Laten we maar pogen geduldig te zijn en af te wachten wat de toekomst ons mag brengen. Voorlopig moet je maar niet naar de hoeve komen want daar staat vaders hoofd nog niet naar. Tot er betere tijden aanbreken wens ik je geluk in je nieuwe bestaan. Je moeder.

Onder aan de brief stond: P.S., kijk in je mantelzak.

Geertje keek niet dadelijk in haar mantelzak, maar staarde door een waas van tranen naar de brief in haar handen. Ik ben in gedachten met je bezig, schreef moeder. Betekende het dat moeder met liefde en in zorg aan haar dacht...? Waarom schreef ze dat niet wat duidelijker. Dat had ze juist zo graag willen lezen. Moeder schreef ook dat zij, Geertje, hun een boel narigheid had bezorgd en dat ze voorlopig niet naar huis mocht komen... Deze brief was niets anders dan een definitief afscheid van thuis... Vader had haar dit al duidelijk gemaakt met woorden, maar dat moeder het schreef, dat was heel anders... dat deed zeer...

Ze kreeg opeens zo'n rare prop in haar keel... Alsof het hielp die prop weg te werken, zo frommelde ze de brief tot een propje en smeet dat achteloos van zich weg. Het bleef verdwaald op de zak voor de achterdeur liggen.

Toen Mans een goed uur later naar huis kwam, zag hij de lege hutkoffer in het achterhuis en raapte hij werktuigelijk het propje papier, dat pal voor zijn voeten lag, op. Zijn blik vloog van de koffer naar het propje in zijn hand. Mans' blik werd donker toen hij iets meende te begrijpen en zonder daarover na te denken, streek hij het propje glad en las de letters die door Wietske op papier waren gezet.

Tot er betere tijden aanbreken? mompelde hij binnensmonds. Jullie beletten het deerntje immers om naar betere tijden te durven uitzien... Melle Postema vond het goed dat haar kleren naar hier werden gebracht door een der arbeiders, maar het wichtje mocht voorlopig niet thuis komen...!

Naar Mans' begrippen was Melle geen vader en keek hij enkel naar zijn talrijke bunders land, waarop alles groeide en gedijde maar waarop geen liefde wilde groeien. En daar zorgde Melle zelf voor, die roeide hij uit als onkruid voor dat het te veel wortel zou kunnen schieten...

Mans schuddekopte niet begrijpend en stopte het verfomfaaide briefje in zijn zak.

Toen hij het keukentje binnenstapte, zag hij ogenblikkelijk het bleek vertrokken gezichtje van Geertje en het sneed door zijn hart toen ze zich verontschuldigde: 'Het spijt me zo, Mans... dat ik het eten niet helemaal klaar heb... Ik had zo veel willen doen voor je, maar... ik werd opgehouden.'

Ze blikte hem aan en hij las de pijn in die groene meisjesogen en zag haar lippen trillen toen ze fluisterde: 'Je hebt hem zeker wel zien staan, de hutkoffer...? Mijn kleren zijn gebracht... Nu heb ik alles wat ik... nodig heb...'

Mans schudde zijn hoofd, heel langzaam en bedachtzaam alvorens hij schor fluisterde: 'Je hebt nog zo veel nodig dat niet in die koffer zat...' Hij spreidde zijn armen uitnodigend en vervolgde, zelf ontroerd: 'Kom maar... ik geef je wat zij vergaten... Ik geef je liefde en geborgenheid...'

Geertje bedacht zich geen moment; ze drukte zich tegen zijn borst en schreide niet maar fluisterde enkel: 'O, Mans...'

Hij klemde haar vast tegen zich aan en voelde zijn liefde voor haar in hem groeien. Mans vroeg zich niet af of zijn liefde door haar werd beantwoord, hij kende haar grenzeloze vertrouwen in hem en dat was hem ruimschoots voldoende.

Hoe groot dat vertrouwen was en hoe veilig ze zich bij hem voelde liet ze die avond merken toen het tijd werd om te gaan slapen.

Zich met de situatie niet goed raad wetend, had Mans zich in de loop van de avond een paar keer in stilte afgevraagd: moet ik nu straks de leiding nemen...? Maar wat moest hij dan zeggen, wat doen...? Geertje mocht dan nu zijn vrouw zijn, ze was zo jong en kwetsbaar. Vooral op dit zo heel tere punt! Hij mocht haar tranen wegkussen als die eens te hoog zaten, hij mocht haar troosten als dat nodig bleek, maar mocht hij verdergaan...? In haar openheid, haar vertrouwen in hem, had ze hem eens verteld hoe verschrikkelijk ze het vond, destijds, toen ze een beetje met Evert de Groot liep, als Evert haar wilde strelen of zoenen. 'Ik kon het niet velen dat hij aan me zat,' had ze toen verteld. 'Ik was als de dood dat Evert te ver zou gaan... daar ben ik zó bang voor geworden.'

Mans wilde niet dat ze bang voor hem werd, hij wilde haar niet afschrikken en daarom keek hij ietwat verbaasd op toen Geertje, als was dat de gewoonste zaak van de wereld, zelf de leiding nam.

Hij had de katten naar buiten gestuurd en achter de boel afgewerkt en gesloten en toen hij weer in het keukentje kwam, zag hij de bedsteedeuren openstaan. Geertje stond ervoor in een witte pon die tot op haar enkels viel. Ze had haar vlechten losgeknoopt, het donkere haar viel als een onbetaalbare weelde tot op haar middel. In haar liefde vond hij haar op een fee lijken, op een kleine godin.

'We moeten er maar in, Mans, onze trouwdag is voorbij...' zei ze zacht en ze keek hem aan zonder te blozen.

Mans kuchte en zei dan: 'Vrouwen zijn aparte wezens en jij bent geen uitzondering op die regel, deerntje!'

Geertje lachte: 'Jij dacht dat ik niet bij jou in de bedstee durfde, dat wist ik wel, hoor...! Waar zou ik dan moeten slapen, Mans Maring...? Op zolder zeker, want daar heb ik een oud roestig ledikant zien staan! Maar alleen op zolder ben ik bang, bij jou niet, Mans.'

Hij legde beide handen om haar gezicht en fluisterde bewogen: 'Je bent lief, deerntje... je weet niet half hoe lief...'

Die avond zocht Mans haar niet, hij stelde zijn geduld op de proef. Hij voelde wel haar jonge lichaam toen hij een arm om haar heen sloeg, maar haar fluisterstem leidde hem af: 'Mans...'

'Zeg het eens...'

'Ik heb je niet alles verteld... Ik wil niet dat de hoeve en alles wat daar nauw mee samenhangt, tussen ons in staat en daarom moet jij weten dat ik… geld heb gekregen van moeder…'

'Dat dacht ik wel, meidje… Het zat in je mantelzak, nietwaar?'

'Hoe weet jij dat!'

'Ik heb de brief gelezen, die lag als een vodje op de zak voor de deur van het achterhuis.'

'O ja…'

'Ik hoef niet te weten, Geertje, hoe groot het bedrag was en wat jij ermee gaat doen. Dat geld is voor jou.'

Hij voelde een koud handje op zijn wang, hoorde dan haar fluisterstem: 'Het was honderd gulden, maar ik wil dat geld niet. Het is bloedgeld… Ze denken dat ze dan op een nette manier van me af zijn gekomen… Ik heb het in de tabaksdoos gedaan die in het glazen kastje staat. Als ik ooit op de hoeve terugkom, leg ik dat geld op tafel en zeg ik: ik heb van jullie niks nodig, Mans geeft mij alles in overvloed.'

Ze gingen net van start samen, maar andermaal liet ze haar vertrouwen in hem blijken. Toen Mans haar voor de nacht kuste, voelde hij dat zijn geduld lang niet zo grenzeloos was als haar vertrouwen.

HOOFDSTUK 10

Er waren vijftien jaren voorbijgegaan. Ondanks het feit dat ze drie gezonde jongens had gebaard en nu op het laatst liep van haar vierde kind, vond Geertje het gezegde: De tijd heelt alle wonden, niet op haar van toepassing. Door de jaren heen was het gemis van haar eerste kind nooit verdwenen, de pijn daarvan voelde ze nog dagelijks. Maar ze sprak er niet meer over, leed in stilte omdat ze wist dat Mans haar ook zonder woorden begreep. Bij de geboorte van de jongens had Mans telkens weer teleurgesteld verzucht: 'Alweer een jongen...' Ze wist dat hij nog meer op een wichtje hoopte dan zijzelf. Omdat hij haar verlangens aanvoelde en daaraan zo graag wilde voldoen, keek Mans bij elke nieuwe zwangerschap uit naar een klein meidje dat goed moest maken waar anderen hadden gefaald. Over niet al te lange tijd werd haar vierde kind geboren en of dat in staat zou zijn om wonden te helen...? Geertje hoopte het en Mans bad daarom in stilte.

Vijftien jaar, ze waren niet onopgemerkt voorbijgegaan. Ze hadden nieuwe levens geschonken, geluk gebracht en ze waren in staat geweest dingen van vroeger te laten vervagen. Geheel uitgewist werd een verleden nooit, maar Geertje was al blij dat er over haar en Mans niet meer zo geroddeld werd als vroeger. Door de geboorte van de jongens en het feit dat zij elke geboorte overleefde, was het gefluister rond Mans volkomen de kop ingedrukt. Mans hoorde er weer bij. Dat hij zijn eerste vrouw de dood in zou hebben gejaagd, ach, dat zouden wel praatjes zijn geweest. Mans Maring deed geen vlieg kwaad, zei men nu. Hij leefde zijn leven met zijn veel jongere Geertje op de ruimte tussen twee dorpen in en ging kalm zijn gangetje. Er was geen reden meer om hem met de vinger na te wijzen. Dat die twee daar op de ruimte een levensstijl hadden waar andere dorpelingen hun neus voor optrokken, moesten ze zelf maar weten. Ze waren nu eenmaal wat zonderling, Mans Maring en Geertje Postema, vond men. Ze weerden de mensen van hun erf, maar beesten liepen daar in allerlei soorten en rassen. En niet enkel op het erf. Mensen zoals Jan Bokje, die veekoopman was en daardoor weleens bij Mans Maring moest zijn, wisten te vertellen dat je niet vreemd op moest kijken als Geertje je binnen noodde voor een kop koffie en je in het keukentje je nek zowat brak over het beestenspul dat daar vrij rondliep. Een zwarte bouvier, die waakzaam was en daardoor afschrikwekkend, een stel katten dat niet zo gauw te tellen was en een klein slag pony, die als een schoothondje behandeld werd en vrolijk door het kleine vertrekje kloste! Er werd geleefd daar in dat kleine huisje op de ruimte, maar Jan Bokje vond dat je niet moest vragen hoe! Schoon was het er niet altijd, wel overvol door beesten en de drie kwajongens die Mans op de wereld had gezet! De vierde was in aantocht en als men op deze manier toch over Mans en Geertje sprak was het onvermijdelijk dat men bepeinsde: dat Geertje Postema dit leven aankan? Van de rijke boerendochter die ze eens toch was, was niets meer over. Ze was nu drieëndertig en werkelijk volwassen. Zij, die vroeger verkondigde: Je moet mijn jaren niet tellen, telde ze nu en keek daarop terug. Als Mans' vrouw, niet als de boerendochter van vroeger, want die was ze allang niet meer. In gevoel niet en niet in uiterlijk. Geertje had zich in alle opzichten bij Mans aangepast. Ze voelde zich arbeidersvrouw en kleedde zich als zodanig. 's Zomers droeg ze de traditionele strohoed, 's winters knoopte ze een warme doek om haar haar of ze droeg doodleuk een oude pet van Mans. Mooi hoefden haar kleren niet te zijn, als ze maar prettig zaten en zij er zich in thuis voelde. Zo ging het ook met haar uiterlijk. Ze vlocht het mooie donkere haar niet meer in twee vlechten om die vervolgens om haar hoofd te leggen; ze vlocht het haar van achteren in één vlecht en liet die nonchalant op haar rug bungelen. Gemak diende de mens en Mans vond haar nog altijd mooi en begeerlijk.

De achter haar liggende jaren hadden niet enkel nieuw leven en geluk gebracht, ze had ook kennisgemaakt met de dood en het verdriet daarvan. Het was alweer een jaar of vier geleden, toen Mans eens thuiskwam met het bericht, dat hij toevallig op had gevangen, dat haar moeder, Wietske Postema, knap ziek scheen te zijn. Dagenlang had ze met dit bericht rondgelopen zonder te weten wat nu te doen. Ze wilde graag naar huis, naar moeder, maar ze herinnerde zich zo scherp die vorige bezoeken van haar aan de hoeve...

Haar eerste bezoek na haar huwelijk met Mans aan het ouderlijk huis was geweest toen haar oudste zoon Fokko, een jaar was geweest. Een voorlijk, bijdehand kind waar ze trots op was. Net een jaar oud en hij liep al als had hij nooit anders gedaan! Een grappig kind met een heel eigen brabbeltaaltje: moeder moest dit lieve jongetje zien...!

Op een dag had ze al haar moed verzameld en was ze te voet naar haar eigen dorp gegaan, waar ze zich voordien nog niet weer had vertoond. Ze prees zich in die dagen gelukkig dat ze tussen twee dorpen in woonde en ze een keuze kon maken wat boodschappen doen en dergelijke betrof. Ze trok altijd naar het andere dorp, in het eigen dorp waren de blikken die ze toegeworpen kreeg, te pijnlijk.

Bij de hoeve aangekomen had ze de zijdeur gekozen. Daar had ze als een vreemde 'Volk?' geroepen. De meid had haar bevreemd aangezien, had schaapachtig gelachen uit pure zenuwen vanzelf en dan gestameld dat ze de vrouw even zou gaan roepen.

Moeder had schrikachtig gekeken en ook... verwijtend. Ze had gejaagd gedaan en gefluisterd: 'Kom maar even verder... Nu je er toch bent... kan ik je moeilijk bij de deur te woord staan...'

Met de kleine Fokko aan haar hand was ze achter moeder aangelopen door de lange voorgang. Moeder had zorgvuldig de huiskamerdeur achter hen gesloten, terwijl ze verzuchtte: 'Dit nieuwtje zullen de meiden wel weer in het dorp brengen...'

'Bent u daar nog altijd bang voor moeder...? Voor het gepraat van de mensen...?' had zij zacht gevraagd toen ze als volslagen vreemden tegenover elkaar stonden. Moeder bood haar geen stoel.

Ze had spijt dat ze gegaan was en ze vond haar: 'Ik kwam u... mijn zoon even laten zien...' meer dan onnozel klinken.

Moeder had geschokschouderd: 'Als je denkt dat ik blij ben...? Blij ben ik dat vader op dit moment niet thuis is! Dit kind is me vreemd... dat moet je kunnen begrijpen...'

'Ik begrijp het...' had ze kort gedaan en stug. 'Ik heb mijn hele leven al zo veel moeten begrijpen dat dit er nog wel bij kan... Ik ga dan maar weer...'

Moeder had geknikt: 'Dat lijkt mij het beste...'

Ze was gegaan. Toen ze de oprijlaan af liep, blikte ze op dat kleine kereltje aan haar hand. Drie turven hoog, heel parmantig, maar moeder had geen woord tegen hem gezegd...

Die avond in bed had ze in Mans' armen haar verdriet uitgesnikt. Mans had gezegd: 'Je moest daar niet weer heengaan, mijn deerntje... Jouw geluk ligt op de ruimte tussen twee dorpen in: bij mij...'

Lieve Mans, maar ze was later toch nog eens gegaan. Fokko was toen al vier, Maarten twee jaar en ze was halverwege haar zwangerschap van Reinder. Wat haar toen naar de hoeve dreef wist ze eigenlijk al niet meer. Waarschijnlijk was het andermaal haar moedertrots die ze wilde delen met moeder, met de groot moe van haar jongens. Misschien had ze van tevoren beter haar best moeten doen? Had ze zichzelf op moeten doffen en haar jongens hun nette kleren aan moeten trekken? Maar daarin voelden ze zich niet thuis, zouden ze opgeschroefd overkomen en ze wilde juist laten zien hoe ongekunsteld eerlijk en spontaan haar jongens waren.

Haar wens, te bewerkstelligen dat moeder bij het zien van de jongens zich grootmoeder zou voelen en daarnaar zou handelen, werd te niet gedaan door moeders fluisterstem: 'Hoe durf je zo ver gaan, Geertje... Hoe haal je het in je hoofd om mij... je dikke buik te tonen en daarmee op iets uit het verleden te wijzen...'

'Dat was niet mijn bedoeling...' had ze geschrokken gepreveld.

'Wat kom je me dan laten zien...? Dat jij erbij loopt als de vrouw van een landarbeider, dat je kinderen amper netjes zijn met hun snotneuzen? Dat wist ik al, hoor...! Daar wordt in het dorp wel over gepraat...! Waarom plaag je me toch zo...' had moeder snikkend gekermd.

Zij had toen niks anders weten te zeggen dan: 'Mijn bedoelingen waren niet slecht, maar ik zal u niet weer plagen, moeder... Hoe kon ik in mijn trots vergeten dat het hier niet alleen voor mij, maar ook voor mijn kinderen, besmet gebied is...'

Ze was gegaan en nooit meer teruggekomen. Toen ze hoorde dat moeder ziek te bed lag, had ze in hevige tweestrijd gestaan. Ze was niet gegaan omdat ze bang was voor vader, die waarschijnlijk thuis zou zijn en ook omdat moeders gekwelde, verwijtende blik zo scherp in haar geheugen stond gegrift. Toen ze een aantal dagen later het schokkende bericht van moeders overlijden ontving, had ze tegen Mans gefluisterd: 'Door de jaren heen, door alles wat er is voorgevallen, is moeder mij zo vreemd geworden... Ik kan om haar heengaan niet meer huilen. Het spijt me voor haar, voor vader vooral die nu zo eenzaam op de hoeve achterblijft. Ik voel geen schrijnend verdriet, wel een leegte... Ik kan nu enkel nog doen wat mijn hart me ingeeft en dat is: afscheid van haar gaan nemen als ze naar het kerkhof wordt gebracht... Er kan niets meer ongedaan worden gemaakt, maar... ik kan haar gaan vergeven en vragen of ze mij kan vergeven...'

De dag van de begrafenis had ze zich voor het oog van het volk netjes aangekleed. Moeder hoefde zich niet voor haar te schamen. Mans had aangeboden om haar te vergezellen en toen ze zei dat hij maar thuis bij de kinderen moest blijven, had Mans haar diep aangezien en gezegd: 'Beloof me dan, deerntje, dat jij je niet overstuur zal laten maken... Dat is niet goed voor je!'

Mans had van tevoren aangevoeld dat ook deze goedbedoelde gang van haar op een teleurstelling zou uitlopen.

Op het kerkhof had ze vader bij het graf zien staan. Een grote, sterke man, een hereboer die zich verheven voelde boven velen en zich een reus voelde. Het was de eenzaamheid tussen de zeer velen, die hem op dat moment omgaf, en die haar liet fluisteren: reuzen bestaan niet, vader... In een gebaar van willen troosten en steunen was ze dicht naast hem geschoven. Toen hij haar ietwat verbijsterd bezag had ze gefluisterd: 'Vader...'

Toen had hij woorden gefluisterd, enkel voor haar verstaanbaar, die ze haar leven lang niet zou vergeten en hem nooit zou kunnen vergeven. Vader keek op haar neer en siste tussen zijn tanden door twee woorden: 'Houd afstand...!'

Houd afstand, hij vergeleek haar met zijn ondergeschikten. 'Dag... moeder...' had ze door een waas van tranen gefluisterd, dan had ze het kerkhof verlaten. Nageoogd door velen wier gefluister haar oren pijn deden.

Jaren geleden was dit allemaal alweer, maar het gefluister van toen klonk nog altijd in haar oren. Het maakte dat ze haar eigen dorp voorgoed de rug toekeerde. Haar dorp en de hoeve en alles wat daarbij hoorde. Ze leefde met Mans en de kinderen op de ruimte, ze koos voor het andere dorp. Ze poogde te vergeten, hetgeen niet altijd evengoed gelukte, maar ze was ondanks alles gelukkig. Omdat Mans Maring bij haar was en ze zijn allesoverheersende liefde voor haar dagelijks voelde. Zijn liefde was als een pijnstillende zalf die wonden kon helen, behalve die ene...! Haar eerste kind, het kleine meidje dat zo wreed bij haar weg werd gehaald, volgde ze van dag tot dag, van jaar tot jaar. Drie dagen geleden, de twaalfde mei, was het wichtje zestien geworden. Zestien jaar, al bezig een jonge vrouw te worden, en de moeder wist nog altijd niet waar ze woonde en leefde, hoe ze eruit zag en of ze gelukkig was geworden.

De twaalfde mei was een datum die Geertje nooit zou kunnen vergeten en ze had er nog geen weet van dat de datum van vandaag, de vijftiende mei, terwijl het koolzaad overal bloeide en het Groningerland een sprookjesachtig aanzien gaf nu onafzienlijke velden omgetoverd werden tot één grote goudgele boeket, haar eveneens zou blijven achtervolgen.

De vijftiende mei viel dit jaar op een vrijdag. Mans was vanmorgen in alle vroegte al naar Groningen vertrokken om er de wekelijkse veemarkt te bezoeken. Ze wist bij voorbaat dat hij niet met lege handen, maar met een aantal prima mestkalveren thuis zou komen! In de loop van de dag zou Jan Bokje, die vee koopman was en even oud als Mans, dus ook vijftig, de door Mans gekochte dieren wel komen afleveren. Dan was de grote schuur weer overvol en zou Mans handen te kort komen om het jonge spul te verzorgen en groot te krijgen.

Vijftig werd Mans al! Een hele leeftijd, maar dat zag je aan Mans niet vond ze in gedachten, drukdoende met allerlei karweitjes die gedaan moesten worden of je het nu leuk en plezierig vond of niet. Geertje veegde met een lange veger de vloer van het keukentje, terwijl ze bedacht dat het niks hielp en eigenlijk nergens toe diende. Als Mans straks binnenkwam zonder zijn laarzen uit te doen, waarmee hij kort tevoren nog over de veemarkt baggerde, was er van haar schone vloer niks meer over. Vóór Mans arriveerde, zouden de jongens, Maarten en Reinder, uit school komen. Twee belhamels die niet wisten wat dat was: voeten vegen! En als Fokko van zijn boer, waar hij sinds een jaar diende, naar huis kwam, zou die ook zeer verbaasd kijken als zij zou zeggen dat hij zijn voeten moest vegen of zijn landschoenen uit moest doen voor hij een voet op haar pas geveegde vloer zette. De vier manspersonen om haar heen waren dit soort dingen niet gewend. Ze zouden lachend op de dieren wijzen, op de katten, op Nero, die oud aan het worden was en het liefst maar languit voor de kachel lag. Of die brandde of, zoals nu, uit was maakte het beest schijnbaar niets uit. Knuffel die ze eens als verjaarscadeau van Mans kreeg en wellicht juist door dat feit in haar ogen niets bederven kon, scheen te begrijpen dat Nero de oudste rechten had. Als de pony in de gaten had dat de deur van het achterhuis openstond, bedacht hij zich niet maar stapte parmantig het keukentje binnen. Dan hoefde zij nooit op te letten; Knuffel zag Nero zelf wel liggen en stapte uiterst voorzichtig over hem heen.

Terwijl ze een natte lap over de vensterbanken trok en zich afvroeg waar al dat stof en vuil in een week tijds vandaan kwam, bedacht ze tegelijkertijd: ook al had ik de touwtjes strakker in handen genomen en had ik er zorg voor willen dragen dat dit huishouden wat ordentelijker verliep, dan had Mans me die kans wel ontnomen alvorens ik hem tot uitvoer had weten te brengen. Met zijn vijftig jaar had Mans Abraham al gezien, maar desondanks bleef hij een jongen! Ze was uitgeteld nu en dat betekende dat Mans op zijn leeftijd nog weer eens vader werd! Hij lachte daar zelf smakelijk om als zij hem ermee plaagde en verkondigde dat hij door zijn jonge vrouwen door de kinders die zij hem schonk, jong, sterk en levenslustig bleef. Malle Mans, glimlachte ze stil voor zich heen, hij leek soms op een sentimentele dwaas. Op een lieve dwaas, die er altijd was voor haar en de jongens, over wie hij geen kwaad woord kon velen. Wat de opvoeding van de jongens betrof was zij veel nuchterder dan Mans. Ook veel strenger, vond ze zelf. Als ze al te baldadig werden, wilden haar handen nog weleens los aan haar lijf zitten! Dan deelde ze een paar rake klappen uit die tot gevolg hadden dat degeen die de klappen had verdiend voor een tijdje weer lief en gezeglijk was, maar wel naar Mans stoof: 'Moeke heeft me geslagen...!'

'Dan zul je het daar wel naar hebben gemaakt, jong!' vond Mans dan kalm, maar als ze alleen waren kwam Mans erop terug. 'Dat moet je afleren, meidje, om de kinderen te slaan! Je moet altijd bedenken dat je het kwaad er wel inslaat maar er niet uit...!'

'Ze halen soms het bloed onder mijn nagels vandaan...' verdedigde zij zich dan, 'wie niet horen wil moet maar voelen, zo denk ik daarover, Mans Maring!'

Mans was het in dat soort dingen nooit met haar eens. Mans kon letterlijk alles van de jongens verdragen, zij in veel mindere mate. Als het 's avonds bedtijd werd, was zij blij dat het grut direct naar de zolder vertrok en ze samen met Mans van de avond kon genieten. Dan had ze geen lust meer om verhaaltjes te vertellen of spelletjes met ze te doen. Maar terwijl zij voortdurend naar de klok keek en jaagde dat ze op moesten schieten, kroop Mans over de vloer met twee of drie kwajongens op zijn rug. Het was ook altijd Mans, die achter de jongens aan de ladder naar de zolder beklom en de jongens onderstopte. Mans had een warm hart. Niet enkel voor haar en de jongens, ook voor de dieren die hier in en om het huis scharrelden. Als ze toch bedacht dat het kalfje dat eens mijn hemel hoe lang was dat al wel niet geleden! – op haar hand sabbelde, hier nog steeds bij hen was, verklaarde dat al alles. Dat gebeuren was zij ook nog niet vergeten, maar zij kon daar niet zo sentimenteel over blijven doen. Mans wel. Die zei: 'Ik vergeet nooit wat dit dier bij jou teweegbracht toen het een paar dagen oud was en op je hand zoog en jou daardoor in tranen bracht...! Dit beestje herinnerde jou aan je kindje, dat je niet houden mocht. Dat kindje zullen wij hier nooit doodzwijgen, het kalfje zal ons helpen herinneren en daarom gaat het niet weg. Het blijft bij ons tot het oud is en zijn eind in zicht!'

Van het aandoenlijke stier-kalfje van toen was niets meer over. Het was uitgegroeid tot een groot, log beest, dat achter in de schuur in een hok zat dat aan alle kanten verzwaard en versterkt was. Een oersterk dier, dat niet meer op haar hand sabbelde en in staat was haar in tranen te brengen, maar een beest waar zij doodsbang voor was! Mans, met zijn kleine hart waarmee zij hem zo graag plaagde, was echter niet zo sentimenteel dat 'de bol' hier zijn kostje voor het kauwen had! Mans' zakeninstinct kwam boven toen de stier volwassen was en bleek dat het een uitzonderlijk goed dier was. Toen gaf Mans daar ruchtbaarheid aan wat tot gevolg had dat de boeren maar al te graag met hun koeien naar Mans Maring kwamen om ze door Mans' bol te laten dekken. De stier waaraan Mans zo was gehecht door een kleine gebeurtenis die tranen op had weten te roepen, mocht blijven maar hij bracht wel geld in het laadje! Dat was Mans Maring ten voeten uit.

Geertjes gedachten werden verstoord doordat ze stemmen achter hoorde. Toen ze door het venster naar buiten keek en ze de veewagen van Jan Bokje zag staan, wist ze: Mans is weer thuis, de hokken worden momenteel weer gevuld met jonge kalveren! Met een blik op de klok werd ze nog bedrijviger dan ze al was en besloot druk regelende: Schoonmaken doe ik wel weer als daar tijd voor komt. Nu eerst maar zorgen dat er koffie is. Daar zouden de mannen, Mans en Jan Bokje, wel trek in hebben als ze zo dadelijk in huis kwamen. Koffie en dan een flinke borrel, want die hoorde erbij! Intussen zou ze het eten vast opzetten want dadelijk kwam Fokko van zijn boer en Maarten en Reinder uit school. Drie opgroeiende jongens met hongerige magen, die konden niet wachten tot pa en Bokje hun borrel ophadden! Ze had nog een schaal koude aardappels in de kelder staan van de vorige dag. Als ze die even opbakte scheelde haar dat een aanzienlijke hoeveelheid brood en dan dacht ze nog niet aan de boter en de stroop die ze er mee uitspaarde. Armoe leed ze bij Mans niet. De kalvermesterij bracht voldoende op als je daarbij de eieren rekende die zij verkocht en vanzelfsprekend het dekgeld dat Mans van elke boer beurde die met een koe kwam! Ze konden er aardig van komen, zelfs een beetje sparen, maar dan moest het allemaal wel heel zuinig aan!

Toen Geertje de keldertrap afdaalde om de aardappels te halen, voelde ze de eerste pijnscheut. Ze sloeg er weinig acht op, maar toen ze kort daarna de aardappels in de pan klein sneed en ze andermaal overvallen werd door een felle pijnscheut die haar in elkaar deed krimpen, dacht ze stil: het is mijn tijd... het gaat erop aan! Laat het ditmaal dan alsjeblieft een wichtje wezen, bad ze stil maar vurig.

Ze was blij dat Mans bij huis was en nog blijer toen Fokko, haar oudste, binnenkwam en als gewoonlijk het eerst vroeg: 'Is het eten haast klaar, moeke? Ik gier van de honger!' Haar gezicht stond nog vertrokken van de pijn die nu weer wat wegtrok, toen ze Fokko aanblikte en zei: 'Je zult nog even moeten wachten, jongen... Er staan volgens mij andere dingen te gebeuren...'

Dertien jaar was Fokko Maring, maar hij voelde zich op dit ogenblik heel volwassen, wijs en overbezorgd om zijn moeke. Fokko wist wat er gebeuren ging, Mans en Geertje hadden dat niet voor hun jongens verzwegen maar hun deelgenoot gemaakt. 'Is het zover, moeke... Krijgen we er weer een broertje bij...?' Hij blikte Geertje met ogen waarin naast zorg ook bewondering lag, aan.

In een flits realiseerde Geertje zich hoe normaal, hoe de gewoonste zaak van de wereld het leek te zijn dat er wéér een broertje zou komen. Fokko dacht niet eens aan een klein wichtje, maar zij wel en daarom zei ze wellicht wat te kattig: 'Je krijgt geen broertje maar een zusje! En sta daar nu niet zo... Ga je pa roepen...' spoorde ze hem gejaagd aan toen een nieuwe pijnscheut haar overviel. Was het de derde, de vierde of waren er al meer geweest...? Ze wist het niet meer, was de tel kwijt geraakt. Ze wist echter wel dat elke geboorte bij haar sneller verliep dan de voorgaande. Toen, in Bussum... toen ze onder vreemden was en haar kleine meidje ter wereld bracht, was het geweest alsof de wereld zou vergaan. Helse pijnen had ze toen geleden en ze was zo bang geweest... En later zo intens verdrietig. Toen ze op haar lege handen keek... dat gevoel kende ze nog...

Haar handen waren nu niet leeg meer, Mans had ze gevuld met een rijkdom waar niks tegenop kon. Drie gezonde jongens en nu werd het hopelijk een meidje... Ze was nu niet bang meer en niet verdrietig. Ze hoopte enkel...

Waar bleef Mans nou toch...? Hij wist immers als geen ander hoe vlug zij zich door iets dergelijks heen worstelde...!

Fokko kwam weer binnen. Door haar eigen pijn, door de geboorte die heel haar wezen in beslag nam, zag ze zijn vertrokken gezichtje niet. 'Bokje is naar het dorp om.' hulp te halen, moeke...'

'Waar is je pa...?' Toen een nieuwe wee haar overviel en haar ineen deed krimpen van pijn, gaf ze geen kik maar steunde: 'De kleintjes komen dadelijk uit school... Vang ze op, Fokko... ze mogen niet binnenkomen... Ze mogen mij zo niet zien, begrijp je dat...'

O ja, Fokko begreep het en hij voelde zich trots. Hij voelde veel meer dan Geertje kon vermoeden, maar de jongen wist dan ook meer.' Op dit ogenblik drong het heel scherp tot hem door dat hij geen jongen meer was. De kleintjes, Maarten en Reinder, mochten moeke zo niet zien. Hij wel, maar hij zou voortaan immers voorop moeten om voor haar te zorgen...

Jan Bokje was heel ontroerd geweest daarnet, toen hij pa wilde roepen omdat moeder hem nodig had... Het was toen net gebeurd... dat verschrikkelijke, dat nog niet goed tot hem door wilde dringen. 'Ga naar je moeder, jongen,' had Bokje gezegd. 'Ze is net begonnen, dan duurt het nog wel even... Intussen ga ik hulp halen... voor haar en... je pa...'

'Wat moet ik tegen moeke zeggen...?' had hij gestameld.

Bokje had zijn grote handen zwaar op zijn schouders gelegd, hem diep in de ogen gekeken en tegen hem gesproken als was hij geen jongen maar een man. 'Je bent de kinderschoenen amper ontgroeid, maar toch moet ik meer van je vragen dan in je vermogen ligt, jongen... Je moet naar je moeke gaan, je moet haar tot steun zijn maar... je mag niks laten merken van hetgeen hier gebeurd is... Kun je dat, jongen? Zwijgen tot er hulp is... tot zij haar kind gebaard heeft...?'

Met lood in zijn schoenen en een hart dat dichtgeknepen werd van verdriet om haar en om pa en om tal van dingen die in flarden door zijn hoofd schoten, was hij naar moeke gegaan. Blij was hij toen ze pa even leek te vergeten en haar zorg om de kleinere jongens uitte. Ze leed pijn, maar ze gaf geen kik! Moeke was sterk en hij onnoemelijk trots op haar. Maar toen moest hij haar alleen laten want hij hoorde Maarten en Reinder in het achterhuis. Vechtend en stoeiend als altijd kwamen die twee met een hels kabaal binnen. Dat hoorde helemaal niet, nu pa... maar dat wisten ze nog niet... Dat moest hij vertellen... God, wat was dit allemaal moeilijk...

Fokko Maring voelde de tranen achter zijn ogen prikken en voelde zich geen man, maar een jongen van dertien. Hij voelde zich klein en wilde door moeke worden getroost...

Toen hij haar hoorde kreunen: 'Waar blijft pa nu toch...? Ga hem halen, Fokko en haast... je wat...' rechtte hij zijn rug. Toen schoof hij zijn eigen verdriet ver weg en zei: 'Ik ga al, moeke... De jongens komen eraan... Ik houd ze wel zolang bezig, hoor...'

Geertje hoorde de snik in zijn stem niet, een snik vol wanhoop en verbijstering. Ze mocht dan dapper zijn, Geertje, en geen kik geven, ze was wel een vrouw dat feit betekende dat het geboorteproces geheel bezit van haar nam. Ze hoopte zo vurig op een heel klein meidje en ze foeterde op Mans Maring die helemaal niet kwam...

Fokko had zijn beide broers mee naar de zolder genomen, waar hun ledikanten stonden. Drie gebroeders Maring, ze zaten op het bed van Fokko die zijn arm beschermend om Reinder, de jongste met zijn negen jaar, had geslagen. 'Is pa... echt helemaal... dood... niet alleen maar een heel klein beetje?' Het ventje sloeg hoopvol zijn ogen naar Fokko op.

'Jullie moeten niet huilen...' troostte Fokko zijn broers én zichzelf. 'Wij moeten flink zijn en sterk want... moeke heeft ons nu meer nodig dan vroeger...'

'We moeten ook op het kleine broertje passen...' fluisterde Maarten, elf jaar nog maar.

'Dat wordt een zusje...' echode Fokko zijn moeke na.

Dan werd het stil op de zolder en luisterden drie jongens naar de geluiden, die vanuit het keukentje naar de zolder opdrongen. Ze hoorden de stem van de dokter, tegen wie ze huizenhoog opkeken. Een vrouwenstem, dat was die van de baakster, konden ze wel raden. Ze hoorden de stem van Jan Bokje: 'Ik weet dat ik hier niet hoor te zijn maar... mijn hemel... elke vorm van hulp is hier toch op zijn plaats...'

Ze hoorden moeke niet kermen, wel opeens het schreien van een pasgeboren kindje. 'Het zusje is er...' fluisterde Reinder zacht en een beetje blij.

Toen ze dadelijk daarop hartverscheurende snikken hoorden en ze moekes stem daaruit herkenden, zei Maarten heel ernstig vermanend tegen Reinder: 'Je mag niet lachen... en niet blij zijn met het zusje... Het is allemaal heel erg...'

'Het is de schuld van de bol...!' fluisterde kleine Reinder en hij balde zijn vuistjes.

Later, naar hun gevoel veel en veel later pas, riep de baakster onder aan de ladder dat ze beneden mochten komen. Toen bogen drie jongenshoofden zich over Geertje. Toen mochten ze huilen, want Moeke deed dat immers ook...

HOOFDSTUK 11

Geertje Postema, rond wie het zo veel jaar stil en rustig was geweest, was nu in beide dorpen weer het gesprek van de dag. Men stak nu geen vermanende vinger op, maar schudde meewarig het hoofd en vroeg zich af of al het leed van de wereld dan op één paar schouders terecht moest komen? Men haalde het verleden wel weer aan, dat schijnt op een dorp onvermijdelijk te zijn. Men sprak over het kind waarvan zij als heel jong meidje afstand had moeten doen omdat Melle en Wietske zich een dergelijke schande niet konden permitteren. Het wicht zou zelf ook wel schuld hebben gehad, maar ze werd rustig en evenwichtig toen ze met Mans Maring trouwde. Toen hoorde je over haar en Mans geen kwaad woord meer. Ze leefden hun leven op de ruimte, ze waren in de ogen van de dorpelingen ietwat uitzonderlijk, maar ze deden geen vlieg kwaad en leken volkomen gelukkig te zijn met hun leventje van alledag. Arme Geertje Postema, nu was ze haar Mans kwijt, het was me toch wel wat! Het zou je maar gebeuren – Jan Bokje had het verteld en was erbij geweest! – dat Mans dood bij haar binnen werd gebracht op het moment dat zij haar vierde kind baarde...! Geertje had vreselijk gehuild en het was alweer Jan Bokje, die wist te vertellen dat het arme wicht in de armen van de baakster had gesnikt: 'Wat ben ik nu blij dat het toch weer... een jongetje is... Hij is het laatste wat ik van Mans kreeg...

Hij moet naar hem... worden vernoemd... Mans Maring... Ik hoop dat hij net zo'n fijne vent zal worden als zijn papa was...' had ze gestameld en het had volgens Bokje, net geleken alsof ze het kind zelf doopte. Zo plechtig had ze gesproken!

Ach, ach, arme Mans, doodgedrukt door zijn eigen bol...! Dat Jan Bokje er toevallig bij was geweest, was achteraf wel een meevaller, want nu werd men alles haarfijn gewaar. Anders was dat vast het geval niet geweest, want Geertje kennende wist men dat die nooit meer losliet dan haar tong dat toeliet!

Door Jan Bokje wist men nu de toedracht van het vreselijke gebeuren. Bokje had die dag bij Mans een twaalftal kalveren afgeleverd. Mans had verteld dat Geertje de koffie zo klaar zou hebben en dat er daarna ook nog wel een drupje onder de kurk zou zitten! Maar eerst moest Jan Bokje de bol even zien! Dat beest, was Mans' trots, daar was hij aan gehecht. Hij had hem, net als dit nieuwe spul, als nuchter kalf gekregen. Hij had er door bepaalde omstandigheden nooit afstand van kunnen doen en hij had daar geen minuut spijt over gehad, want tot nu toe had het beest hem aardig wat geld in de beurs gebracht!

Mans Maring, zo gewend aan dieren, zo bekend met de gevaren die er nu eenmaal aanzaten omdát het om dieren ging, was die dag te overmoedig, te trots op zijn bezit of hij vergat een ogenblik dat hij nooit bij de bol in het hok kon gaan, zonder zich ervan te vergewissen dat het schot tussen hem en de bol stond. Mans vergat een ogenblik dat hij denken moest, omdat een dier dat niet kan. Een kort ogenblik, niet veel meer dan een paar tellen, ze werden Mans noodlottig. Mans stond tegen het schot, vóór de bol, en streek het dier over de kop: 'Je bent een prachtbeest; elk die het tegendeel beweert liegt dat-ie barst...' Het werden Mans' laatste woorden. De bol boog zijn vervaarlijke kop, spande zijn spieren, deed een stap naar voren en drukte zijn horens in Mans' borstkas... Mans was op slag dood.' En op hetzelfde moment haast werd Geertjes vierde kind geboren. Alweer een jongetje, dat ze Mans noemde. Als een eerbetoon aan Mans Maring die haar zo veel liefde had gegeven.

Toen Mans Maring werd begraven was het een intrieste stoet die over het kerkhofpad schuifelde. Achter de baar liep Geertje en ze werd ondersteund door Jan Bokje! Die ondersteuning had ze ook wel nodig, vond men vol medelijden, als je bedacht dat ze pas vijf dagen geleden een kind ter wereld had gebracht...! Ze zag lijkbleek, Geertje Postema en ze had diepe kringen onder haar ogen die bewezen dat ze meer gehuild dan geslapen had. Maar nu huilde ze niet, dat was het boerenbloed zeker nog in haar dat erop wees sterk te lijken en haar waardigheid te behouden onder het oog van het volk!

Ze keek wel herhaaldelijk om, net als was ze bang dat haar jongens niet zouden volgen. Die liepen anders op haar hielen! Fokko, de oudste, liep in het midden en had de kleine Reinder bij de hand. Drie jongens en ze leken als druppels water op Mans, die nu naar zijn laatste rustplaats werd gedragen...

Geertje verstond al dat gemurmel om haar heen niet. Ze poogde zich goed te houden, ze wilde niet huilen maar ze was zo moe... Haar benen leken uit vloeibare was te bestaan... haar hoofd was leeg, haar hart boordevol. Door een waas zag ze het diepe, duistere gat waarin men Mans langzaam liet zakken.' Ze boog haar hoofd dieper... ze deed haar best, maar ze kon niet verhelpen dat een rauwe snik haar keel ontsnapte. Toen voelde ze een hand op haar schouder en toen ze het hoofd langzaam ophief en in het gezicht van haar vader blikte, fluisterde ze alleen maar zijn naam: 'Vader...'

Melle Postema wist niet of er in dat gefluister dankbaarheid voor zijn komst of afschuw had gelegen. Melle had gedaan wat zijn hart hem ingaf: hij was gegaan, hij vergezelde Mans Maring op diens laatste gang, zoals Geertje Wietske lang geleden was gevolgd. Melle Postema prees zijn dochter in stilte om haar moed en hij dankte haar ook in stilte dat ze hem niet die twee woorden toebeet die hij eens had geuit en waarover hij nog altijd spijt had; Houdt afstand...

Geertje had zijn naam genoemd, ze had hem gezien en toen was hij weer gegaan zoals hij gekomen was; Als iemand die hier niet bijhoorde maar er zo graag bij wilde horen... Hij was in de loop der jaren vereenzaamd, Melle Postema, en had veel tijd tot nadenken gekregen. Dan wil een mens nog wel eens tot inkeer komen...

Na de begrafenisplechtigheid viel de stoet uit elkaar. Elk ging zijns weegs, men had er begrip voor dat Geertje hoognodig weer het bed in moest en niet in Slaat was een koffietafel en een borrel aan te bieden. Jammer van die borrel, dat wel, maar in haar geval lag dat nu eenmaal niet anders. Ze zou het geld ook wel nuttiger kunnen gebruiken, oordeelde men.

Eenmaal thuis werd Geertje in bed geholpen en kreeg Jan Bokje een borrel voor gedane diensten. 'Ik weet niet wat ik zonder jou had moeten beginnen, Jan Bokje...' fluisterde Geertje vanuit de bedstee. 'Zonder jou had ik moederziel alleen gestaan... Ik dank je... voor alles!'

Jan Bokje sloeg de borrel achterover, bedankte voor de tweede en maakte dat hij wegkwam. Het was zo mooi geweest, vond hij zelf. Hij had zijn plicht gedaan, natuurlijk, maar nu was hij blij er vanaf te zijn. Het kon anders raar lopen in het leven, want wie had nou verwacht dat hij als oude vrijgezel al dit soort narigheden van zo nabij mee zou maken! Hij had gezien dat Mans – arme kerel – voor zijn ogen het leven liet en kort daarna had hij bijna een geboorte meegemaakt! Bijna, het kind was er gelukkig net toen zijn hulp ook in het keukentje gevraagd werd. Toen kwam nog die moeilijke gang naar het kerkhof! Wat had hij een diep medelijden met Geertje gehad... Hij had haar soms gewoon moeten dragen zo wankel stond ze nog op de been...! En ze zei maar niks! Dat was haast het ergste van alles, vond Jan Bokje. Ze zei niks en ze huilde niet, ze liep maar stil voort, af en toe omkijkend of het met haar jongens wel goed was. Toen hij zijn borreltje kreeg zaten die stakkers naast elkaar. Onwezenlijk stil en de zwarte bouvier – waar hij het niet zo op had voorzien – lag trouw aan hun voeten. Wat een toestand en wat was hij blij toen hij kon gaan...!

Datzelfde dacht tien dagen later, ook de baakster Tedje Rogge. In het dorp vertelde ze: 'Ik ben in heel wat huishoudens geweest en ik heb heus wel het een en ander meegemaakt, maar dit... Dit is zo erg, daar heb ik geen woorden voor. Wat leeftijd betreft kon ik Geertjes moeder zijn en ik zou me ook zo opstellen als zij zelf wat opener was. Maar dat is ze niet, Geertje Postema, ze is zo gesloten als een pot en wijst elke toenadering van de hand. Ze ligt daar maar in de bedstee, praat met de oudste van de jongens op een fluistertoon en de jongsten trekt ze bij zich in bed en aait en kust ze alsof ze een schade van jaren in wil halen! En als je ziet hoe ze met het pasgeboren kind omgaat, dan draait het hart je in je lijf, echt waar! Net als de andere jongens lijkt ook dit laatste kind sprekend op Mans en dat zal ze wel zien, denk ik. Ze kan alsmaar heel stil naar dat kinderkopje in de holte van haar arm kijken en dan opeens fluisteren: 'Manske' mijn eigen kleine Manske...'

Dan stromen de tranen over haar gezicht en ben ik blij dat de avond valt en ik naar huis kan gaan!'

Zo waren Jan Bokje en Tedje Rogge blij dat ze niet al te lang in het kleine huisje op de ruimte behoefden te zijn. Maar in het huisje zelf was men zo mogelijk nog blijer toen de kraamdagen voorbij waren en er geen vreemd volk meer over de vloer liep.

'Mag Knuffel nu even weer binnen, moeke?' vroeg Reinder toen Tedje Rogge haar hielen amper had gelicht. 'Sinds ons Manske er is, mocht Knuffel van vrouw Rogge niet heel even bij hem kijken. Daar kijkt hij aldoor zo treurig om...!'

Knuffel mist zijn baas, dacht Geertje stil maar ze zei, terwijl ze tegen Reinder glimlachte: 'Zet de deur van het achterhuis maar weer open, dan komt Knuffel zo wel...' Ze zweeg even om dan voor zich uit te mompelen: 'Het moet hier weer worden zo het was... zoals Mans het op prijs stelde. We moeten leven, niet geleefd worden...'

Tien kraamdagen lang waren ze door Tedje gedwongen te leven zoals die het wilde. Nero werd in huis geduld, al het overige beestenspul werd op hardhandige wijze de deur geweigerd. Dat gold ook voor de katten, die daar niks van snapten en de hele godganse dag in de vensterbank zaten te miauwen en smeekten om binnen te mogen. Tedje hield niet van dieren, ze vond ze vies en zei dat het zeker voor een pasgeborene allesbehalve wenselijk was, die beesten over de vloer met hun, vooral in mei, loszittende haren.

Geertje vond dat onzin. Alle drie jongens waren groot geworden midden tussen de dieren. Ze hadden daar niks van opgelopen, integendeel, ze waren nooit ziek of verkouden. Dieren, peinsde ze, ze zou daar niet meer zonder kunnen leven. Alhoewel... als ze aan de bol dacht... dat verschrikkelijke monster... Dat nu juist dát beest... Mans had hem met onnoemelijk veel liefde en zorg grootgebracht en kon er geen afstand van doen omdat het stierkalfje zo aandoenlijk was geweest. Omdat zij, Geertje, het zo wreed had gevonden dat het zo bij het moederdier was weggehaald... Het had haar aan het kindje van toen herinnerd en Mans had dat begrepen, zo haarfijn aangevoeld. Mans... hij was er niet meer en zij moest zonder hem verder. Dat zou heel moeilijk worden, want ze had in alles op hem gesteund. Net als het kleine meidje was Mans nu opnieuw wreed bij haar weggehaald en als zij haar zin deed, als ze haar gevoelens opvolgde, zou ze alles er bij neersmijten en zeggen: het hoeft voor mij allemaal niet meer...

Maar dat was onmogelijk, dat zou Mans haar trouwens hoogst kwalijk nemen! Ze had de jongens, die haar nog zo nodig hadden, ze had kleine Manske... Hij zou zijn vader nooit kennen en hij zou nooit weten hoe zij op een meidje had gehoopt! Ze was blij met hem. Hij leek op Mans, hij was een jongen: het was goed.

Geertje aanvaardde het nieuwe leven waar ze niet omheen kon, omdat het leven was en haar meesleurde ter wille van haar kinderen. Wat ze niet aanvaarden kon was dat de stier nog aldoor in zijn hok stond te snuiven en te stampen alsof er niks gebeurd was. Alsof dat monster niks op zijn geweten had...! Toen haar kraamtijd om was en ze weer met de kinderen alleen was, zei ze op een avond tegen Fokko, die na Mans overlijden een streepje voor had gekregen op de anderen en een uurtje langer mocht opblijven: 'Ik wil dat de bol weggaat, Fokko...!'

De jongen keek haar in het geheel niet verwonderd aan, maar zei kalm: 'Dat had ik wel verwacht, moeke. Dat is ook het beste...' Die kalmte van hem deed haar sterk denken aan Mans. Ze hield opeens nog meer van Fokko dan voorheen.

'Wellicht wil Jan Bokje hem kopen en anders weet hij er wel een geschikte koper voor te vinden. Hoe dan ook, dat ondier moet hier weg en zo gauw mogelijk...!'

'Het scheelt ons wel een stuk inkomen, moeke, als de bol weg is...' opperde Fokko bezorgd.

Geertje knikte: 'Dat gat moeten we maar proberen op te vullen door heel zuinig aan te doen, jongen... Gelukkig leggen de kippen goed en hebben de eieren een aardige prijs. En...'

Fokko viel haar in de rede: 'Ik durfde het niet zo goed te vragen, moeke... maar nu u zo eerlijk en open met me praat, moet ik de vraag die me zo bezighoudt, toch maar stellen... Wat moeten we met de kalvermesterij, nu pa er niet meer is...? Dat is onze bron van inkomsten toch eigenlijk, maar dat kan u als vrouw niet voortzetten en ik moet overdag naar de boer. Dat geld kunnen we ook niet missen. Heeft u daar al aan gedacht, aan de kalvermesterij...?'

Geertje glimlachte hem vertederd tegen. Zo'n jongen nog, maar wat leefde hij al mee en deelde haar zorgen. Wat deed dat goed...

Toen ze hem antwoordde, wist ze niet dat ze haar rug rechtte en daardoor een kordate, voorname houding over zich kreeg. Fokko zag het en hij moest opeens aan grootvader denken, die hij op het kerkhof had gezien toen hij een hand op moekes schouders legde... Grootvader had net zo'n voorname houding als moeke nu ze zei: 'De kalvermesterij zet ik door, jongen... Pa's werk, dat zet ik voort! Ik mag dan een vrouw zijn en bovendien Geertje Postema heten; ik zal eens laten zien wat ik kan...! Wie ik ben!'

'Ik help u wel, moeke...! Als ik van de boer kom, heb ik nog zeeën van tijd over, hoor!'

Ze glimlachte andermaal: 'Dat is lief van je, Fokko.' Maar ik had ook niet anders verwacht. Jij bent zo de zoon van je vader, ik weet dat ik op je kan rekenen...!'

'Moeke...?'

'Zeg het eens, jongen.'

'Heeft het u niks gedaan dat... grootvader op het kerkhof was...? U spreekt daarover met geen woord...'

Geertje zweeg geruime tijd alvorens ze haar oudste uitleg gaf. 'Toen jullie klein waren en in het dorp of op school hoorden wie Melle Postema was en in welk verband jullie tot hem stonden, hebben pa en ik met jullie gesproken. Jullie weten dat er in het verleden dingen zijn voorgevallen waardoor ik... met mijn ouders heb moeten breken... De naam van jullie grootvader werd hier niet genoemd en ik wil dat dat zo blijft, Fokko...!'

'Grootvader is rijk... dat zegt men in het dorp en dat kan je zien aan de grote boerderij...!'

'Wij zijn veel rijker, mijn jongen...' zei ze zacht, 'Grootvader is, met al zijn geld en goed, heel eenzaam en alleen. Wij hebben elkaar en al missen we pa verschrikkelijk, ons leven heeft zin omdat we voor elkaar moeten zorgen...' Ze zweeg en haar gedachten dwaalden naar een hoeve waar zij als kind had gespeeld en waar nu een man woonde die hard bezig was oud te worden. Zesenzestig was vader en wat had hij uiteindelijk bereikt met zijn rijkdom, zijn trots...? Ze had hem niet weer gesproken, maar ze hoorde weleens toevallig iets. Zo wist ze precies wanneer Melle Postema weer een advertentie in het 'bokkeblaadje' plaatste waarin hij al weer een andere meid vroeg. Het was op de hoeve een komen en gaan van meiden, maar dat leek haar niet zo verwonderlijk. Er waren diensten genoeg die aantrekkelijker waren dan die bij een man alleen. Een man als Melle Postema die toch al niet zo in de gunst lag door zijn hooghartigheid. Dom van vader, vond ze in gedachten, om die houding langzamerhand niet te laten varen. Vader voelde zich nog altijd een reus en stond er niet voldoende bij stil dat die niet bestonden! Er waren hier in de omtrek meer rijke hereboeren, maar over het algemeen genomen hadden die niet de enorme trots waar vader mee pronkte. Een boer was een boer en zou dat blijven, maar er was wel degelijk verschil, zei Mans altijd en hij kon het weten, want door de kalvermesterij had Mans nogal eens contact met diverse boeren.

Contact met boeren, daar zou zij ook niet onderuit komen nu ze zo vast van plan was om de kalvermesterij voort te zetten... Daar zou ze aan moeten wennen, een aantal jaren, dan was Fokko wel zover dat hij dat soort dingen van haar over kon nemen. Want dat was haar streven, Mans' werk later over te doen aan zijn jongens! Ze kregen geen machtige hoeve maar ze zouden hier gelukkig worden zoals Mans en zij het waren geweest...

Mans... Wat miste ze hem verschrikkelijk en wat zou het leven zonder hem moeilijk worden... Fokko kon haar al een boel uit handen nemen, zoals de hokken mesten en dergelijke zware karweitjes, maar hij had nog niet voldoende inzicht om naar de veemarkt te gaan en daar de beste dieren uit te zoeken en ze voor een scherpe prijs te kopen. Gelukkig had Mans dat soort dingen altijd met haar besproken en was ze nu op de hoogte van het een en ander. Jan Bokje had aangeboden dat hij haar wel wilde vergezellen als ze naar de veemarkt moest en Fokko kon misschien wel eens vrij van zijn boer krijgen. Toch zag ze er vreselijk tegenop om daarheen te moeten. Als vrouw tussen al die boeren en veehandelaren... En ze kenden haar allemaal, ze zou daar op de veemarkt opeens weer heel duidelijk Geertje Postema zijn... Niet alleen meer Mans' vrouw, maar een boerendochter die vroeger een scheve schaats had gereden...

Een scheve schaats... Mijn hemel, ze was een onnozel kind geweest dat amper snapte wat er gaande was...! Ze was 'ondeugend' geweest, de straf die ze daarvoor kreeg was niet mis te verstaan...

Gelukkig was dat gebeuren door de jaren heen wat in de vergeethoek geraakt. De angst die bezit van haar nam toen de jongens groter werden en in het dorp naar school gingen, bleek ongegrond te zijn. Ze kwamen niet thuis met pijnlijke vragen maar of dat zo bleef...? Door Mans' overlijden was zij op het moment weer zo in opspraak was de kans nu niet groot dat men het verleden weer ging oprakelen...? Stel dat een van de jongens op een dag thuiskwam en zei: 'Moeke, op school zeggen ze dat jij vroeger...'

Deze angst, die nooit helemaal wilde wijken, had ze vaak met Mans besproken. Hij wist haar altijd gerust te stellen, zei dan: 'Je moet je nooit zorgen op je hals halen, die er nog heel niet zijn, mijn meidje! Als het zover is, zien we wel weer. Dan vertellen we de jongens wat er aan de hand was, dan verbloemen we niks en zullen ze nog meer van je gaan houden!'

Zo dacht Mans daar heel gemakkelijk over, maar hij was er niet en zou er nooit meer zijn om dit soort dingen van haar over te nemen. Niet Mans, maar zijzelf zou het moeten vertellen als die ene vraag werd gesteld...

Daar zag ze tegen op en daar praatte ze 's avonds in bed over met Mans. Net als vroeger legde ze hem, ook nu hij niet meer naast haar lag, alles voor en als ze zweeg was het net alsof Mans bij haar was en haar troostte. Dan huilde ze geluidloos haar kussen nat. Die tranen, bij avond en nacht gehuild, luchtten op en maakten dat ze de volgende dag weer tegemoet durfde treden. Dan was Geertje Postema voor het oog van het volk weer flink en sterk. Niemand wist hoe zwak ze in wezen was, omdat je alleen maar de buitenkant van een mens kan zien...

HOOFDSTUK 12

Er was een aantal weken voorbijgegaan, het was half juni en het Groningerland baadde in de zon. Na de regen, die de vorige week overvloedig was gevallen, was het nu vooral voor de groenboeren groeizaam weer. IJverig werd het gemaaide gras geschud en gekeerd en als het weer een tijdje zo aan wilde houden zou er weldra gehooid kunnen worden. Melle Postema was geen groen boer. Op de vele lappen land rond zijn hoeve schoot het koren de grond uit. Maar ook hij was van het weer afhankelijk en als dat een beetje meezat zou Melle zo tegen achtentwintig augustus kunnen oogsten. Melle dacht in deze dagen echter nog niet aan de oogst die eens weer binnen zou worden gehaald. Hij liep dagelijks over zijn velden en inspecteerde met kennersblik de gewassen, maar zijn gedachten dwaalden daarbij telkens af naar een klein bedoeninkje dat tussen twee dorpen in op de ruimte lag. Een armzalig zootje, het enige dat nog een beetje oogde daar was de grote schuur, die Mans Maring jaren geleden eigenhandig had gebouwd. In die schuur hield zijn dochter een kalvermesterij...!

Zijn dochter... Melle moest toegeven dat hij het niet van haar had verwacht! Kort na het ongeluk, dat de twee dorpen had opgeschrikt en waarbij Mans Maring het leven had moeten laten, had hij vernomen dat Geertje de stier, de boosdoener, had verkocht. Jan Bokje had het beest opgehaald en een paar dorpen verderop bij een boer weer afgezet. Geertje scheen er knap geld voor te hebben gebeurd!

Toen dat nieuws hem via zijn arbeiders ter ore kwam had hij gedacht: eerst de bol het huis uit en daarna zullen de kalveren wel volgen. Waar moest het wicht dan van leven? Met drie opgroeiende jongens en een luierkind kwam er toch heel wat kijken... Wat deed ze ook met vier kinderen! Toen hun eerste een jongen bleek te zijn hadden ze toch op kunnen houden? Ze leek wel een arbeidersvrouw, die hadden doorgaans ook hokken vol kinders. Als Mans was blijven leven zou het vierde kind daar ook vast de laastste niet zijn geweest, veronderstelde Melle in gedachten.

Maar Mans was niet blijven leven, Geertje kreeg van hem geen kinders meer. Wat haar te wachten stond, was volgens Melle een hard leven. Zijn veronderstelling dat ze de kalveren ook wel van de hand zou doen, bleek op niks te berusten, want ze ging gewoon door, daar waar Mans had moeten stoppen! Hij had gehoord dat ze regelmatig met Jan Bokje naar de vrijdagse veemarkt ging. Dat had hij amper kunnen geloven en enkel daarom was hij een paar weken geleden ook naar Groningen getrokken. Hij was nu eenmaal geen man die op praatjes afging, hij moest zekerheid. Die kreeg hij die vrijdag op de veemarkt! Hij had zijn ogen niet kunnen geloven en... hij was in stilte trots op haar geweest. Zoals ze daar rondliep geleek ze een boer...! Ze had een oude, wijde mantel aan die halverwege haar kuiten viel en daaronder droeg ze, evenals de boeren, een paar laarzen die vuil waren en onder de mest zaten. Op haar hoofd droeg ze een oude pet, die naar alle waarschijnlijkheid van Mans Maring was geweest. Dat ze geen boer maar een vrouw was, zag je aan haar lengte, aan haar vormen en aan de vlecht die, slordig ingelegd, los op haar rug bungelde. Ze was duidelijk niet ijdel en in niets geleek ze op de boerendochter die ze in feite toch was, maar ze deed wat betrof het bekijken en bevoelen der dieren en daarna het handjeklap dat vooraf ging aan de koop, niet onder bij de boeren, die haar vermaakt stonden te bekijken. Hij had ook op een afstand gestaan en haar van daaruit heimelijk begluurd. Alsof ze dat aanvoelde, zo blikte ze op een bepaald moment opeens in zijn richting. Een ogenblik, een fractie van een seconde, meer niet, hielden hun blikken elkaar gevangen, dan keerde zij zich om. De manier waarop ze het hoofd hield, haar rechte rug, haar waardigheid, het had hem diep geraakt. Hij had trots gevoeld en ook... jawel: verlangens om haar naar de hoeve terug te halen...!

En dáár liep hij nu de laatste dagen almaar over te prakkiseren. Het liet hem niet meer los, hij bouwde luchtkastelen hoe het zou zijn als zij met haar kinders bij hem op de boerderij woonde en leefde. Er was ruimte in overvloed voor haar en haar jongens. Er zouden dan vermoedelijk wel weer meiden te vinden zijn, die op Melle Postema's hoeve wilden dienen. In het vooreind zou weer leven zijn, als hij binnenkwam zou er koffie zijn en een goed verzorgd maal. En achter en op het land zouden... jongens dwalen die wellicht een beetje boerenbloed bezaten, die liefde in zich voelden voor de boerderij, het bedrijf... Dit stille verlangen in hem werd een obsessie. Melle zag het verleden dat uiteindelijk toch niet voor niets was geweest, hij zag de toekomst, het behoud van de hoeve...

Dat laatste gaf de doorslag: Het was zaterdagavond, kort na het avondeten, toen Melle de stoute schoenen aantrok, de koets inspande en kort daarna het dorp achter zich liet.

Op zaterdagavond, zo direct na het avondeten, had Geertje het druk. Voor het eten had ze samen met Fokko en Maarten de kalveren gevoerd en had Joris – die oud begon te worden – en Knuffel op stal gebracht en gezien of de kippen binnen waren. Terwijl de oudste twee jongens achterbleven en karweitjes opknapten, die voor de avond viel nog gedaan moesten worden, had zij kleine Manske de fles gegeven. Dat was telkens weer een vreugde voor haar, Manske op schoot voeren en hem tegen haar borst drukken. Ze was zo blij met dit kind, dat haar sterker dan de anderen aan Mans deed denken. Manske was erg zoet en huilde praktisch nooit, maar dat kwam, veronderstelde ze zelf, omdat hij weinig aandacht kreeg. Met de voedingen kwam hij eruit en om de andere dag waste ze hem en verder lag hij lief in het kribke op de beddeplank van haar bedstee te slapen. 's Nachts genoot ze van de geluidjes die hij produceerde en als ze niet kon slapen of zichzelf in slaap huilde omdat ze Mans zo vreselijk miste, was het net alsof het kereltje dat begreep en haar troostte met zijn zuigende geluidjes.

Toen ze het keukentje binnenkwam en heel even door een kier van de bedsteedeuren gluurde naar het kribke waarin Manske als een roos lag te slapen, knikte ze: 'Je bent moekes lieverd, hoor!'

Ze sloot de deuren weer op een kier en kwam dan bedrijvig als ze was en móest zijn, in actie. 'Reinder, uitkleden!' beval ze kort terwijl ze de zinken teil klaarzette, er emmers water in goot en vervolgens een ketel kokend water, die op het petroleumstel had staan zingen.

'Waarom...?' lispelde Reinder die in een sprookjesboek zat te lezen en niet zag waarmee moeke bezig was.

'Omdat het zaterdag is en jij in de tobbe moet. Daarom!'

Toen er geen beweging in het jongensfiguurtje kwam dat met

zijn benen opgetrokken in Mans' kraakstoel zat, viel ze geërgerd uit: 'Toe nou toch, jongen...! Ik heb meer te doen. Dadelijk komt Maarten binnen en dan moet de tobbe vrij zijn, omdat hij erin moet! Dat gelees ook van jou, daar krijg ik nog eens wat van!'

Terwijl ze Reinder van top tot teen inzeepte met groene zeep, bedacht ze hoe dikwijls zij vroeger op de hoeve in een boek verdiept had gezeten. Dat gelees, dat had de jongen beslist van haar. Zij was vroeger ook zo'n boekenwurm geweest. Nu verbood ze het Reinder vaak maar – vergoelijkte ze zichzelf – de tijden waren ook een beetje anders en het leefklimaat zeker! Zij had vroeger totaal niets te doen en ze woonde op een machtige hoeve, maar ze was vaak alleen. Reinder had zijn broers, die hij eigenlijk al best eens een handje kon helpen. Hij was per slot al negen! Reinder kon pony-rijden zo veel en vaak hij dat maar wilde. Reinder wilde dat niet, die zat het liefst met een van de katten op schoot in een boek te lezen. Hij was een dromer en leek in niets op zijn beide oudere broers.

'Au... Ik heb zeep in mijn ogen, dat prikt erg...!' gilde Reinder, maar Geertje vond kalm: 'Daar geven grote jongens als jij bent, niks om!' Dan spoelde ze hem af en droogde het smalle jongenslijf vervolgens met een blauwgeruite keukendoek. 'Zo, jij blinkt weer als nieuw, Reinder Maring!'

Op dat moment kwam Maarten binnen en beval ze hem: 'Uitkleden, jongen, het water is nu nog warm!' Tegen Reinder ratelde ze in een adem door: 'En jij je nachtgoed aan en schiet een beetje op!'

'Wanneer mag ik me net als Fokko in een emmer in het achterhuis zelf wassen?' vroeg Maarten terwijl hij zijn naakt lijfje in de tobbe liet zakken.

'Als je twaalf bent, dat duurt dus al niet lang meer!' beloofde ze, terwijl ze andermaal niet zuinig was met groene zeep.

'Dan kom ik van school en ga ik net als Fokko naar de boer!' glunderde Maarten bij dat vooruitzicht blij. 'Dan verdien ik ook en gooi ik mijn geld elke week in je schort, hoor moeke! Hou je je schort dan op, voor al dat geld van mij?'

'Bij een boer verdien je niet veel, jongen, het is bijna de moeite niet...' Toen ze zijn sneu gezichtje zag, vergoelijkte ze: 'Maar ik zal het heel goed kunnen gebruiken, ik kijk er nu al een beetje naar uit!' Ze had de jongen ingezeept en rechtte nu haar rug. 'Jij kan jezelf al wel afspoelen en drogen, dan ga ik vast al het vuile goed van jullie beiden naar het achterhuis brengen. 'Wat een wasgoed en dat elke week maar weer, dacht ze terwijl ze met een arm vol vuile jongenskleren naar het achterhuis liep. Ze zou het straks dadelijk nog even in de soda zetten, kon het vast weken. Morgen zou ze met de was beginnen, want of het nou zondag was of niet, daar kon zij zich niet aan storen. Geen sterveling zag haar wasgoed aan de lijn wapperen, hier op de ruimte. Wat een zaligheid was dat, dat het wasgoed naar buiten kon om er te drogen. Bij de winterdag was dat vaak een regelrechte ramp. Het keukentje werd zo overvol als ze het droogrekje om de kachel moest plaatsen. Het werd dan ook zo bedompt in het vertrekje en bovendien moest ze goed opletten dat Knuffel niet binnenkwam! Die was zo lomp, het was al een paar keer gebeurd dat ze het rekje met wasgoed tegen de kachel geleund aantrof! Tegen een roodgloeiend potkacheltje wilde het goed best verschroeien en dat kon ze niet hebben! De jongens konden uit zichzelf al wel genoeg aan, daar hoefde het potkacheltje niet nog eens een schepje bovenop te doen!

Als ze aan de winter dacht, die gelukkig nog een tijdje in het verschiet lag, kreeg ze het gewoon benauwd! Fokko groeide zo hard en overal uit. Wat lengte betrof kon hij Mans' kleren al haast aan, maar in de breedte leek het nog nergens op! Maarten kon een boel dingen aan waar Fokko uit was gegroeid, maar Reinder zou ook weer het een en ander nieuw moeten hebben. Ze kon er zo moeilijk toe komen, maar het was vanzelf het voordeligst op dit moment om Mans' broeken en jassen te verknippen en er voor de jongens wat uit te maken. Maar daar ging weer zo veel tijd in zitten en ze zat voortdurend al zo in tijdnood. Haar eigen wintermantel was nog heel, maar door het vele dragen verschoten en vaal geworden. Die moest gekeerd, daar zat niks anders op. Een boel werk, naar werk bovendien waar heel wat uurtjes mee zoet zouden gaan. Tegen de winter moest ze de sokken van de jongens allemaal weer opnieuw aanbreien en zo kon ze wel doorgaan. Een mens werd al moe als je aan al dat werk dat te wachten lag, dacht. En bij dat alles kwam de luierwas en Manske zelf. Het was toch ook geen wonder dat het ventje veel te weinig aandacht kreeg? Was Mans er maar, die nam haar altijd een boel werk uit handen. En hij was altijd zo handig geweest met de kinderen toen die nog heel klein waren. Wat zou Mans van zijn jongste hebben genoten... Mans wist niet eens dat het een jongetje was geworden... geen meidje, waar ze toen beiden zo op hoopten... Toen Manske de wereld begroette stierf Mans... Leven en dood...

Maar zij mocht niet aan de dood denken, ze leefde en had in dat leven een boel te doen!

Ze stond er alleen voor, ook wat betrof het uitgeven van het geld dat binnenkwam. Ze was daar verschrikkelijk zuinig mee, keerde elk dubbeltje wel driemaal om alvorens het uit te geven maar dat moest toch ook wel? De jongens werden groter en hun huisje werd er niet beter op! Het rieten dak lekte en als het regende mopperden Fokko en Maarten dat het op hun bed net zo hard regende als op de zolder. Een beetje overdreven, maar ze had toch wel, over de hele zolder verspreid, emmers en teiltjes staan! Er was opeens zoveel aan het huisje dat opgeknapt moest worden, bedacht ze zorgelijk. De voordeur hing helemaal scheef en was totaal vermolmd. Met de vensterbanken was het idem dito. Een kwastje verf zou nergens kwaad aanrichten. Misschien was Mans in dat soort dingen toch wat te slordig geweest. Als hij elk jaar iets aan het huis had gedaan... Maar dat was niet gebeurd en daarover zeuren nu het te laat was had dus totaal geen zin. Mans was altijd drukdoende geweest met zijn dieren, met de kinderen en zij had ook nooit te klagen gehad over zijn aandacht, zorg en liefde. Dat was toen het belangrijkste, daar kon ze nu op terugkijken. Waar ze tegen aankeek, waren zorgen...

Geertje Postema duwde met de wasstok het goed onder het sodawater toen ze opeens dacht: in Mans' koperen tabaksdoos liggen nog altijd die honderd gulden die moeder in mijn mantelzak heeft gestopt toen een der arbeiders de hutkoffer met kleren hier afzette... Jaar na jaar had het geld in de tabaksdoos gelegen. Ze had er weleens verlet om gehad maar het nooit willen gebruiken. Als ze het nu eens ging besteden...? Voor de jongens of voor een wintermantel voor haarzelf...? Honderd gulden, veel geld, en vader had er geen verlet om... Ze had het terug willen geven maar altijd gedacht: waarom zou ik, thuis hebben ze ruimschoots voldoende. Teruggeven kon altijd nog, ze betwijfelde trouwens of vader er iets vanaf wist! Nee, ze gaf het nog niet terug maar ze gaf het ook niet uit. Voorlopig nog niet, de winter stond nog niet voor de deur. Wie dan leeft, wie dan zorgt, schoof ze het plan, dat zo plotseling bij haar was opgekomen, weer ver.

Geertje wilde net weer naar het keukentje lopen om de teil met vuil waswater daar op te ruimen, toen Fokko het achterhuis binnen kwam stormen. 'Jongen... je laat me schrikken! Moet dat nou met zo'n vaart gebeuren...'

'In de verte komt een koets... deze kant op, moeke... De koets van... grootvader...' Een paar jongensogen blikten haar opgewonden aan.

Even liet ze deze mededeling op zich inwerken, dan duwde ze Fokko met haar hand opzij en gluurde door het lage venster van het achterhuis naar buiten. De jongen had gelijk, er naderde een koets en die kon maar van één persoon wezen. Alleen Melle Post erna bezat een span Friese paarden die hij optuigde en voor de koets spande als hij ergens heen moest en het verder was dan zijn voeten dat toelieten.

'Wat moeten we doen, moeke...?' haalde een benauwd klinkende jongensstem haar uit haar gedachten.

Ze blikte Fokko aan en liet niets merken van haar hart dat in haar lijf in opstand scheen te komen, maar zei kalm: 'Ga naar de keuken en ruim de teil op... Het is daar een bende vanjewelste... Kijk of Maarten klaar is en of Reinder zijn nachtgoed aanheeft. Haast je, jongen...'

'En u... moeke...?'

Ze glimlachte: 'Ik wacht op de koets... Als die voorbijrijdt, kom ik je zo helpen...'

Melle Postema reed het huisje niet voorbij, maar stopte er pal voor. Hij klom van de bok en stond vervolgens een tijdje naar het huisje te kijken. Het was net, vond Geertje die gebogen stond voor het venster van het achterhuis en hem gadesloeg, alsof vader... weifelde. Straks keerde hij onverrichter zake weerom... dat was misschien ook wel het beste... Dat ze dat niet meende en heus wel benieuwd was naar de reden van vaders komst, liet ze merken door naar de deur te lopen, die vervolgens te openen en dan een stap naar buiten te doen. Vader en dochter blikten elkaar zwijgend aan tot Geertje hem groette: 'Dag... vader...'

'Geertje...'

Hij zweeg, keek haar alleen maar aan en Geertje zag hoe oud

hij was geworden. Oud door jaren? Vader was zesenzestig... Of waren het rimpels van zorg, die zijn gezicht tekenden en het oud lieten lijken...? 'Had u een... boodschap...?' Ze kwam hem met woorden tegemoet, verder vertrok ze geen spier in haar gezicht.

'Ik moet met je praten... Mag ik binnenkomen...?'

Toen ze enkel knikte, vroeg Melle: 'Kun je een van je jongens roepen? De paarden moeten worden vastgezet!' Geertje wist dat haar jongens om deze gunst zouden vechten, maar ze realiseerde zich ook: Zo gewend is vader om bevelen uit te delen, dat hij zelfs mij na al die jaren nog opdraagt een van de jongens te roepen...! Maar wij zijn zijn dienstvolk niet...

'De jongsten zijn al uitgekleed en de oudste is binnen bezig voor mij... Ik kan u helaas niet helpen, u zult het zelf moeten doen...'

'O... o ja, vanzelf...' Melle bond de paarden vast aan de boom die opzij naast het paadje stond. Geertje keek toe. Zwijgend.

Toen Melle het paadje op kwam lopen, kreeg hij het gevoel de grootste hoeve van de omgeving binnen te gaan, zo'n voorname houding mat Geertje zich aan. Maar ze had daar zelf geen weet van.

'Loop maar achter me aan...' zei ze terwijl ze hem voorging door het achterhuis, naar het keukentje. Daar wees ze hem een stoel en toen Melle verwonderd rondkeek en zei: 'Zo... hier woon jij dus... en dat zijn je jongens...?' knikte ze enkel. Ze stelde hem niet aan de jongens voor, tegen Melle noemde ze de namen van haar kinderen niet. Ze had daar geen behoefte aan, zag het nut er niet van in. Ze zag alleen maar lange jaren die voorbij waren gegaan...

Ze blikte naar de kinderen, Fokko, die in Mans' stoel zat en kleine Reinder tussen zijn knieën gevat hield. Maarten die, als zocht hij steun, tegen de stoel waarin Fokko zat, leunde. Ze smolt van liefde en trots toen ze bedacht: nooit zijn ze zo lief als op zaterdagavond. Als ze in de tobbe zijn geweest, naar groene zeep ruiken en blinken als spiegeltjes. Ze liet haar vertedering niet blijken, maar zei kort: 'Naar bed, jongens...!' Een hevig protest volgde. Waarom moesten ze nu naar de zolder, zo dikwijls hadden ze al geen bezoek! Toe nou, moeke...

Geertje was onverbiddelijk, ze keek streng toen ze herhaalde: 'Fokko mag opblijven omdat hij de oudste is. Jullie gaan naar de zolder en wel ogenblikkelijk...!'

Ze zei niet: Geef het bezoek een hand of wens hem welterusten, ze zei enkel: 'Slaap lekker, lieverds...' en streek over twee blonde jongenshoofden.

Uit pure dankbaarheid dat hij op mocht blijven, liet Fokko zich van zijn beste kant zien door aan te bieden: 'Zal ik koffie inschenken, moeke...?'

Geertje glimlachte begrijpend, maar zei dat ze dat zelf nog wel kon. Terwijl ze bezig was bij het theekastje in een hoek van het vertrekje, had Melle zo zijn eigen gedachten. Hij had niet verwacht veel te zullen aantreffen hier, maar dit... dit armzalig gedoe schrok hem toch af. Hij was weleens bij een van de arbeiders binnen geweest en hij moest zeggen dat het er daar aardig beter uit had gezien dan hier het geval was. Het was hier ronduit armoedig, rommelig en... vuil!

Geertje, zijn dochter, was bepaald niet proper maar kon het wicht dat eigenlijk helpen, vroeg hij zich in gedachten af. Wietske had haar het huishouden doen niet geleerd, dat hoefde destijds niet, daarvoor hadden ze de meiden. Geertje bezat geen meid, wel een hok vol kwajongens en het wemelde hier van het beestenspul...! Hoe kon het wicht zo leven... 'U kijkt uw ogen uit, niet vader...' Geertje zette met deze vraag een kopje voor hem neer.

Melle Postema, de rijke hereboer, sloeg zijn ogen neer toen hij prevelde: 'Tja... het is wel even wennen...'

'Waar komt u voor, vader...' viel Geertje dan met de deur in huis. Melle kuchte en om tijd te rekken trok hij zijn tabaksdoos uit zijn broekzak en stak een pruimpje achter de kiezen. Dan blikte hij van Fokko naar Geertje alvorens hij moest weten: 'Ik moet met je praten, maar of dat voor die jongen bestemd is...?'

Geertje viel hem in de rede: 'Die jongen is mijn Fokko, hij is vernoemd naar Mans' vader en hij mag elk woord horen dat hier gesproken gaat worden. Nu Mans er niet meer is... is hij mijn rechterhand. Ik heb voor Fokko geen geheimen...'

Toen ze dat laatste zei dacht ze op slag aan het grote geheim dat ze in zich droeg en waar haar jongens onkundig van waren gebleven. Als vader nu eens over het verleden begon... als hij Bussum noemde... Dan zou ze er niet onderuit komen, dan zou ze Fokko tekst en uitleg moeten geven... Geertje zuchtte onhoor-

baar toen ze dacht: Ik heb A gezegd en ik krabbel niet terug...!
Wat komen moet komt toch, vroeg of laat... Geertje had het wat
moeilijk, maar Melle Postema niet minder. Hij zuchtte tenminste
hóórbaar alvorens hij van wal stak: 'Ik ben naar je toegekomen
maar je zult begrijpen dat ik hier lang over na heb moeten denken...! Ik ben nu eenmaal een man die zijn hoofd niet graag
buigt... Je hebt dan zo gauw het gevoel de mindere te zijn, nietwaar...?' Toen Geertje die laatste vraag doodleuk onbeantwoord
liet en hem enkel recht aanblikte, kuchte Melle andermaal alvorens te vervolgen: 'Ik zal dan maar met de deur in huis vallen: ik
kom je vragen naar de hoeve terug te keren...'
    'Weet u wel wat u zegt, vader... tegen wie u spreekt...?' Ze
blikte hem aan.
    Melle Postema knikte: 'Ik heb het tegen mijn dochter.'
    Geertje boog het hoofd toen ze fluisterde: 'Met diezelfde doch-
ter heeft u anders jarenlang niks meer van doen willen hebben...
Ze deugde van geen kanten, ze was het aankijken niet waard...
    'Een mens moet op den duur kunnen vergeten.' Ze hief het
hoofd op en blikte hem aan. 'Alles, vader...?'
    'Ja... álles...!'
    Ze wist dat hij op het kindje doelde, op Bussum en op alles wat
die tijd teweeg had gebracht. Ze was goudeerlijk toen ze fluisterde: 'Ik kan niet... alles vergeten, vader... er is iets wat mij altijd
bezighoudt... dag en nacht denk ik daaraan...'
    'Je hebt inmiddels vier gezonde jongens... Wat wil je nog
meer...' Ze nam hem zijn onbegrip niet kwalijk, ze dacht aan
Mans die haar juist hierin zo volkomen had begrepen. Ze wilde
zeggen: vier jongens zijn niet in staat mij het gemis van mijn
meidje te vergoeden. Ze sprak dit niet uit, realiseerde zich Fokko's aanwezigheid en blikte hem ietwat geschrokken aan. Hij
knikte haar echter begrijpend en geruststellend toe en toen hij
sprak, werd Geertje lijkbleek.
    Fokko zei zacht: 'Ik weet wat u wilde zeggen, moeke... Zeg het
maar gerust want... ik weet alles...'
    'Wat zeg je nu... jongen... Waar heb je het over en hoe kun jij
weten...'
    Fokko onderbrak haar: 'We weten het alle drie, Maarten, Rein-
der en ik, wat er vroeger met u... eh... is gebeurd. Pa heeft het
ons verteld, lang geleden al...'

'Hoe dan en... waarom...' Fokko en Geertje, ze schenen beiden Melles aanwezigheid te vergeten. En Melle zweeg, luisterde stil naar het verhaal van Fokka. 'We werden op school voortdurend geplaagd dat we een zusje hadden dat... 'in het wild' rondliep, dat een bastaardje was en zo... Ze zeiden lelijke dingen over u, moeke... en wij begrepen er niks van... We wisten het immers niet en durfden u er niet naar te vragen... Op een avond, toen pa ons als gewoonlijk weer onder kwam stoppen, lag Maarten te huilen. Pa wilde weten wat er aan de hand was en toen heb ik het pa verteld... dat we geplaagd werden en zo... Toen heeft pa ons uw hele voorgeschiedenis verteld... We mochten er nooit met u over spreken, behalve als u er zelf over begon... Ik dacht dat u dat daarnet wilde doen, moeke...'

Geertje kon het niet verhelpen dat de tranen over haar wangen stroomden en ze kon enkel stamelen: 'Ach... jongen toch...'

In gedachten hoorde ze Mans weer tegen haar zeggen: als ze alles weten, zullen ze nog meer van je gaan houden... Hoelang was het geleden dat Mans haar met die woorden troostte? De jongens wisten alles... zelfs kleine Reinder... Toch hadden ze gezwegen... omdat ze van haar hielden... Zo veel geluk... waar had ze dat nou aan verdiend...

'Niet huilen, moeke...' Fokko zat opeens naast haar en legde een arm rond haar schouders. 'Dat wil pa immers niet, dat u huilt om iets wat voorbij is...'

'Soms huilt een mens van puur geluk, jongen... maar dat begrijp jij nog niet...' Ze snoof luidruchtig, wiste haar tranen weg en lachte hem dapper tegen toen ze fluisterde: 'Ik ben blij... dat jullie alles weten... Zo vreselijk blij, Fokko. Ik ben jullie pa zo dankbaar... Hij nam altijd, tot het laatste toe... de moeilijkste dingen voor mij weg... En jij bent zijn zoon... je bent net zo...'

Melle kuchte als wilde hij duidelijk maken dat hij er nog was en hij dit gesprek uiterst pijnlijk ging vinden. Hij zou nooit toegeven dat die pijn voortkwam uit het brok in zijn keel. Dat was zijn trots, dat kon niemand hem ontnemen. Een boer huilde nu eenmaal niet. Gelukkig dat zo'n hinderlijke brok in je keel niet zichtbaar was...!

Geertje had zich hersteld en knikte hem op zijn kuchen tegen: 'Ja, vader... zeg het maar...'

'Ik kan niet anders doen dan mijn vraag van daarnet herhalen... kom terug naar de hoeve, Geertje... Jij en je jongens... je zou me daar een plezier mee doen...'

Geertje voelde dat Fokko haar verwachtingsvol aankeek en ze wist niet wát hij van haar verwachtte maar besloot voor zichzelf toen ze zacht zei: 'Ik ben blij dat u geweest bent, vader... maar terugkomen naar de hoeve... dat doe ik nooit! Ik hoor hier, op dit plekje grond waar ik door Mans het geluk leerde kennen.'

'Je weet niet wat je zegt...!' Melle blikte haar verdaasd aan. 'Je weet niet wat je weggooit, Geertje...! Hier lijd je armoede, op de hoeve zul je weer van een weelde kunnen genieten die je nog niet vergeten bent, of wel soms!'

'Ik lijd geen armoede, vader... Ik ben zo rijk... zo verschrikkelijk rijk... dat weet u nooit...!' fluisterde ze en andermaal blonken er tranen in haar ogen.

'Je hebt de plicht om aan de toekomst van je jongens te denken!' poogde Melle haar te vermurwen en zijn eigen zin door te voeren. 'Een boerenbedrijf als dat van mij of dit bedoeninkje... dat verschil moet jij toch onder ogen zien...!'

Geertjes stem was zacht toen ze zei: 'Tussen rijkdom en armoede ligt een groot verschil, inderdaad... Ik heb beiden gekend en daardoor wellicht weet ik nu te kiezen. Voor mezelf en mijn kinderen...! Ik kies voor mijn rijkdom omdat ik mijn armoede niet zie, omdat heel simpel, puur geluk bij machte is die uit te vlakken, vader... Ik ben bang dat u dat nooit zal kunnen begrijpen...' besloot ze heel zacht.

Nee, dat kon Melle niet begrijpen en hij deed daar trouwens ook geen poging toe. Hij had andere zorgen aan zijn hoofd, hij zag zijn liefste wens in rook opgaan. Hij greep daarom zijn laatste kans aan. 'Denk je dan helemaal niet aan mij, je vader...? Kom eens naar de hoeve dan kun je met eigen ogen zien hoe ik daar leef! Ik woon en leef enkel in de keuken!'

'Dat doen wij ook, dat is geen schande...' onderbrak ze hem en vroeg zich tegelijkertijd af of ze niet te hard was...?

Melle deed alsof hij haar niet verstond en ging door: 'Jij weet hoe groot de keuken bij ons is en hoe ongezellig...! Het is een meidenonderkomen waar ik moet leven omdat ik geen meid kan krijgen! Bedenk eens hoe erg dit leven voor mij is en bedenk ook dat ik praktisch geen warm eten krijg om de doodeenvoudige reden dat ik het niet klaar kan maken...'

Geertje luisterde stil toe, maar toen ze bedacht hoe Mans jarenlang voor zichzelf had moeten zorgen, toen hij op aardappels en mosterdsaus leefde en door iedereen met de nek werd aangekeken, kon ze met haar vader geen medelijden hebben. Ze proefde opeens ook zo duidelijk zijn zelfmedelijden en vroeg zich stil af of vader misschien enkel daarom naar hier was gekomen...? Melle Postema, dacht ze, een reus in zijn eigen ogen, had niet veel geleerd. Hij stapte met zijn zevenmijlslaarzen op en over elkeen heen om zijn eigen hachje te redden...

Reuzen bestaan niet, vader, dacht ze verdrietig en zei: 'Ik vind het allemaal heel naar voor u maar... ik blijf bij mijn standpunt... Ik blijf hier!'

Zo zelfverzekerd, eigengereid-koppig kwam dat er uit, dat Melle knikte en zei:, ,Dan ga ik maar... dan heb ik hier verder niks te zoeken...' Hij stond op en Geertje liep achter hem aan naar het achterhuis. 'Het beste vader... en zorg toch maar wat beter voor u zelf...' Ze liet met deze woorden blijken toch wel wat zorg om hem te hebben.

Melle knikte somber en toen blikten ze tegelijk naar de zoldering. Daar keken ze in een paar jongenssnuiten die door het luik van de ladder naar beneden loerden. Ze lagen languit op de zolder, hun gezichten boven het luik. Het was Maarten geweest die zich niet muisstil had weten te houden en er een fikse uitbrander van moeke voor overhad, omdat die ene vraag op zijn tong brandde. Ze hadden nog geen minuut geslapen en hadden bij het luik de wacht gehouden en geluisterd of ze iets van het gesprek in het keukentje op konden vangen. Dat was mislukt, maar toen grootvader eindelijk voor moeke aan in het achterhuis verscheen, had Maarten heel zacht: 'Psst...!' geroepen. Hij had gehoopt dat moeke het niet zou horen, maar die hoop bleek ijdel want tegelijk met grootvader blikte zij omhoog. 'Wat is dat nou, slapen jullie nog niet...! En lig je me daar nou met je schone nachtgoed op die stoffige zolder! Als je niet gauw maakt dat je erin ligt, zal ik boven komen en dan is het niet best...!' Ze hief dreigend een hand op.

Kleine Reinders hoofdje was spoorslags verdwenen, maar Maarten, een kind van zijn moeke en daardoor wellicht even eigengereid en koppig vasthoudend als zij, fluisterde: 'Ik moet grootvader iets vragen...'

'Jij hoeft niks, jij moet doen wat ik zeg!' Ze blikte boos naar de luikopening.

Maar Maarten liet deze kans niet voorbijgaan, hij blikte Melle Postema aan en vroeg rap: 'Mag ik een keertje bij u komen op de boerderij...?'

Melle knikte: 'Dat mag gerust, jongen...'

Geertje wilde wat zeggen maar opeens was daar Fokko's stem. Fokko was geruisloos achter moeke aan naar het achterhuis geslopen toen hij hoorde dat zijn broers wakker waren en met moeke en grootvader praatten. Hij had Maartens vraag gehoord en grootvaders antwoord. Hij kon er niks aan doen dat hij opeens de leiding nam en Maarten toebeet: 'Nee, dat mag je niet, Maarten Maring...! Wij hebben daar niks te zoeken, wij horen hier... bij moeke...'

Fokko blikte daarna zijn grootvader aan. Té triomfantelijk, te koel en te veelzeggend. Melle werd verlegen onder die blik maar dadelijk daarop vertoornd. In die boosheid beet hij Geertje toe: 'Zo'n snot jong...! En dat laat jij toe, dat die alles maar tegen zijn grootvader mag zeggen...! Dat die voor jou beslissingen neemt...? Als dat opvoeden is!' Geertjes lach was mild toen ze zacht zei: 'Ga nu maar, vader.' Laat de jongens maar aan mij over, ik kan ze aan! Ik weet dat Fokko het goed bedoelt... hij komt voor mij op zoals Mans altijd voor mij in de bres sprong... Ik kan Fokko daarvoor onmogelijk straffen, maar jullie...' zei ze met een blik naar het zolderluik, 'jullie spreek ik straks nog!'

Melle Postema vertrok, nageoogd door zijn dochter. Toen hij de bok beklom en ze andermaal zag hoe oud en eenzaam hij was, voelde ze medelijden in zich opborrelen en riep hem na: 'U zou eens een advertentie moeten plaatsen in Het Nieuwsblad van het Noorden, vader... Die krant komt veel verder dan het bokkeblad, die komt zelfs buiten Groningen!'

Melle knikte en toen hij die avond weer op zijn hoeve was en de stilte daar als een wurgende greep om hem heen lag, liep hij naar zijn herenkamer en zette zich daar achter zijn bureau. Melle maakte een advertentie op waarin hij een meid vroeg. Voor dag en nacht en of dat vrouwmens oud of jong was, het maakte hem niks meer uit. Hij verlangde naar een verschoond bed, naar een behoorlijke warme maaltijd. 'Deed ik daar verkeerd aan, moeke...?' vroeg Fokko ietwat timide toen Melle vertrokken was.

Geertje blikte hem aan, diep en ernstig. 'Dat weet een mens nooit, mijn jongen, nooit van tevoren... Dat geldt bij alles in het leven... Als het te laat is, weet je pas of het goed of fout was.'

'U verafschuwt die hoeve, dan mag Maarten daar niet heen-gaan. Dat zou alleen maar tweespalt zaaien...' vond Fokko en Geertje zei zacht: 'Ik praat wel met Maarten... ik leg het hem wel uit...' Of de jongen me zal begrijpen en ik er goed aan doe om hem te verbieden naar zijn grootvader te gaan zal de tijd moeten uitwijzen, dacht ze stil. Een mens kan nu eenmaal niet in de toe-komst kijken, kan enkel doen wat het hart ingeeft.

HOOFDSTUK 13

'Tuut... tuut... tuut...?' Werktuigelijk, zonder de kippen, die van alle kanten uit hoeken en gaten op haar geroep toe kwamen stuiven op te merken, strooide Geertje het kippevoer om zich heen. Net als elke morgen, maar haar gedachten waren elders.

Er waren zoveel dingen die haar bezighielden. Over Maarten peinsde ze veel en vaak. Veertien dagen geleden was het alweer dat vader zo plotseling naar hen toekwam. De andere dag, toen ze Maarten even voor zich alleen wist, had ze met de jongen gesproken. 'Fokko had gelijk, Maarten... Jij moet daar maar liever niet heengaan. Wij horen bij elkaar, hier op de ruimte. De hoeve, mocht jou die trekken, moet je toch maar uit je hoofd zetten. Dat is het beste voor ons allemaal...'

De jongen had naar haar opgezien met een ernstig gezicht en dan gezegd: 'Het is niet de hoeve op de eerste plaats die me trekt, moeke... Ik vind grootvader zo zielig...! Het is heel zielig hoor, een mens die zo alleen is...'

Wat kon zij daarop zeggen...? Maarten had zijn gevoelig hart laten spreken en had deernis gevoeld met een méns alleen. Of dat nou toevallig zijn grootvader was of een willekeurige vreemdeling, dat deed er bij Maarten niet toe. De jongen leek in die dingen zo op Mans... Al haar jongens leken op Mans... Was zij dan zo hard geworden, vroeg ze zich vertwijfeld af want als zij had gedaan wat haar hart haar ingaf, zou ze de jongen botweg hebben verboden naar haar vader te gaan. Ze had dat niet gedaan. Niet omdat haar medelijden met vader zo vreselijk groot was maar omdat ze een jongenszieltje niet durfde kwetsen. Ze had enkel gezegd: 'Grootvader is niet zo zielig als hij laat voorkomen, Maarten... Hij hoort op zijn hoeve, maar jij... hier!'

'Ja... moeke...' Ze wist dat hij gaan zou.

Zo baarde Maarten haar zorgen waartegen ze niet durfde vechten. Fokko en Reinder, daar had ze niks mee te doen, maar kleine Manske daarentegen was zo huilerig de laatste dagen. Daar werd ze met al haar gepieker zenuwachtig van. Het ventje zou wel te warm liggen, veronderstelde ze. Overdag liet ze de bedsteedeuren wijd openstaan maar desondanks bleef het daar binnen benauwd en bedompt. Wat kon ze daartegen doen? Niks anders dan af en toe met een vochtige waslap over het kleine gezichtje gaan. Dat koelde wat af, een andere oplossing was er niet. Ze durfde het schaap niet buiten in de zon te leggen, stel dat het ziek werd, had ze dat er ook nog bij...!

Eén zieke in de familiekring is al meer dan voldoende, verzuchtte ze somber toen ze het kippenvoer gestrooid had en op de schuur toeliep. Daar boog ze zich over een hok waarin Knuffel stond. Knuffel in een hok, dat moest Mans eens weten! 'Hoe is het nou met je...' Ze streek het dier over het hoofd. 'Niet best, hè... ik zie het wel, hoor...' Ze deed een poging om het dier te laten drinken maar het weigerde net als gisteren en eergisteren. Dat kon toch niet doorgaan; het moest drinken, anders droogde het uit.'

Joris, de andere pony, die net als altijd vrij om het huis scharrelde, kwam op haar stemgeluid toegelopen en duwde met zijn hoofd tegen haar rug. Geertje keek om, streelde het dier werktuigelijk en fluisterde binnensmonds: 'Was jij het maar, Joris... Jij bent zo veel ouder en Knuffel...'

Knuffel had zo'n heel apart plekje in haar hart. Ze had het beestje als veulen gekregen van Mans op de dag vóór haar achttiende verjaardag. 'Zal ik je mijn cadeautje nu vast maar geven?' had Mans gezegd, 'want morgen zul je wel niet bij me komen. Dan komt er ter ere van je verjaardag vast bezoek!'

Er wás bezoek gekomen, op de avond van haar verjaardag... Vader had Nanko Bultema uitgenodigd met het doel om haar aan hem uit te huwelijken... Toen ze dat in de gaten kreeg was ze misselijk geworden en vreselijk bang. Ze was naar Mans gevlucht en hij had een middel gevonden waarmee ze zich tegen vader kon wapenen...

Dat vader zo ver kon gaan toen... Nanko had geen kwaad hart maar hij was ontegenzeglijk een halve gare, een zeer simpele ziel en daarmee zou zij voort moeten...? Vader had destijds met haar weinig medelijden getoond: verwachtte hij dan nu van haar dat wel te hebben ten opzichte van hem...? Maarten toonde medelijden en daar, vond ze, moest vader dan maar blij mee zijn...

Ze vond zichzelf hard, maar was dat niet toen ze zich andermaal over Knuffel boog. 'Arm dier... kon ik je maar helpen... Drink dan toch of eet wat... Kijk nou eens wat ik voor je heb...' Ze hield hem een pluk hooi voor maar Knuffel wendde het hoofd af.

Ze voerde de kalveren, mestte een paar hokken en terwijl ze een kruiwagen mest op de 'bult' leegkiepte, bedacht ze: Ik moet de veearts halen... Als een van de kinderen ziek werd riep ze de hulp in van de dokter. Knuffel had evenveel rechten, ze hield van hem als van de jongens. Ze had hem van Mans gekregen...

Jawel... maar het was toch anders: Knuffel was geen mens maar een dier... Als de katten jongden draaide zij haar hand er niet voor om, dan deed ze de jonge katten in een zak die ze in een emmer lauw water liet zakken en op de emmer legde ze een plank, waarop ze ging zitten wachten. Een kwartiertje, dan was het gebeurd. Dat was niet hard, dat was de natuur een beetje helpen. Deed ze dat niet, dan zouden ze gewoon omkomen in de katten. Het aantal moest op peil worden gehouden en daar die stomme dieren dat zelf niet konden, hadden ze haar hulp zo af en toe nodig.

Maar Knuffel was geen kat... en keek zo hulpeloos vragend als zij bij het hok kwam. Help me toch... Jawel, maar de veearts kwam niet voor niets...! Opeens dacht ze aan de koperen tabaksdoos... Daar zat honderd gulden in... veel geld dat ze op velerlei manieren wel duizend keer wist uit te geven.

Toen Maarten en Reinder die middag weer richting dorp liepen waar de plicht van het schoolgaan hen riep, gingen ze eerst bij de veearts aan. 'Moeke vraagt of u wil komen, Knuffel is ziek...' Ter verduidelijking: Nee, Knuffel was geen poes of een konijn, Knuffel was Knuffel, een dwergje onder de pony's.

Toen de jongens om halfvier uit school weer naar huis kwamen, vonden ze moeke in tranen en Knuffel... dood.

Knuffel was al niet meer bij hen... ze lag nu met uitgestrekte benen, verkrampt in de... kadaverbak... Arme Knuffel, wat gemeen... waarom moest dat nou...? Het hielp niks dat moeke troostte: 'Knuffel voelt daar niks van... huil nou maar niet meer... Knuffel was ziek, ze had een koliek... De veearts heeft pijnloos een eind aan haar leven gemaakt... Stil nu maar...'

Stil nu maar...? Moeke huilde zelf nog veel harder...! Knuffel hoorde zo helemaal bij hen, hoor maar, dat zei moeke zelf ook: 'Arme Knuffeltje... wat zullen we je missen... Je hoorde er zo helemaal bij...' Ter wille van de kinderen hield Geertje zich al gauw in, maar het verdriet om Knuffels heengaan zat bij haar heel diep. Ze had het dier van Mans gekregen en de tijd van toen keerde in haar gedachten terug. Die tijd, waarin haar vader naar haar gevoel zo'n grote rol had gespeeld... Haar medelijden met hem, als dat boven dreigde te komen, duwde ze moedwillig naar de achtergrond...

Melle Postema, alleen op zijn hoeve als het werk er op zat en zijn arbeiders huiswaarts keerden, vond anders dat hij best wat medelijden kon gebruiken! Hij foeterde in zichzelf dat geen mens zich om hem bekommerde en geen sterveling zich iets van hem aantrok. Veertien dagen geleden was het alweer dat hij op aanraden van Geertje een advertentie had geplaatst. Weggegooid en duur geld want niemand had gereageerd...! Was er dan op de wereld geen vrouwmens te vinden dat bereid was bij hem te komen dienen? Waar had hij dat aan te danken, was hij dan zo slecht, een barbaar...?

Voor de zoveelste keer probeerde Melle die zondagmiddag voor zichzelf wat aardappels te koken. Wat kon hij er meer aan doen dan die krengen schillen, ze in een pan doen, er een paar handen zout op strooien en ze onder het water op het petroleumstel zetten...? Melle liet ze een dik uur koken, ze brandden niet aan, daar zorgde de grote hoeveelheid water wel voor, maar toen hij op den duur het deksel van de pan lichtte vond hij daarin geen mooie, bloemige aardappels waar hij zo dol op was, maar een pan vol drab. Melle had zonder dat te willen soep van zijn aardappels gekookt en foeterde het vooreind vol. Té zoute aardappelsoep, Melle voerde het de zwijnen en nam zelf maar weer een paar sneden brood die hij dik belegde met kaas en wegspoelde met koffie, een brouwsel dat hij naar eigen dunken nog aardig goed kon zetten. Melle Post erna leed die zondag weer eens aan zelfbeklag. Wat voor leven had hij nou...? Op zondag eenzaam en alleen zonder aanspraak van wie dan ook. Hij kon toch niet almaar over zijn velden baggeren en kijken of de gewassen er goed voorstonden? Die stonden er goed voor, die zorg liet hij niet aan anderen over! Hij mocht dan eenzaam zijn, boer was en bleef hij!

Hij durfde ook niet naar Geertje gaan alhoewel hem dat wel trok... Ze had hem binnengelaten een veertien dagen geleden, maar of er over haar gastvrijheid nu naar huis kon worden geschreven...? Eén van haar jongens had gevraagd of hij eens mocht komen... Die vraag had hem verbaasd, maar hij had gezegd dat dat best mocht. Die oudste van haar echter, die speelde daar zo'n beetje de baas, die had gezegd dat hij bij moeke hoorde!

Moeke... haar kinderen noemden haar moeke! Wat had hem dat vreemd in de oren geklonken! Moeke, dat zeiden de arbeiderskinderen, al wat een beetje meer was had het over moeder!

Wietske was moeder geweest... Geertjes moeder... Wat leek dat lang geleden allemaal! Geertje geboren, jammer dat het geen jongen was. Geertje naar school, allesbehalve een uitblinker! Geertje ging met schoolkameraadjes om die niet bij haar hoorden en die door Wietske van de hoeve geweerd werden. Geertje die op een onheilsdag thuiskwam en zei dat ze... een kind moest krijgen... Hoe oud was het wicht toen...? Ze moest in elk geval nog zestien worden. Ze was zeventien toen ze weerom naar de hoeve kwam... Toen was alles achter de rug, maar de vrede was hier ver te zoeken! Het wicht zat boordevol verwijt en er ging geen uur van de dag voorbij of ze liet dat merken. Ze wilde maar niet begrijpen dat hij, haar vader, het beste met haar voorhad. Dat begreep ze trouwens nog niet, want ze had gezegd dat ze nog altijd niet álles kon vergeten...

Ze had nu vier jongens, moest ze dan nog aldoor aan dat ene kind denken...? Dat begreep hij niet, vond hij kleinzielig. Ja, achteraf had het zo niet allemaal gehoeven, voor hem ook niet! Als hij geweten had dat ze met Mans Maring zou trouwen had ze voor zijn part dat andere kind er wel bij mogen houden. Maar dergelijke dingen wist je toch niet? Toen had hij nog de hoop gehad dat ze zou trouwen zoals dat behoorde: met een boerenzoon! En dat kon alleen als ze een poosje wegging en terugkeerde zonder een bungel aan het been. Hij had naar beste weten gehandeld, dat kon geen mens ontkennen! Hij had zo zijn best voor haar gedaan: Hij had Evert de Groot naar de hoeve gehaald. Een goede partij, al zou hij Evert niet gekozen hebben als er niks met Geertje was voorgevallen. Evert kwam en ging, want het wicht had haar mond niet kunnen houden! Evert was inmiddels allang getrouwd met Anske Wieringa en had, naar Melles beste weten, twee kinderen. Een zoon en een dochter. Mooier kon het niet. Als Evert zag en hoorde hoe Geertje er tegenwoordig voorstond en hoe ze erbij liep en welke levenswijze ze zich door Mans had laten aanmeten, zou Evert de Groot zijn handen dichtknijpen uit pure dankbaarheid dat hij niet aan Geertje Postema vast was blijven plakken!

Melle dacht ook heel even aan Nanko Bultema, maar moest toegeven dat hij toen iets te ver wilde gaan. Hij vergoelijkte deze daad van zichzelf door te bedenken dat een kat in het nauw nu eenmaal rare sprongen weet te maken. Nanko leefde zijn leven ook in alle eenzaamheid op de polder maar hij was daaraan gewend, was wat simpel en wist niet beter. Maar hij, Melle, wist dat wel! Hij wist deksels goed hoe het was als er een vrouw in het vooreind rondscharrelde die al de zorgen die nu op hem neerkwamen, op wist te rapen. Op een dag als vandaag bijvoorbeeld, bepeinsde hij somber gestemd, zouden Wietske en hij samen na het eten langs de velden kuieren. Elke zondag na het eten hadden ze dat gedaan. Daarna zette Wietske thee. Ze spraken weinig maar ze waren voor elkaar. Het was goed en vredig tot Geertje op zo'n heel jonge leeftijd roet in het eten gooide... Wat had hij dat wicht in gedachten vaak... jawel: vervloekt...! En nu verlangde hij soms zo naar haar. Zou dat komen doordat hij eenzaam was en aanspraak nodig had...? Het leek hem opeens zo mooi toe als zij hier in het vooreind de boel zou regelen en haar jongens met hem naar achteren gingen. Vooral die ene jongen hij wist zijn naam niet eens! – die vroeg of hij op de hoeve mocht komen.

In het begin had hij stiekem naar die jongen uitgekeken, maar hij kwam niet. Het zou hem wel verboden zijn door Geertje en door zijn oudste broer, die de baas speelde!

Melle Postema schrok op uit zijn diep gepeins doordat de bel van de voordeur door het vooreind galmde en tot in de keuken, waar hij verbleef, doordrong. Met een gemompeld: 'Wie mag dat wel wezen... en dat nog wel aan de voordeur!' stond hij op en liep door de lange brede gang naar de voordeur.

Toen Melle de zware deur opende blikte hij verbaasd in het gezicht van een jonge vrouw. Voor hij iets kon zeggen, stelde zij haar vraag: 'Ben ik hier bij boer Melle Postema...?'

Melle knikte stug, hij had een hekel aan schooiers bij de deur, zeker op zondag: 'Ik ben Melle Postema, ja!'

Het meisje, want meer was ze in Melles ogen niet, monsterde hem van top tot teen en Melle realiseerde zich ogenblikkelijk: De advertentie...! Toch nog iemand die reageerde! 'Kom je op de advertentie af...? Dat is dan wel wat laat, dunkt mij?'

'De advertentie...?' echode het meisje en toen Melle verduidelijkte: 'Ik ben Melle Postema die in de krant een inwonende meid vroeg! Je bent hier dus goed,' wist ze het blijkbaar weer. Ze lachte tenminste en zei: 'Ja, ja... ik kom op de advertentie af...'

'Kom dan maar binnen.' Hij opende de deur verder en liep dan voor haar uit de gang door. Niet naar de keuken nu, maar naar de huiskamer. 'Ga zitten!' Hij wees haar een stoel en toen ze daar op ging zitten, vroeg ze: 'Hoelang is het ook alweer geleden dat u die advertentie plaatste...?'

Melles verwondering over die vraag lag in zijn stem besloten toen hij zei: 'Veertien dagen maar... Die krant heb je toch gelezen, anders was je nu niet hier! Is je vraag niet wat dom...?'

Ze bloosde licht onder zijn priemende, onderzoekende ogen maar verklaarde dan: 'Ik kreeg die bewuste krant eh... gisteren pas in handen van kennissen! Zodoende ben ik wat laat, maar ik hoop dat u nog niet voorzien bent, meneer!'

'Nee, ik ben nog niet voorzien maar ik ben ook geen meneer, onthou dat goed! Ik ben boer, geen meneer en ik heet Postema! En wat is jouw naam?'

Het ging allemaal wat stroef maar ze overviel Melle ook enigszins. Bovendien moest hij aan haar wennen. Ze was geen onknap ding en ze had halflang, blond haar en grote groene ogen. Ze was naar Melles mening wat vrijpostig en ze sprak hooghollands! Daar moest hij aan wennen, dat waren ze hier niet gewend! Melle realiseerde zich opeens dat Geertje gelijk had toen ze zei dat het Nieuwsblad tot buiten Groningen kwam. Het levend bewijs daarvan zat hier voor hem!

'Ik heet Eveline Bouwman en ik kom uit Den Haag,' zong ze bijna, zo leek het.

'Den Haag, dat is hier een knap eind vandaan...' Hij monsterde haar. 'Hoe oud ben je eigenlijk?'

'Bijna zeventien...' Alsof ze bang was dat ze te jong zou worden gevonden en dit baantje haar neus voorbij zou gaan, zo rap voegde ze eraan toe: 'Maar wat zegt leeftijd...? Ik kan u verzekeren dat ik van aanpakken weet, men... eh... Postema!'

'We hebben hier wel meiden gehad die jonger waren dan jij en zo van de schoolbanken kwamen, maar wel hun armen uit de mouwen wisten te steken! Daar gaat het om, alhoewel... ik bedenk opeens dat het hier toen wat anders was dan nu. Toen leefde mijn vrouw nog en waren er meer meiden die ouder waren en zo'n jong ding wat onderwezen. Mijn vrouw is er niet meer en oudere meiden ook niet. Je zult alles alleen moeten doen. Kan je dat...?'

Ze keek om zich heen, Eveline Bouwman, ze zag de hoge balken zoldering, het grote vierkante vertrek met de vele hoge ramen. Ze had bij haar binnenkomst de brede marmeren gang gezien die vele deuren telde waarachter zij soortgelijke vertrekken vermoedde. Ze zei eerlijk: 'Dit huis lijkt me enorm groot, maar als ik iedere dag wat doe, als u niet te veeleisend bent en ik mijn uiterste best doe... moet het volgens mij wel gaan...?'

Melle knikte en schoot een onverwachte vraag op haar af: 'Wat zoek jij in Groningen, in het hoge noorden? Waarom blijf je niet liever in Den Haag!'

'Omdat ik daar... weg wil... door nare voorvallen heb ik geen prettige herinneringen aan Den Haag...'

Kon zo'n jong ding al nare voorvallen hebben meegemaakt, vroeg Melle zich af en vergat daarbij aan zijn eigen dochter te denken toen die deze leeftijd had. Hij meende dat het nare waarover ze sprak, wel bij haar leeftijd zou horen en lachte: 'Ik snap het al; een verbroken liefde! Nou, daar ben je hier gauw overheen want aan dat soort flauwekul tillen wij het niet zo zwaar!'

'Het gaat niet om een verbroken liefde. Mijn moeder is... een paar weken geleden... gestorven...'

'O... dat is wat anders, maar dat kon ik niet weten.' Melle blikte haar verontschuldigend aan. 'En je vader, leeft die ook niet meer?' Toen het meisje haar hoofd schudde zei Melle en zijn stem klonk haast vaderlijk: 'Het lijkt me het beste als je me eerst maar eens wat over jezelf vertelt. Dan weet ik het een en ander en kan ik geen domme vragen meer stellen!'

Eveline Bouwman verschoot op haar stoel en ze leek een beetje nerveus toen ze vertelde: 'Mijn vader was antiquair, we hadden in het hartje van Den Haag een grote winkel waarboven het woonhuis was gelegen. We waren rijk en dat zouden we nog zijn geweest, als vader tevreden was geweest met hetgeen we hadden.

Vader was een goed zakenman. Hij speurde de hele wereld af en reisde ontzaglijk veel en ver en kwam met het mooiste en duurste antiek weer naar huis. De zaak bloeide en vaders banksaldo groeide. Maar hij was te goed van vertrouwen, kreeg verkeerde vrienden waarmee hij, ook in het zakenleven, in zee ging. Vader had ook een te klein hart, want mensen, soms zijn eigen personeel, die iets voor hem deden of hem prezen omdat hij zo'n fijn mens was of zo, kregen zonder blikken of blozen een Friese staande of een stuk ander kostbaar antiek. Vader zag door de bomen het bos niet meer, wilde steeds meer, steeds groter en machtiger worden. In heel Den Haag was de naam Klaas Bouwman, antiquair, een begrip en dat streelde vaders trots. Hij ging naast zijn schoenen lopen, had de touwtjes niet strak genoeg meer in handen... Hij was steeds vaker van huis, vertoefde soms maanden in het buitenland waar hij trots was op zijn vele vrienden. Te laat besefte hij dat dat geen vrienden waren maar vliegen die om de zoete strooppot vlogen tot die leeg was. Toen zwermden ze weer alle kanten uit, vader achterlatend. Opgelicht van alle kanten, werd hij failliet verklaard...'

'Dat is niet best...' onderbrak Melle haar en dacht aan zijn bedrijf. Stel je voor...!

'Nee, dat was zeker niet best...' Eveline schudde het hoofd. 'Alles werd onder onze handen verkocht... de zaak, het huis, al het antiek waar moeder zo aan was gehecht... alles! We kwamen in de binnenstad op een bovenhuis terecht. Een klein ongerieflijk huurhuis... We moesten ons alles ontzeggen en dat was niet gemakkelijk als u bedenkt dat vader rijk was geweest...! Vader heeft zich dat enorm aangetrokken, kon geen vrede vinden met dit nieuwe bestaan waaraan elke franje ontbrak. Hij overleed een paar maanden later aan een hartaanval...'

'Jullie, je moeder en jij, bleven daar wonen?' hielp Melle haar weer op dreef toen ze in stilzwijgen dreigde te vervallen. Ze knikte: 'Vader overleed plotseling, moeder kwijnde langzaam weg... Zij kon deze tegenslag evenmin verwerken, jarenlang was zij mevrouw Bouwman geweest, had in heel Den Haag een zeker aanzien. Nu zat ze in een huurhuis, op een sombere bovenwoning en moest ze bovendien... werken... Moeder naaide kleding voor die mensen, die vroeger in de zaak kwamen en bij haar antiek kochten... Ze heeft het daar verschrikkelijk moeilijk mee gehad, ze kon dat leven niet aan. Ze leed er ook onder dat ik voor dienstmeisje speelde, ze had me zo graag een zorgenvrije jeugd willen geven.'

'Je bent dienstmeid geweest, je kent het werk dus!' viel Melle haar andermaal in de rede en liet blijken dit toch wel heel belangrijk te vinden. 'Ja en dat heb ik nooit erg of een schande gevonden. Huishoudelijk werk lag me wel en als de week om was, kon ik moeder weer blij maken met mijn loon. Het werd pas moeilijk toen moeder echt zick werd en bedlegerig. Toen verviel haar inkomen en stond ik er alleen voor. Overdag was ik in mijn dienst en lag moeder alleen te piekeren vanzelf en 's avonds had ik nog niet veel tijd voor haar, want dan moest ik koken, strijken en al die dingen thuis doen waar ik overdag niet aan toekwam. Dat duurde ruim anderhalf jaar... toen stierf moeder ook... Haar leven ging als een nachtkaarsje uit...'

'Een mens kan heel wat meemaken...' vond Melle. Wat moest hij anders zeggen tegen dit jonge ding dat hem vreemd was?

'Ja... heel wat...' zei Eveline, maar ze lachte toen ze eraan toevoegde: 'En nu ben ik hier verzeild geraakt en ik weet nog niet of ik aangenomen ben...?'

Melle aarzelde lang. Wat moest hij nu? Ze was zo jong en zo vreemd en bovendien lag haar taal hem niet. Als hij plat Gronings sprak, verstond ze hem niet. Hij had al een paar maal iets in het Gronings gezegd omdat zijn tong daar nu eenmaal naar stond, maar dan vroeg ze dadelijk: 'Wat zegt u...?'

Toen hij besefte dat hij geen keus kon maken omdat er anders geen sterveling op de advertentie af was gekomen, zei hij: 'Ik wil niet dadelijk zeggen dat ik je niet aanneem maar ik heb wel een paar voorwaarden!'

'Die zijn...?' zong ze.

'Dat ik hier in mijn eigen huis plat praat of jij dat nu verstaat of niet!'

'Daar ga ik mee akkoord,' lachte ze bevrijd. 'Ik heb een talenknobbel, als ik mijn best daartoe doe, praat ik over een poosje net als u!'

'Dat zal wel!' kwam het stuurs. Melle dacht aan Geertje, die op die leeftijd ook gevoel voor talen had. In Engels was ze goed geweest maar wat was daarvan terechtgekomen...?

'Ik verwacht dat het eten stipt om twaalf uur op tafel staat en dat de aardappels bloemig in de schaal liggen!' gaf hij blijk van zijn honger naar een verzorgde maaltijd.

Ze knikte: 'Koken is beslist niet mijn zwakste zijde...!'

'Ik wil geen lif-Iafjes, zoals jullie dat in de grote steden gewend zijn. Ik wil een eerlijke, degelijke pot!'

Eveline knikte op alles ijverig ja en amen. Als Melle gewild had dat ze elke dag een uur lang op haar kop ging staan zou ze ook gezegd hebben: dat doe ik! Ze moest en zou déze baan op déze hoeve.

Melle noemde als laatste het loon dat hij wilde geven en zei dat ze eens per maand een zondag vrij had. Die dag kon ze doen en laten wat ze wilde, als ze er van tevoren maar voor zorgde dat hij niet zonder eten zat!

Ze lachte wat raadselachtig toen ze zei: 'Ik heb niet zo'n belang bij een vrije dag, Postema... Ik zou niet weten wat ik er mee moest doen!'

'Naar Den Haag gaan, naar je familie vanzelf!' Melle vond dit nogal voor de hand liggend, maar ze schudde het hoofd en zei zacht: 'Ik heb geen familie.' in Den Haag... Ik sta alleen.'

'Nou, dan kunnen we elkaar een hand geven!'

Toen stelde Eveline de vraag die al zo lang op haar tong brandde: 'Uw vrouw is overleden... heeft u kinderen...?'

Melle zweeg een tijdje om dan bot te zeggen: 'Ik heb een dochter en die heeft een hok vol kinderen... maar daar kom ik niet meer...'

'Woont ze hier in de buurt, uw dochter... eh... hoe heet ze...?'

'Geertje, ja die woont hier niet zo ver vandaan. Als je een drie kwartier stevig doorloopt, kom je een heel eind in de richting.'

'Geertje...' mompelde Eveline en ze had niet in de gaten dat Melle haar ietwat verwonderd bezag.

'Wanneer kun je komen?'

Eveline schrok op uit haar gedachten en antwoordde rap: 'Zo gauw u dat van mij verlangt! Ik moet vanzelf nog terug om mijn kleren te halen en wat spullen van thuis die ik door een bode kan laten brengen! Zal ik dan morgen komen...'

'Je doet maar,' zei Melle terwijl hij opstond. 'Dan zal ik je er nu even uitlaten!'

Hij bracht haar tot de voordeur, waar hij zei: 'Eveline, dat vind ik een naam van niks! Zo'n mond vol, daar struikel ik over!'

'Zeg maar Eefje...' zei ze zacht, 'zo noemde moeder mij ook!'

'Dag... eh... Eefje, en goede reis!'

Melle sloot de zware deur voor haar neus en beende terug naar de kamer. Hij dacht er geen moment bij na dat Eefje lopend naar het dorp moest en dat ze wellicht een uur zou moeten wachten eer de volgende trein kwam. Melle bedacht niet dat het voor hem een kleine moeite was geweest als hij haar even met de koets had gebracht. Melle zette voor zichzelf een kop thee en vergat ook te bedenken dat hij Eefje wel een kopje aan had kunnen bieden. Hij genoot van zijn kop thee en prees zich gelukkig dat hij na lange tijd weer een meid had. Eefje Bouwman en ze kwam uit Den Haag. Als ze nu ook nog een beetje werk kon verzetten en een aardig potje kon koken, zag zijn leven er weer wat zonniger uit!

HOOFDSTUK 14

De grote vakantie was aangebroken en dat betekende voor Maarten Maring een definitief afscheid van de lagere school. Hij was twaalf geworden en dus groot; hij moest aan het werk!

'Blijf eerst nog maar een paar weken thuis,' bedisselde Geertje. 'Je hebt een korte vakantie verdiend en bovendien heb ik je hier hard nodig! Als jij voor de kalveren zorgt, kan ik het huis eens een grondige beurt geven!'

Dat was geen overbodige luxe want gisteren was de rietdekker gereedgekomen! Geertje was zo trots als een pauw, nu het nieuwe rieten dak op het huis lag te pronken! Ze had hier lang over in tweestrijd gestaan maar uiteindelijk de knoop doorgehakt. Met het geld dat ze destijds voor de stier had gebeurd, had ze de rietdekker kunnen betalen. Een spiksplinternieuw dak, maar ze had het gevoel als lag al het stof uit het oude dak in het huis zelf! Ze kon dat niet laten liggen en daarna wilde ze de raamkozijnen eigenhandig een kwast verf geven. Bij het nieuwe dak staken de verveloze kozijnen nu zo schril af! Of ze aan de voordeur toekwam wist ze nog niet. Eerst het nodigste maar, dan aan het rekenen en als het geld het toeliet ging ze weer een stapje verder. Op den duur zou Geertje Postema's bedoeninkje er weer als nieuw uitzien! De jongens zouden later niet kunnen zeggen dat moeke het geld over de balk had gesmeten! Ze wist dat ze zuinig was, bij het gierige af, maar daardoor kon ze toch maar mooi het een en ander doen! Ze was eerst van plan geweest om van het geld van de stier een nieuwe mantel voor zichzelf te kopen, maar dat deed ze toch maar niet. Ze keerde de mantel wel, het geld dat ze daarmee uitspaarde kon weer in het potje!

'Reinder hoeft zeker weer niks te doen, hè...?' mokte Maarten een beetje. Hij had heel andere plannen gehad om zijn vakantie te besteden. Hij had naar grootvader gewild... Daar was hij nog niet geweest en hij had het min of meer beloofd. Grootvader was boer en hij, Maarten, zocht een boer! Dat had hij allemaal voor elkaar willen maken zonder dat moeke daar iets van wist. Stel dat ze het niet wilde, dat hij bij grootvader knecht werd... Als hij aangenomen was kon moeke er niet veel meer aan verhelpen... Ze gooide mooi roet in het eten, nu ze opeens de schoonmaakwoede kreeg. Wat gaf dat nou, dat er hier en daar een laagje stof lag.

'Ik heb net zo goed vakantie als Reinder, hij kan best al wat doen, hoor... Ik moest Fokko ook helpen toen ik negen jaar was...' probeerde hij hulp te krijgen om er zodoende zelf eens uit te kunnen knijpen.

Geertje was het met hem eens. Ze realiseerde zich dat ze Reinder ook wat te veel ontzag en knikte Maarten geruststellend toe toen ze zei: 'Dat is ook zo, Reinder kan jou met verschillende dingen wel helpen. Ik zal hem bij je sturen, maar laat hem niet het zwaarste werk doen, hè!'

'Ik wou vandaag zo graag vissen...'

'Ach jongen, je moest eens weten wat ik allemaal graag wilde...' verzuchtte ze. 'Reinder kan toch niet mesten, hoe moet dat dan weer?'

Toen ze zijn sneue gezicht zag kreeg ze medelijden. De jongen was altijd zo gewillig, deed zo veel voor haar. Hij had vakantie en had zich op een beetje extra vrijheid verheugd. 'Ga dan maar, dan stellen we het mesten een dagje uit!'

Ze zag zijn gezicht opfleuren toen hij haar tegenlachte: 'Dat vind ik lief van moeke!'

'Waar ga je vissen?' moest ze weten en toen Maarten vertelde dat hij aan een tochtsloot die aan de andere kant van het dorp lag, wilde gaan zitten, wist ze: jij maakt dat je een eind van huis komt, zodat moeke je niet toch gauw even kan roepen voor een of ander karweitje. Ze glimlachte vertederd toen ze hem nakeek. Daar ging hij, haar jongen, en zoals hij daar liep met zijn hengel onder zijn arm en een ietwat voorover gebogen houding, leek hij precies op Mans...

Maarten ging vissen en Geertje droeg Reinder wat kleine karweitjes op en dook daarna het huisje in, waar ze lagen stof en vuil te lijf ging. Arbeid adelt.

Dat vond Melle Postema ook toen hij die morgen, nadat hij eerst achter was geweest en het werk onder de arbeiders had verdeeld, de keuken binnenkwam en zag dat Eefje, zijn nieuwe meid, al druk doende was. Het wicht mocht dan jong zijn en klein en tenger gebouwd, er kwam wel wat uit haar handen! Hoelang was ze hier nou? Een goeie week zeker alweer? Hij raakte nu een beetje aan haar gewend, maar dat was de eerste dagen wel even anders geweest! Toen was een gesprek bijna niet mogelijk geweest, want ze verstond hem niet en hij vertikte het om hollands te gaan praten in zijn eigen hoeve! Dat kon hij trouwens ook niet volhouden, een paar woorden ging nog, al kwamen die er vergeleken met haar krom uit, maar dan verviel hij toch weer in het dialect. Ze wende nu wat aan zijn manier van spreken, al schoot ze nogal eens in de lach!

Gisteravond bijvoorbeeld, toen hij zei dat hij morgen graag eens pannekoeken op tafel wilde zien, had ze gevraagd of er meel in huis was? Hij had gezegd dat er ergens nog wel een 'puitje' in de kelderkast moest staan. Toen zij schaterde om het woord 'puitje' had hij wel geweten dat hij zakje had moeten zeggen. Hij had het Groningse woord puutje in het Hollands willen zeggen en had er puitje van gemaakt. Helemaal verkeerd en het wicht lachte zich slap! Ja, je kon haar om de drommel niet verlegen noemen en dat ze hier niet vandaan kwam en niet wist hoe de boeren op het hogeland het gewend waren en wilden, had ze wel laten blijken die allereerste keer toen hij voor het middagmaal om twaalf uur het vooreind binnenkwam!

'Het eten is klaar en de tafel gedekt, hoor!' had ze gezongen terwijl ze met een schaal dampende aardappelen voor hem uit liep naar de huiskamer. Hij was haar gevolgd en had even vreemd opgekeken toen hij zag dat de huiskamertafel gedekt was voor... jawel: twee personen...! Dat verbaasde hem nogal, maar toen hij zich realiseerde dat alleen ook maar alleen was, was hij aan tafel geschoven. Voor het eerst van zijn leven gebruikte hij zijn maaltijd in het bijzijn van de meid...!

Zij scheen dit heel gewoon te vinden en zou waarschijnlijk vreemd hebben opgezien als hij had verteld dat de meid in de keuken behoorde te eten. Ze babbelde er lustig op los en vroeg om de haverklap of het hem smaakte. Dan knikte hij maar, ze zag toch dat hij smakelijk at! Het verwonderde hem anders wel dat de aardappelen nu niet als soep op tafel kwamen, maar als bloemige bollen zoals het hoorde. Hoe kreeg een vrouwmens dat wel voor mekaar en hij niet... Hij prees haar niet. Ze mocht dan tegenover hem zitten, hij wilde toch niet zo ver gaan dat hij de meid een veer op de hoed stak. Er waren grenzen alhoewel hij die door haar toedoen soms niet zag...! Hij kon zich tenminste nog aardig goed heugen dat Wietske 's morgens zélf twee eieren kookte voor hem en haar zelf, omdat ze bang was dat als ze dit aan de meiden overliet, er méér gekookt werden dan noodzakelijk was! Wietske zei altijd dat je de meiden en knechten niet moest verwennen met 'een lekkere bek' en daar was hij het wel mee eens. Maar Eefje peuzelde 's morgens net zo lekker haar eitje op als hij dat deed! En hij durfde er niks van te zeggen, terwijl de eieren vandaag de dag toch knap prijzig waren...!

En zo waren er meer dingen waarmee zij de grens overschreed en hij niet goed wist of hij er wat van moest zeggen of niet. Als hij dacht aan de vele voorgaande meiden, die zich niets lieten zeggen en doodleuk vertrokken... Maar het klopte niet. Eefje moest weten dat de botervloot met beste boter voor de boer zelf was en het vlootje met margarine voor haar! Maar ook dat wist ze niet en ze smeerde er naar zijn oordeel ook te royaal mee weg!

Eefje Bouwman, ze kon er wat van, want als hij zich niet vergiste smeerde ze op dit moment haar vierde boterham en ze lachte hem daarbij open tegen: 'Het smaakt me zo lekker! Ik had honger. Ik ben heel vroeg opgestaan en heb nu de slaapkamers al aan kant!'

'Zo... dan heb je niet stil gezeten. Maar dat was ook de bedoeling niet, is het wel!' Melle hoorde zelf de neerbuigende klank in zijn stem; dat hinderde hem niet, ze moest weten waar ze aan toe was. Ze mocht zich best een klein beetje meid voelen! Ze moest haar plaats weten en niet al te bazig worden! Melle deed bewust wat kortaf, hield een bepaalde afstand scherp in de gaten en dat voelde Eefje drommels goed.

Toen haar werkgever opstond en zonder groet het vertrek verliet, slaakte ze een hoorbare zucht van opluchting. Melle Postema, vond ze, kon een enorme boebak zijn! En als hij zo afstandelijk en hooghartig deed, kreeg ze lust hem eens flink door elkaar te rammelen! Dat deed ze vanzelfsprekend niet, ze bleef vriendelijk, bleef lachen! Omdat ze haar baan niet wilde verliezen, omdat ze op deze hoeve wilde blijven...

Eefje grinnikte in zichzelf toen ze de tafel afruimde en de ontbijtboel naar de keuken bracht. Wat kon het idioot raar lopen in je leventje...! Wie had nou verwacht dat zij hier voor meid zou gaan spelen! Als boer erachter kwam dat ze met heel andere bedoelingen naar hier was gekomen...?

Eens zou hij daarachter komen, natuurlijk, want dat was haar bedoeling. Dan zou hij vreemd opkijken...! Dan kon ze vanzelf niet meer zeggen: u hebt me de pas afgesneden, maar zo was het wel gegaan. Toen ze hier die allereerste keer voor de deur stond en vroeg of hij boer Postema was, had hij niks over die advertentie moeten zeggen. Zij wist niets van een advertentie af, maar op datzelfde moment kreeg ze wel een ingeving! Als ze hier als meid kon binnendringen was dat wellicht eenvoudiger dan dadelijk met de ware bedoelingen binnen te komen vallen. Ze had Melle Postema inmiddels een beetje leren kennen en vreesde daarom dat hij haar bij de deur zou hebben laten staan als ze hem de reden van haar komst had verteld...! Postema was geen gemakkelijk heerschap en over zijn dochter wilde hij niks horen...

Geertje heette ze en ze was van hieruit te voet te bereiken! Geertje... en zij kon niks van of over haar vinden. In het hele huis niet...! Gauw de afwas doen, het eten zover klaarzetten en dan maar weer op zoek. Want daarom stond ze 's morgens zo vroeg op, om tijd over te houden voor haar speurtochten door het huis! Gisteren had ze een diepe kast op de achtergang overhoop gehaald, de kast grondig schoongemaakt en vervolgens alle rommel er weer ingestapeld. Toen was ze een grote doos tegengekomen en had ze die nieuwsgierig geopend. In de doos zaten boeken en toen ze daarvan een paar opensloeg, las ze op het schutblad een naam: G. Postema.

Ze werd daar niets anders uit gewaar dan dat ze in elk geval een ding gemeen hadden, namelijk het graag lezen van fijne boeken. Ze was nu zover dat ze wist dat Geertjes boeken hier nog waren, maar ze gaf de moed nog niet op! Er waren nog veel meer kasten die geschoond moesten worden en ze was ook nog niet op de zolder geweest. Als ze daar dadelijk eens begon? Boer kwam pas tegen koffietijd weer in het Vooreind en ze had dus nog voldoende tijd om een hoekje van de zolder af te speuren.

Eefje Bouwman kwam niet op de zolder want net toen ze de keuken wilde verlaten werd er aan de zijdeur gebeld. Met de gedachte dat het de slagersjongen zou zijn die de bestelling kwam ophalen, opende ze de zijdeur en blikte in het gezicht van een jongen die ze op een jaar of elf, twaalf schatte.

'Is boer thuis...?' Maarten blikte haar vragend aan.

'Nee, die is vermoedelijk achter!'

'Nietwaar, daar heb ik overal al gekeken!'

'Dan is hij op het land; je zou hier en daar eens kunnen gaan kijken.

' Moet je hem zo nodig hebben?'

Maarten knikte en vroeg dan nieuwsgierig: 'Wie ben jij, woon jij hier...?'

Ze lachte hem tegen: 'Ik ben Eefje, Eefje Bouwman en ja, ik woon hier min of meer. Ik ben hier meid. Wie ben jij?'

'Maarten Maring.'

De naam zei haar niets, riep evenmin iets bij haar op, maar ze vond Maarten Maring een leuk knulletje en had best behoefte aan een beetje aanspraak. Daarom zei ze vriendelijk: 'Je mag er wel even in komen...'

'Dat wil ik best, hoor...' lachte hij verlegen terwijl hij, met graagte leek het, de achtergang binnenstapte. Nu was hij voor het eerst van zijn leven in grootvaders hoeve... Als moeke dat wist...

Hij keek ietwat bedremmeld toen deze gedachte zich bij hem opdrong en dat zag Eefje. 'Wat kijk je opeens somber! Ben je bang voor me?' lachte ze hem tegen.

Maarten schudde het hoofd: 'Ik mag hier eigenlijk niet komen, van mijn moeke niet...'

'Waarom niet?' vroeg ze verwonderd.

Maarten trok zijn schouders op: 'Weet ik niet...' Hij vond dat deze vrouw, die hem anders best aardig leek, daar niks mee nodig had.

Ze waren in de keuken waar Maarten zorgvuldig zijn visgerei in een hoek zette en Eefje vroeg: 'Wil je wat hebben? Koffie heb ik nog niet, een beker melk misschien?'

Maarten schudde zijn hoofd: 'Ik heb net gegeten, ik hoef niks.' Hij bezag haar wat vorsend en zei dan: 'Ik vind dat jij gek praat...! Net als de juffrouw van school, die praat ook hollands! Ik ben lekker al van school af!' Hij glunderde haar bij dat laatste tegen.

Eefje vond, hem prijzend, dat ze dat wel kon zien, hij was al zo groot, maar kwam dan even op de taal terug. 'Ik zou heel graag net als jullie willen spreken maar dat kan ik niet. Wil jij het me leren, Maarten?'

'Gerust wel, hoor!' deed hij gewichtig en vroeg dan, met de eerste 'les' aanvangend: 'Weet je wat tuut'n zijn?'

Eefje wist het niet en Maarten vertelde dat dat een Groningse roepnaam voor kippen was. 'Moeke roept ze altijd als ze voer strooit: 'Tuut, tuut, tuut...' '

'Hebben jullie kippen thuis?' lachte Eefje vermaakt en Maarten deed trots: 'Denk je dat wij alleen maar kippen hebben? We hebben van alles! Katten en Nero, dat is de hond, en kalveren en kippen en een pony, die heet Joris. We hadden Knuffel ook nog, maar die is doodgegaan. Jammer hè?'

'Ja, erg jammer... Was Knuffel een poesje?'

'Nee, ook een pony vanzelf! Een dwergje, heel lief, hij kwam zomaar de keuken binnenwandelen!'

'O jee, dan werd je moeder zeker boos en stuurde ze hem gauw weer naar buiten?'

'Tuurlijk niet, Knuffel hoorde er toch bij! Dat de bol weg is, daar zijn we allemaal blij om.' Dat was zo'n gemeen loeder...'

'Vertel eens, de bol, dat is meen ik een stier?'

'Ja en dat kreng heeft onze.' pa doodgedrukt...!'

'O... jongen toch, wat vreselijk...' Eefje sloeg van schrik een hand voor de mond. Maarten knikte: 'Nu moeten wij een boel voor moeke doen. De kalveren mesten en zo. Dat kan ze zelf ook wel, maar moeke heeft het al zo druk. Er is een nieuw dak op het huis gekomen, staat heel mooi, en kleine Manske is er ook nog. Daar heeft moeke het ook druk mee, hoor!' vertelde hij onsamenhangend, van de hak op de tak springend.

'Wie zijn 'wij'?' probeerde Eefje wat meer inzicht te krijgen en Maarten vertelde vlot: 'Mijn broers, Fokko en Reinder en ik. Kleine Manske is nog heel klein, die werd geboren toen dat erge met pa gebeurde...' Een baby, de vader dood, Eefje begreep dat er in Maartens familiekring wel het een en ander was gebeurd. Ze had medelijden met Maarten. Wellicht om hem te troosten, zei ze zacht: 'Jouw vader is dood, mijn ouders zijn allebei overleden...'

'Dat is nog veel erger...' Maarten blikte haar met een zeker ontzag aan. 'Heb je nu niemand meer?' Toen Eefje haar hoofd schudde dacht Maarten lang na, alvorens hij zei: 'Het is dat moeke een hekel heeft aan bezoek, aan vreemden over de vloer, anders zou ik zeggen: kom maar eens bij ons. Dat kan nu niet.'

'Nodigt jouw... eh... moeke, dan nooit eens buren of zo uit?' vroeg Eefje in haar onkunde. Maarten schaterde om zo'n domme vraag. 'Dat kan toch niet, gekkie! Wij wonen niet in het dorp, maar op de ruimte tussen twee dorpen in!'

'O...' Eefje had het gevoel al een boel over zijn familie te weten en waarom ze vroeg: 'Lijk jij op je moeke?' wist ze beslist niet. Vermoedelijk had ze met die vreemde vrouw te doen. Een vrouw wier man doodgedrukt was door een stier en die met drie opgroeiende jongens en een baby op de ruimte woonde en zich maar moest zien te redden? Maarten beantwoordde haar vraag. 'We lijken allemaal op pa, kleine Manske ook. Pa was blond, ons moeke is heel donker en ze heeft haast net zulke ogen als jij!' Hij boog zich naar haar toe om haar ogen eens goed te bekijken.

Eefje lachte en Maarten verschoof wat ongedurig op zijn stoel. 'Is er wat?' vroeg Eefje en daar ze meende wel te kunnen raden wat hem dwarszat, zei ze: 'Als je weg wilt, moet je dat doen, hoor! Dan kom je later maar eens weer om mij het Gronings te leren, want daar hou je je aan!'

'Het is eigenlijk niet eerlijk van me dat ik hier zit te niksen terwijl Reinder nu allerlei karweitjes voor mij moet doen...' kwam het bezorgd en was hij schijnbaar vergeten dat hij wilde gaan vissen. 'Boer komt zeker nog lang niet...?'

Eefje blikte op de klok: 'Dat duurt nog even. Wil ik de boodschap 'overbrengen'!' bood ze gedienstig aan, maar Maarten schudde het hoofd: 'Dat gaat niet...'

Kort darna zwaaide ze hem uit en dacht: Gunst, wat een aardige jongen. Fijn, om zo ongedwongen even met iemand te kunnen praten! Aanspraak, dat miste ze hier enorm. Boer was geen prater en verder kwam er hier geen kip over de vloer. Het knechtje van de kruidenier en de slagersjongen kwamen eens per week de bestelling halen en de boodschappen brengen. Maar die waren zo verlegen, zo vreselijk gesloten en bovendien mocht ze die niet binnenhalen. Boer Post erna had haar dat nadrukkelijk verboden: Denk erom, dat de voordeur gesloten blijft! Elk die hier wezen moet, leveranciers en dergelijke, ontvang je aan de zijdeur. Aan de deur, je laat niemand binnen!

Of boer het goed zou vinden dat ze een jongen, Maarten genaamd, binnen had gehaald...? vroeg ze zich af terwijl ze de trap naar de zolder beklom. Ze zou er maar niks van zeggen en bedenken, dat alles te weten niet gelukkig maakt.

Op de zolder trok ze een aantal dozen uit een hoek, veegde en dweilde het plekje waar de dozen hadden gestaan en bedacht dat, als ze nu af en toe zo'n hoekje schoonmaakte, de zolder van zelf een gehele beurt kreeg. Ze kon best merken dat boer Postema lang verstoken was gebleven van een meid. Alles was vervuild en schreeuwde om een schoonmaakbeurt. In gedachten opende ze de eerste doos, alvorens die weer op zijn plaats te schuiven. Dameskleren, waarschijnlijk van de boerin geweest, veronderstelde ze. In de volgende doos vond ze kinderspeelgoed...! Poppen, een serviesje, enkele ballen en weer boeken! Het bewijs: Er was hier een dochter geweest van wie niet alle sporen waren uitgewist. De vondst maakte haar opgewonden maar niet tevreden. Ze zocht naar iets anders, naar foto's... En alsof het zo moest zijn vond ze die uiteindelijk in de laatste doos. Toen ze die opende en eigenlijk al niets meer verwachtte dan rommel, vond ze onderin de doos een foto-album. Ze voelde haar wangen gloeien toen ze het album opende en de vergeelde kiekjes bekeek. Een vrouw met een kind op de arm onder een bloeiende appelboom. Een man, dat was boer in zijn jonge jaren, herkende ze, bij een span paarden. Diezelfde man tussen een aantal arbeiders voor de dorsmachine... maar dit zocht ze niet...! Naarmate ze de bladzijden van het album opsloeg, werden de personen op de kiekjes ouder. De vrouw, de man en het kind, dat eerder telkens vlak bij de moeder had gestaan. Achterin het album werd haar nieuwsgierigheid een beetje bevredigd. Daar vond ze een foto van een meisje van een jaar of tien, dat met gekruiste armen in een schoolbank zat. Een school foto van Geertje Postema...? Eefje keerde werktuigelijk het kiekje in haar handen en las dan de schuine, puntige letters die daarop waren geschreven: Geertje, elf jaar oud. Dit was haar... maar Eefje vond haar te jong om er iets uit te kunnen halen... Ze vond geen herkenning, zag enkel een vreemd meisje dat haar vanaf de foto toelachte. Een meisje met donker haar, dat in twee vlechten gevlochten was die op haar hoofd waren samengebonden. Een te streng kapsel voor zo'n jong ding, vond Eefje, maar het stond wel erg. netjes en... voornaam! Dit was Geertje... dit was...

Op dat moment hoorde ze de boer roepen: 'Eefje, ben je op zolder?'

'Ik kom...!' riep ze geschrokken en ze haastte zich de doos dicht te doen en hem op zijn plaats te schuiven. Ze voelde zich een indringster, een dief...

Toen ze in de keuken kwam schrok ze andermaal, want toen zag ze boer Postema met een hengel in zijn handen staan! Maarten heeft zijn visgerei vergeten, schoot het door haar heen en toen Melle vroeg: 'Waar komt dit in hemelsnaam vandaan?' kon ze niet anders dan de waarheid zeggen: 'Vanmorgen al vroeg kwam er een jongen aan de deur, die vroeg naar u! Ik heb hem even binnengehaald... We maakten een praatje en toen hij vertrok vergat hij zijn hengel...'

'Hoe zag die jongen eruit...?' Melle bezag haar vorsend.

Eefje vertelde dat hij blond was, een normale lengte had en ongeveer een jaar of twaalf was. 'Hij heette Maarten, meer kan ik u niet vertellen. Waarvoor hij kwam, wilde hij niet zeggen...'

Melle Postema draaide de hengel om en om in zijn handen, dan mompelde hij in zichzelf: 'Zo, heet hij Maarten... Hij is dus toch gekomen... Maarten, hij heeft de hoeve gevonden...'

Eefje, die de houding van boer maar merkwaardig vond, vroeg zacht: 'Kent u hem...?'

Dan keek Melle haar aan en zei raadselachtig: 'Ik zal hem niet kennen, mijn... kleinzoon...?'

Een beetje werd haar duidelijk, lang niet alles, maar ze dacht hetzelfde toen Melle hardop zei: 'Eerdaags komt hij wel weer, Maarten Maring... Een jongen van twaalf, die laat zijn hengel niet zomaar ergens achter...!'

Eerdaags kwam hij wel weer. Op de hoeve van Melle Postema keken twee mensen naar Maartens komst uit, Melle en Eefje, en het was moeilijk te zeggen wie van hen beiden het meest naar dat tijdstip uitkeek. Als een stille getuige die de wacht hield, stond Maartens hengel in een hoek van de keuken.

Maarten miste zijn hengel pas toen hij thuiskwam en Geertje hem tegenlachte: 'Ben je nu alweer terug...? Waar is je vis of wilden ze niet bijten?'

Maarten bloosde diep en haspelde: 'Ik... heb mijn hengel... helemaal vergeten...'

'Dan mag je hem wel gauw gaan halen eer je hem kwijt bent!

Er zijn meer jongens die graag een hengel hebben en als die van jou daar onbeheerd aan de slootkant ligt, kun je wel raden wat er gaat gebeuren!' Geertje blikte hem ietwat bestraffend aan.

'Hij ligt niet bij de sloot... Hij staat in de keuken van... de hoeve...'

Geertje staarde hem aan, geruime tijd, dan fluisterde ze: 'Je bent daar dus toch heengegaan...'

'Ja, moeke...' Maarten kon niet liegen en dat prees ze in hem. Ze werd ook niet boos, ze verweet hem niets omdat ze dit had verwacht. Ze vroeg alleen: 'Wat zei... je grootvader...'

'Ik heb grootvader niet gezien... alleen de meid, die liet me binnen. We hebben gepraat en toen heb ik mijn hengel totaal vergeten...!' De hengel interesseerde Geertje maar matig, Maarten had het over een meid...? Wie is dat dan...'

'Dat weet ik niet, ze komt hier niet vandaan. Ze praat hollands en ze heet Eefje!' Hij was blij dat moeke niet boos was en daar ze zo geboeid naar hem luisterde, wilde hij haar alles wel vertellen.

Naar Geertjes oordeel vertelde hij echter lang niet voldoende, want ze spoorde hem aan: 'Hoe oud is ze dan, toe jongen, vertel dan toch wat...!'

'Dat weet ik toch niet, dat heeft ze niet verteld!'

'Dat kun je toch wel zo'n beetje aan een mens zien!' viel ze wat geërgerd uit en om hem te helpen vroeg ze: 'Was ze net zo oud als moeke...?'

Maarten bezag haar alsof hij haar voor het eerst zag en dan schudde hij zijn hoofd: 'Ze lijkt meer op een meidje dan moeke.' Blij dat hij zich nog iets herinnerde, ratelde hij: 'Ze heeft geen vader en geen moeder meer, die zijn allebei dood! Zielig, hè...?'

Geertje knikte en zei in zichzelf: 'Volgens mij kan dat wicht haar lol dan ook wel op...' Een jong wichtje, een wees...? Wat zocht die nou op zo'n afgelegen hoeve bij vader? En hoe kwam vader aan haar? Zou hij haar raad dan toch opgevolgd hebben en een advertentie in het Nieuwsblad hebben geplaatst? Dat moest haast wel...

Maarten stoorde haar gedachtegang. 'Nu moet ik eerdaags wel even weer naar de hoeve, moeke.' Ik kan mijn hengel daar toch niet zo maar laten staan en... ik heb beloofd dat ik Eefje Gronings zou leren spreken...! Want dat kan ze niet en dat is vanzelf knap lastig...!' Geertje schuddekopte: 'Je kan het mooi vertellen, jij...! Ik zou Warempel haast denken dat jij je hengel daar expres had laten staan...!' Maarten maakte zich uit de voeten. Dolblij was hij dat moeke niet kwaad was en dat ze hem niet regelrecht had verboden zijn hengel weer op te halen! Hij zou de hengel voorlopig maar niet weer noemen en Eefje ook niet. Hij zou verschrikkelijk zijn best doen en heel hard voor moeke werken! Als ze dan erg over hem tevreden was en in een heel goede bui zag hij vast zijn kans wel weer schoon om naar de hoeve te kunnen gaan. Die trok hem opeens nog meer dan voorheen, nu hij wist dat Eefje daar was. Hij had een beetje met haar te doen, omdat haar vader en moeder dood waren. Hij had moeke willen vragen of Eefje eens bij hen mocht komen buurten, maar dat durfde hij toch niet. Jammer, dat moeke zo'n hekel had aan vreemd volk...

Vreemd volk... jawel, maar Geertje kon het niet verhelpen dat haar gedachten die dag praktisch onafgebroken op de hoeve waren. Die avond, toen de jongsten in bed lagen, zei ze tegen Fokko: 'Zal ik je eens een nieuwtje vertellen? Je grootvader heeft weer een nieuwe meid...!' Als ze nu had verwacht dat Fokko verrast ophoorde, kwam ze bedrogen uit. Hij blikte haar aan, bloosde licht en zei dan: 'Dat is geen nieuws, moeke... Dat weet ik al een aantal dagen...'

'Waarom vertelde je het dan niet...?' Ze blikte hem verwijtend aan. Fokko haalde zijn schouders op: 'Ik weet immers dat u over de hoeve en alles wat daar gebeurt liever niks wilt horen!'

De jongen had gelijk, maar toch zei ze: 'Je moet voor mij geen geheimen hebben.' Dat vind ik niet prettig!'

Fokko blikte haar ernstig aan toen hij zei: 'U bent veel te veel alleen, moeke... U leeft hier op de ruimte zonder te beseffen dat de wereld om u heen draait en dat daarin een boel gebeurt waarvan u niets afweet. In het dorp, op de boerderij waar ik werk, overal weten ze te vertellen dat Melle Postema weer een nieuwe meid heeft en u weet van niks...!'

'Als je meer over haar weet... over vaders nieuwe meid, vertel het me dan, Fokko...' Het klonk haast smekend en Fokko vertelde wat hij van anderen had vernomen: 'Ze schijnt nog heel jong te zijn en komt uit Den Haag, dat wist Wolter Praamsma, de knecht van de slager, te vertellen. Ze is blond van haar en schijnt niet groot te zijn. Meer weet ik er ook niet van.'

'Haar ouders zijn dood, ze is een wees...' zei Geertje in gedachten wat ze van Maarten had gehoord.

Fokko scheen dat niet te horen, hij kwam op het voorgaande gesprek terug. 'Vindt u dat nu zelf ook niet, moeke, dat u er eens wat meer uit moet...? Onder de mensen hoort u nog eens wat...!'

'Onder de mensen voel ik me niet op mijn gemak... Hier wel dus laat mij maar. Ik mis niks en kom niets te kort!'

Toen ze die avond in bed lag en ze aan die woorden terugdacht, verscheen Mans aan haar geestesoog. Toen besefte ze hoeveel ze te kort kwam en schreide ze zichzelf weer eens in slaap. Geertje Postema, ze was niet zo kordaat, niet zo flink en sterk als ze liet voorkomen. Ze was maar een doodgewone sterveling die zich in de beslotenheid van de bedstee, terwijl kleine Manskes borrelende geluidjes vanaf de bed deplank naar haar overkwamen, eenzaam en verloren voelde.

En op de hoeve van Melle Postema, een klein uur gaans van Geertjes bedoeninkje verwijderd, lag op ditzelfde moment een jonge vrouw die zich eenzaam voelde en verloren. Die voortdurend aan ene Geertje Postema dacht, die haar zoon had leren kennen en Geertjes vader, maar die nog niet wist hoe ze het aan moest leggen om Geertje zelf te ontmoeten. Eefje vroeg zich vertwijfeld af of ze, achteraf bezien, niet veel beter uit was geweest wanneer ze toen dadelijk tegen Melle Postema had gezegd waarvoor ze kwam en wie ze was... Alles werd nu zo gecompliceerd, ze voelde zich een leugenaarster en was dat in feite ook! Ze hield iedereen voor de gek, zichzelf op de eerste plaats.

Het werd hoe langer hoe moeilijker want ze kon nu toch niet zo maar op boer Melle Postema toe stappen en zeggen: 'Ik heb gelogen... ik ben die en die...'

Hij zou raar opkijken, haar niet geloven en wellicht van de hoeve sturen! En dat wilde ze voor geen prijs, want hoe eenzaam en verlaten ze zich hier ook vaak voelde, ze wilde blijven. Hier op deze hoeve – ze vond dat zelf heel merkwaardig – had ze het gevoel thuis te zijn... Ze was na lange jaren naar huis gekomen en niemand had haar verwelkomd omdat niemand wist...

HOOFDSTUK 15

Eefje vond het leven gecompliceerd, maar dat vond Melle Postema ook! Het was begin augustus, de oogst stond voor de deur, en hij lag ziek te bed! En al vond hij dat zijn ziekte nogal wat meeviel: om deze tijd van het jaar kon geen boer het verdragen het bed te moeten houden. Hij had een fikse verkoudheid opgelopen, die door onachtzaamheid vast was gaan zitten. Hoe hij aan die verkoudheid kwam was een vraag waar hij niet zo bij stilstond; hoe hij er weer vanaf kwam was belangrijker! Hij had daar niks van willen weten, maar Eefje had haar zin weten door te drijven en had de dokter geroepen. En daar lag hij nu en naast zijn bed, op het lage kastje, stond een drank die nergens naar smaakte en een doos poeders waar hij evenmin veel van verwachtte.

's Morgens kwam de eerste arbeider aan zijn bed, dan liet hij zich voorlichten over het wel en wee van de hoeve en deelde hij als altijd het werk voor die dag weer uit. Kort daarna kwam Eefje met koffie en een paar sneden brood, die hij er met moeite door kreeg. 'Opeten, hoor!' Ze keek hem dan streng aan, 'een boer hoort niet in bed, dus u moet zo gauw mogelijk weer aansterken!'

Het wicht, hij kon niet anders zeggen, verzorgde hem best! Ze maakte dagelijks zijn kamer netjes, maakte het bed op en bracht hem alles waarom hij vroeg. Niets was haar te veel. Ze scheen met liefde en plezier een oude kerel als hij was, te willen verplegen...!

Daardoor keek hij opeens heel anders tegen haar aan! Niet zozeer als meid – zo deed ze zich trouwens ook niet voor – maar veel meer als een huisgenote. Sinds haar komst had zijn leven ontegenzeggelijk meer glans gekregen. Hij werd weer verzorgd, het vooreind zag er netjes uit en hij had wat aanspraak. Hij hield zich wel wat afstandelijk, maar hij kon toch ook moeilijk tegen haar zeggen: Wichtje, wat mag ik je graag en wat ben ik blij dat je bij me bent!

Stel je voor, dat soort flauwekul kon hij niet uitkramen. Hij kon het wel dénken! Hij dacht ontzettend veel na nu hij in bed lag en niks anders te doen had. En als hij Eefje Bouwman heimelijk gadesloeg terwijl zij de boel hier opruimde, kon hij het niet verhelpen dat hij vaak moest denken: ergens kom je me bekend voor, Eefje Bouwman...! Heel vaag deed zij hem aan Wietske denken, maar dat was vanzelf je reinste waanzin! Dat kwam enkel en alleen doordat hij zich een beetje aan haar ging hechten. Dat kreeg je als je te lang alleen was, bepeinsde Melle eenzaam in zijn slaapvertrek, dan hechtte je aan alles om je heen. Of dat nu een van je beesten was of een wildvreemd vrouwmens.

Eefje gaf zijn leven weer wat kleur, maar desondanks werd zijn leven gecompliceerder en zijn gepieker dieper. Hij dacht veel aan Maarten en keek naar de jongen uit. De hengel stond nog in de keuken maar de eigenaar vertoonde zich tot nu toe niet. Jammer...

Melle Postema was in gedachten weer veel met het verleden bezig en daardoor vanzelf met Geertje. Zijn wens, haar en de jongens naar de hoeve terug te halen, leefde nog steeds in hem. Eefje mocht dan bij hem zijn, ze was niet met Geertje te vergelijken. Geertje was eigen...

Na lange jaren voelde hij de band die hem met zijn dochter samenbond. Dat kwam, veronderstelde hij zelf, doordat hij haar had gezien en gesproken. Ze had niet uitbundig blij gedaan toen hij onverwacht voor haar stond, maar ze had hem evenmin de deur gewezen...! Ze had hem binnengelaten. Mijn hemel, wat was hij geschrokken van het zootje waarin zij leefde... In zijn ogen was Geertje diep gezonken...

Ze kon terugkeren, dat voorstel had hij op tafel gelegd, maar ze had dat glimlachend van de hand gewezen. Ze wilde niet terug, maar blijven waar ze was. Onbegrijpelijk...

Wat kon ze het hier op de hoeve mooi hebben en wat konden ze met elkaar uiteindelijk dan nog mooie jaren beleven! Zij hoefde niet meer zo te sabbelen voor haar kostje, dat hier voor haar voor het kauwen was en in Eefje zou ze een gewillige meid vinden en hij... Mijn hemel, wat wilde hij dit graag... wat verlangde hij daarnaar.

Alsof de Voorzienigheid zijn stille wens hoorde en daar een beetje aan tegemoetkwam, zo ging de deur open en stak Eefje haar hoofd om het hoekje. 'Maarten is in de keuken... Hij komt zijn hengel halen...! En hij heeft nog altijd een boodschap die blijkbaar alleen voor u bestemd is...!'

'Stuur de jongen boven...!' haastte Melle zich te zeggen en Eefje bloosde van blijdschap: 'Dat dacht ik wel, daarom kwam ik vertellen dat hij er was...'

Grootvader en kleinzoon, Eefje had het prettige gevoel dat zij die twee samen had gebracht. Was dit het begin van een lang verhaal dat een goed eind zou hebben...? Ze hoopte het vurig.

Schoorvoetend, zichtbaar verlegen, schuifelde Maarten even later op het bed toe. 'Dag...'

Melle blikte de jongen diep aan, wees hem een stoel pal naast het bed en zei dan: 'Heb jij nooit geleerd met twee woorden te spreken, Maarten...?'

'Jawel... eh... grootvader...' Maarten begreep de stille wenk maar hij zou nooit weten wat de naam grootvader in Melle Postema teweegbracht. Melle werd warm en week en voelde zich sinds heel lang niet de reus Melle Postema, maar gewoon een ouder wordende man die zijn hart voelde kloppen.

Maarten zat op het puntje van zijn stoel, zijn hoofd gebogen, starend naar de tenen in zijn kousenvoeten, dodelijk verlegen. Nu was hij op de hoeve bij grootvader en nu wist hij niks te zeggen, durfde hij niets te vragen... Gelukkig hielp Melle hem: 'Eefje vertelde dat jij een boodschap voor mij had...?'

Maarten schudde het hoofd: 'Geen boodschap... Ik wil u iets vragen...'

'Doe dat dan, je bent toch niet bang voor je eigen grootvader of wel soms...?'

Zo vriendelijk klonk Melles stem dat Maarten het hoofd ophief en verlegen lachte en zei: 'Ik ben van school af en nu moet ik een boer zoeken... Twee weken mag ik bij huis blijven omdat moeke het zo druk heeft, dan moet ik gaan dienen...'

Melle begreep waar de jongen heen wilde, toch vroeg hij: 'Zo... dus jij moet bij een boer gaan dienen...! Heb je daar zin in...?' Maarten glunderde: 'Jawel, hoor! Op een grote boerderij, daar wil ik wel werken, grootvader!'

'Heb je al een boer gevonden of eentje op het oog?'

'Ik wil graag... bij u dienen...' Zo, het was eruit en nu maar afwachten wat grootvader er van zei.

Wat duurde dat vreselijk lang eer grootvader moest weten: 'Weet je moeder dat je hier bent...?'

Maarten schudde het hoofd. 'Nee...'

'Zal ze het goedvinden, denk je...?'

Maarten haalde zijn schouders op. Na een tijd van stilzwijgen zei hij rap en slim: 'Moeke kan er toch niks op tegen hebben bij welke boer ik dien...? Ze heeft het geld nodig, daar gaat het om...'

'Zo... gaat het daar om...?' vroeg Melle zich hardop af en dan kreeg hij een hoestbui die er niet om loog! Toen het hoesten na een tijdje wat bedaarde, Melle een slok hoestdrank nam en Maarten zag hoe moe grootvader van dat hoesten was geworden en hoe rood in het gezicht, vroeg hij angstig bezorgd: 'Bent u erg ziek... grootvader...? U gaat toch niet... dood? Dat zou erg zijn...'

En Melle Postema was die hij was en zou dat blijven. Hij was slim en listig en kreeg op dat moment een ingeving die hij greep. Hij hoestte nog wat na, legde zijn handen op zijn borst als had hij daar erge pijn en stamelde moeilijk: 'Ja, jongen... ik ben knap ziek... Of ik doodga, weet ik niet. Zoiets gebeurt altijd plotseling...'

Maartens stem was dun en bibberig toen hij fluisterde: 'Dat is zo... Pa werd ook heel plotseling door de bol... doodgedrukt... Als u doodgaat... houden we haast niks meer over!'

'Jullie hebben mekaar... Ik sta zo heel alleen, mijn jongen!'

Melle had er totaal geen moeite mee zijn stem klankloos, moe en afgeleefd te laten klinken. Hij was bezig een val uit te zetten, wist dat Maarten erin zou tuimelen en vroeg zich af hoelang Geertje er over zou doen om naar de hoeve te komen om zich ervan te vergewissen hoe erg het met haar vader was gesteld...

'Als ik doodga... zal er niemand om mij huilen, Maarten...'

'Jawel, grootvader!' zei Maarten rap. 'Ik zou veel verdriet hebben en moeke ook, hoor...!'

Melle zuchtte hoorbaar en diep. Kommer en kwel vergezelden zijn woorden: 'Voor het mijn tijd is... zou ik nog zo graag een keer... je moeke zien... Al was het alleen maar om afscheid van haar te nemen...'

Door zijn oogharen begluurde Melle de jongen die, zichtbaar onder de indruk, het hoofd diep gebogen hield. Melle wist dat

Maarten straks met een droevig verhaal bij Geertje zou komen.

Ga nu maar eerst weer, Maarten... Ik ben moe... en moet nodig weer wat rusten...'

'Dag... grootvader...'

'Dag, Maarten...'

Maarten was al bij de deur toen hij fluisterde: 'Kan ik bij u komen dienen, grootvader...?'

Melle hield zijn ogen gesloten en leek knap ziek, toen hij fluisterde: 'Ja jongen... als ik dat tenminste nog beleven mag... dat moet er wel bij...!'

Toen Maarten vertrokken was realiseerde Melle zich, dat hij nu nog wel een paar extra dagen het bed zou moeten houden! Want áls Geertje kwam, moest hij zijn rol nog even blijven spelen!

Hij was één keer naar haar gegaan en dat was een moeilijke stap geweest, die kon hij geen tweede keer maken! Hij had zijn hoofd gebogen, nu was het haar beurt! Na lange jaren zou ze uit eigen beweging naar de hoeve terugkeren en ze zou nooit weten hoe listig haar oude vader nog kon wezen...!

Geertje was op een hoekje grond achter de grote schuur bezig het gras te maaien. Een lapje grond, niet veel meer dan een wat uit de kluiten gewassen grasveld, maar het gras groeide daar zo hoog en ze vond het zonde dat te laten verkommeren. Daarom had ze daarstraks de zeis gepakt en had het lapje kaal gemaaid. Nu was ze bezig het gras te schudden. Als het weer droog bleef en daar zag het wel naar uit, had ze over een aantal dagen toch weer gratis hooi, dat ze van de winter aan de beesten kon voeren. Zuinigheid met vlijt... bedacht ze glimlachend zonder haar rug te willen voelen, die protesteerde tegen dit te zware werk.

Als ze hiermee klaar was moest ze Manske voeren en dan kon ze even zitten en uitrusten! Dan moest de was weer worden binnengehaald en dan... Ach, er was altijd zo veel te doen, maar dat hield je jong en sterk, bedacht ze maar.

Terwijl ze het gras schudde, blikte ze in de verte naar het huisje waar opzij de luierwas aan de lijn wapperde. Het werd er niet beter op, het kindergoed, maar wat verwachtte ze ook? De meeste luiers waren nog van Fokko! Al wat oud wordt, slijt nu eenmaal.

Fokko, dacht ze, wat had ze een steun aan die jongen! Als hij bij avond van zijn boer kwam, was het snel eten en voor zij erover dacht, was hij al met de kalveren bezig! Ze hoefde hem nooit iets op te dragen, hij zag het werk dat gedaan moest worden zelf wel. Wat zou Mans trots zijn op zijn oudste als hij dit wist...

In Reinder zag zij nog te veel een kind. Tot ergernis vaak van de beide oudere broers, liet zij Reinder met zijn boeken, liet hem de dromer die hij was. Maarten had meer van Fokko, die kon ook best aanpakken als hij wilde! Je kon de dagen tellen, dan ging ook dit kind alweer naar de boer... Waar hij terecht zou komen...? Welke boer de tweede zoon van Geertje Postema aan zou willen nemen...? Dat soort dingen kon haar allang niets meer schelen. Ze was wie ze was, niet meer de Geertje Postema van toen. Die hoorde bij de vergetelheid en keerde nooit weerom. En zo was het goed.

Toen ze kort hierna met kleine Manske op schoot zat en hem de fles gaf, droomde ze over het kinderkopje in de holte van haar arm andermaal weg. Toen dacht ze aan Jan Bokje, de veekoopman, die gisteren even langs was geweest. Dat deed hij wel meer, dan stond hij opeens voor haar en lachte zijn gele tanden bloot: 'Ik kan het niet laten, ik moet af en toe even kijken hoe jullie het hier maken! Ik heb altijd een beetje een zwak, een beetje verantwoordelijkheidsgevoel voor je, Geertje!'

'Jij hebt veel met ons meegemaakt, dan krijg je dat. Jij bent hier altijd welkom, dat weet je, Jan Bokje!'

Ze dachten dan tegelijk aan Manskes geboorte, aan Mans die op datzelfde moment... Ze spraken daar niet over. Zij schonk koffie en ze schrok een beetje toen ze Jan Bokje hoorde zeggen: 'Ik ben hier welkom, dat weet ik en dat stel ik op prijs, maar er zouden hier veel meer mensen welkom moeten zijn, Geertje Postema...!'

'Ik zou niet weten waarom,' had zij kortaf gedaan. Waarom lieten ze haar niet met rust? Zelf had ze alle vrede van de wereld met haar bestaantje, met haar werk, haar dieren en op de eerste plaats vanzelf, haar jongens. Anderen schenen daar moeite mee te hebben. Fokko had ook al gezegd dat ze te veel alleen was, dat ze onder de mensen moest! Jan Bokje was onverdroten verder gegaan: 'Je bent veel te jong en ook te mooi om hier in je eentje eenzaam en oud te worden, deerntje! Jij zou aan elke vinger van je hand wel een nette kerel kunnen krijgen!'

Ze had daar zo snel ze kon overheen gepraat, maar toen Bokje weg was had ze aan zijn woorden terug moeten denken. Ze was inderdaad nog jong, maar mooi...? Ze keek praktisch nooit in de spiegel. Mans had haar mooi gevonden, dat was voldoende. Mans... dacht ze stil, hij had nooit gezegd: ik hou van je, ik heb je zo lief of iets dergelijks. Mans had nooit in woorden uitgedrukt dat hij van haar hield, maar dat hoefde hij ook niet. Mans deed alles op zijn eigen manier. Deerntje, bijvoorbeeld, was een woord, een naam die iedereen hier tegen het vrouwvolk gebruikte, maar de manier waarop Mans' 'deerntje' tegen haar zei was in haar ogen uniek. Het was als een kus en een streling ineen. Maar Mans zelf was in haar ogen ook uniek! Hij was haar eerste liefde en die was niet te evenaren. Daarom moest niemand aankomen met het idee van een andere man; dat was absurd, gewoon onmogelijk!

Ze dacht nog weleens aan Evert de Groot, die net als zij een eigen gezin had gesticht. Ze dacht aan Janske de Jong, die was ook getrouwd en had een paar kinderen. Drie jongens...! Janske zou nooit weten hoe vurig zij nog altijd kon verlangen naar haar meidje...

Manske had de fles leeg, Geertje beurde hem op en legde hem tegen haar borst: 'Zoet jongetje, nu nog een boertje, dan een schone broek en dan ga je weer in je kribke!' Ze kuste het kereltje, werd vertederd door het kleine bekje dat zich wijd opende in een lieve lach. 'Jij bent moekes lieverd, hoor!'

Toen ze Manske in zijn kribke legde kwam Maarten binnen. In zijn zorg om grootvader, de angst die verband hield met de dood, stond zijn anders zo blije jongensgezicht nog vertrokken. 'Moeke...?'

'Waar kom jij vandaan! Je had beloofd dat je het onkruid tussen de aardappels weg zou halen! Nu is Reinder daar mee bezig!' Geertje zweeg, zag opeens de zorgengloed die zijn gezicht verdonkerde. Haar stem werd minder hard toen ze vroeg: 'Nou, waar kom je vandaan...?'

'Van... grootvader...'

'Zo...' Ze zei niet: dat had ik wel verwacht of daar was ik al bang voor, ze zei enkel: 'Zo...'

'Grootvader is ziek, moeke...' En toen Geertje hem zwijgend

aanzag, verduidelijkte hij: 'Hij is heel erg ziek... Hij gaat vermoedelijk... dood!'

'Doe niet zo mal... Dood, dat is wel het laatste...' Ze hoorde zelf niet hoe haar stem trilde en zag niet hoe groot haar groene ogen werden. 'Het is toch waar, ik heb het zelf gezien...' hield Maarten vol. 'Grootvader lag in bed... Hij moest vreselijk hoesten en zei dat hij... zo graag wilde dat hij u nog een keer zag... om afscheid te nemen! Dat zei grootvader, moeke!'

'Ik hoor liever vrolijker berichten...' zei ze stroef. Dan, met een armzwaai: 'Sta daar nu niet langer te niksen. Ga naar Reinder en help hem het onkruid te wieden...'

'Gaat u naar de hoeve, naar grootvader...? Dat wil hij zo graag, hij ligt op u te wachten...'

'Vraag niet zo veel... doe liever wat...'

Geertje was uit haar evenwicht gebracht, het nieuws schokte haar en toen Maarten zei: 'Als grootvader deze ziekte... overleeft... mag ik bij hem op de boerderij komen dienen...!' trok ze wit weg en fluisterde: 'Dat beslissen niet jij en je grootvader, dat beslis ik... je moeke!'

Maarten droop af en Geertje liet zich op een stoel zakken. Vader ziek... hoe erg was het met hem...? Maarten was zichtbaar onder de indruk, maar daar kon ze niet op afgaan. Maarten had een klein hart, die vond alles en iedereen al gauw heel zielig... De jongen wilde bij vader gaan dienen.' Gunst, daar schrok ze nog meer van dan van het nieuws dat vader ziek was... Haar zoon op de hoeve die zij zo schuwde...? Waarop ze niet terug mocht keren omdat ze met Mans Maring wenste te trouwen.' De hoeve, die ze een jaar moest verlaten omdat... Ze wist wel dat het niet goed was als een mens zich te vast in het verleden beet, maar dat verleden keerde ook immers telkens naar haar terug.' Als de hoeve en alles wat daarmee samenhing zo heel dichtbij kwam, kwam alles ook weer zo dicht bij haar.' Ook het verlangen naar het kind, waarvan ze enkel een stemgeluidje had mogen horen... Vader lag op haar te wachten had Maarten gezegd, wat moest ze nou...? Stel dat hij werkelijk zo ziek was als Maarten liet voorkomen...? Vader was de jongste niet meer... te jong om te sterven maar werd daarnaar gevraagd...? Ze dacht aan Mans en realiseerde zich hoe plotseling de dood een huis kan binnensluipen.

Als ze niet ging en de dood sloeg toe... Dan was er niks meer ongedaan of goed te maken... Zou ze dan niet een leven lang spijt hebben...? Zelfverwijt zou haar dan achtervolgen, daar was ze van overtuigd. Als heel jong meidje had vader haar leven in zijn hand genomen en haar daardoor veel verdriet bezorgd. Dat kon ze niet vergeten. Toen ze met Mans trouwde was vader niet mild maar keihard geweest, hij had de deur van de hoeve voor haar neus gesloten. Toen moeder begraven werd en zij ging om afscheid te nemen, had vader haar toegebeten: 'Houd afstand...!'

Dat kon ze niet allemaal vergeten, dat deed nog altijd zeer. Niet lang geleden was hij plotseling hier geweest en toen had zij niet hetzelfde gedaan, maar had ze hem binnengelaten. Omdat ze de bloedband had geproefd...

En nu kon ze ook niet anders dan bedenken: wat er ook is gebeurd in het verleden, hij is en blijft mijn vader...

Bij al hetgeen ze de verdere dag deed dreunde het in haar oren: Hij is mijn vader... hij is mijn vader... En die avond, dadelijk na het eten, zei ze tegen Fokko, met wie zij daarvoor al een gesprek had gehad over de ziekte van zijn grootvader: 'Ik moet naar de hoeve... ik kan het niet laten.'

Haar oudste knikte: 'Dan moet u dat doen, moeke. Ik pas wel op Manske en zorg dat Reinder er op tijd in komt. Ga maar gauw...' Ze knikte en toen ze Fokko hoorde zeggen: 'Maar laat u daar niet overstuur maken, dat is niet goed voor u,' was het alsof Mans tegen haar sprak. Eens, lang geleden, had Mans praktisch dezelfde woorden gesproken, nu sprak haar zoon haar moed in en liet hij zijn bezorgdheid voelen.

Toen ze op weg ging naar de hoeve, liep ze kaarsrecht en waardig als een boerin betaamt. Maar niet uit trots, mat ze zich deze houding aan, maar omdat ze wist dat, wat het leven ook zou brengen, zij nooit alleen zou staan.

Geertje Postema voelde zich schatrijk, onnoemelijk gelukkig en daardoor heel dankbaar voor dit leven dat soms zo zwaar woog.

HOOFDSTUK 16

Ik ben geen leverancier en behoor niet tot het dienstvolk, ik vertik het daarom om aan de zijdeur aan te bellen; ik loop op de voordeur toe! dacht Geertje toen ze de hoeve naderde en gemengde gevoelens haar bestormden.

Hoe oud was ze geweest, toen ze hier wegging met het vaste plan nooit weerom te komen...? In elk geval was ze een heel jong wichtje geweest en vluchtte ze in de sterke armen van Mans Maring, een man die haar vertrouwen had en haar liefde voor zich wist te winnen. Jaren waren voorbijgegaan en hadden haar gehard, omdat het leven zelf vaak zo hard was geweest. Verdriet en tegenslagen hadden haar weg gekruist maar desondanks keek ze met liefde terug op al die vervlogen jaren. Als Mans weer met haar van start wilde gaan, als hij haar hand nam, zou ze diezelfde jaren met graagte over willen doen. Dat was echter uitgesloten en toen ze op de zware voordeur toeliep kreeg ze het gevoel voor een totaal nieuwe levensfase te staan...

Melle Postema, in zijn 'ziekbed', hoorde de bel door het huis galmen en hij, die hierop had liggen wachten, wist terstond: Daar is ze, mijn dochter... Hij voelde een zekere triomf en genoot daarvan, maar tegelijkertijd bestormde een gevoel van onzekerheid hem. Als ze zich nu weer zo koppig toonde en met stelligheid te kennen gaf dat ze de voorkeur gaf aan het armzalige bedoeninkje daar op de ruimte...? Melle zuchtte zwaar en somber toen hij dieper onder de dekens schoof, maar eerst zette hij het hoestdrankje op het lage tafeltje naast zijn bed, zodat het dadelijk in het oog sprong.

Eefje Bouwman verwachtte Geertje niet. Zij wist niets van het gesprek dat Melle met zijn kleinzoon Maarten had gevoerd. Ze keek verwonderd op toen ze de bel hoorde overgaan en vroeg zich af wie dat bij avond wel wezen mocht?

Maar toen ze de deur opende en Geertje hoorde zeggen: 'Je kent mij niet, maar je kent Maarten en ik ben zijn moeke...!' begreep ze ontzaglijk veel en ze bloosde diep. 'Komt u toch binnen...' zei ze zacht en nooit eerder had ze zoveel spijt gevoeld over een leugen die ze nu niet meer uit bestwil kon noemen.

Geertje bemerkte Eefjes verwarring niet, daarvoor was ze zelf te verward en te nerveus. Haar ogen dwaalden schichtig door de brede voorgang als zag ze die voor het eerst. De gang was haar bekend maar kwam bij haar nu vreemd en wat vijandig over... Ze kuchte alvorens ze zei: 'Ik hoorde van Maarten dat het niet zo best was met mijn vader...? Is hij werkelijk zo ziek dat het... kritiek is...?' Ze blikte Eefje aan en in haar ogen lag zorg om een man die ze, ondanks alles, vader wilde blijven noemen.

Eefje kon geen oog van de vrouw die voor haar stond, afhouden maar ze beantwoordde Geertjes vraag. Ze keek wat verbaasd toen ze zei: 'Postema is verkouden en de dokter vond het wenselijk dat hij een aantal dagen onder de wol bleef, maar kritiek...? Zo kan ik zijn toestand niet noemen...!'

'O...' Geertje, haar vader kennende, begreep een klein beetje. Ze aarzelde, blikte bij de trap omhoog... Wat moest ze nou...?

Zag Eefje haar aarzeling en zei ze daarom zo rap: 'Nu u er toch bent... ga nu even naar hem toe... Hij verlangt naar u...'

'Denk je...?' Geertje bezag het jonge ding voor zich zonder op details te letten. Haar gedachten waren boven, bij vader en Eefje wist niet hoe omstreden de band tussen haar en haar vader was. Toen Eefje fluisterde: 'Ik weet het zeker en ik wil ook graag dat u naar hem toegaat...' vlogen haar ogen andermaal over het tengere meisjes figuur en glimlachte ze: 'Zal ik dan maar naar hem toegaan om jou daarmee te plezieren, Eefje...? Zo heet je toch?'

Eefje Bouwman knikte enkel.

Zolang Geertje boven was bij haar vader, hield Eefje vanuit een tegenoverliggend vertrek de trap onafgebroken in de gaten. Als een waakhond keek ze door een kier van de deur, slechts bezeten door één gedachte: ze mag me straks niet ontkomen... Een leugen kan niet eeuwig duren...

Terwijl Geertje de trap beklom, dacht ze heel even aan Eefje Bouwman, de nieuwe meid van haar vader: wat jong nog en wat een lief, fris ding...!

Dan opende ze de slaapkamerdeur en sloot die langzaam weer

achter zich. Ze bleef bij de deur staan toen ze hem begroette: 'Dag, vader...'

'Geertje...' In Melles stem lag een zucht van opluchting die hij poogde te verbloemen door zich zieker voor te doen dan hij was: Net als hij in het bijzijn van Maarten had gedaan, zo legde hij nu een hand op zijn borst en trok een pijnlijk gezicht toen hij een hoestbui opriep. 'U heeft het nogal te pakken...?' zei Geertje zacht.

Melle sloot heel even zijn ogen toen hij antwoordde: 'Ach kind... ik voel me zo beroerd...'

Terwijl Geertje op zijn bed toeliep, zei ze: 'Dat zie ik, maar... dat komt niet enkel door uw ziekte, wel vader...? Die is voor het grootste gedeelte voorgewend of niet soms...?'

In de blik die Melle haar toewierp, lag iets loerends, iets argwanends. Was het wicht na al die jaren dan nog zo scherp dat ze hem ogenblikkelijk doorzag...? Welke houding zou hij dan nu moeten aannemen...?

Geertje wees hem naar het antwoord op die vraag toen ze fluisterend vroeg: 'Waarom, vader...? Waarom laat u mij onder een voorwendsel naar de hoeve komen...?'

Toen leek de reus een dwerg te worden, was hij na lange jaren eindelijk zichzelf en eerlijk. In Melles stem lag een vreemdsoortige bibber die niet bij hem paste, toen hij schor zei: 'Ik wil dat jij naar de hoeve terugkeert...'

'Waarom...?'

'Omdat je hier hoort... dit jouw thuis is en omdat je mijn... dochter bent...'

'Ik ben die ik ben, vader... nog precies dezelfde als vroeger. Toen mocht ik uw dochter niet zijn omdat ik... niet feilloos de lijn volgde die u voor me had getrokken... U wilde maar niet begrijpen dat ik een mens was met een geheel eigen levensinzicht. Ik was een doodgewone stervelinge, die enkel daardoor fouten maakte, die u... niet vergeven kon...'

'Moeten we dan altijd maar weer dat ellendige verleden aanhalen... Kunnen we dat niet laten rusten en verdergaan? Jij en ik, op deze hoeve...?'

Heel langzaam schudde ze het hoofd en er blonk een traan in haar ogen toen ze fluisterde: 'Ik wil wel proberen te vergeten en op de lange duur... te vergeven... Of me dat lukt, weet ik niet...

Ik probeer dat al zo lang...' Ze zuchtte diep alvorens ze vervolgde: 'Eens heb ik u... gehaat, vader... Dat die haat door de jaren heen al een beetje uit me is weggeëbt, moet u geproefd hebben uit het feit dat ik Maarten niet regelrecht verbood naar u toe te gaan... Maarten zoekt u op, later volgen zijn broers wellicht zijn voorbeeld... Ik zal ze nooit dwarszitten of tegenhouden. Dat moet voldoende voor u zijn, dat de jongens u als hun grootvader erkennen... Wat mijzelf betreft: als ik daartoe de moed kan opbrengen, wil ik u op gezette tijden wel een bezoek brengen. Hier terugkeren, voorgoed... doe ik nooit, vader!'

'Wat ben je nog altijd eigengereid en koppig...!' kwam het als een regel recht verwijt.

Geertje schudde het hoofd en glimlachte toen ze zei: 'Ik volg nog altijd niet de lijn die u voor me trok, vader... Ik volg de lijn van mijn leven, die Mans voor me trok. Die was goed, was kaarsrecht, daar zal ik geen voet buiten zetten...'

'Wat was die Mans Maring voor een kerel dat hij jou zo mak, zo gewillig en volgzaam wist te maken...' vroeg Melle zich in gedachten af. Dezelfde lach van daarnet lag nog om Geertjes mond toen ze zei: 'Mans Maring was maar een heel gewoon mens, vader. Hij leerde mij leven en liefhebben, hij leerde mij onderscheid te maken tussen rijkdom en het simpele geluk. De rijkdom die voortkomt uit simpel geluk, is gebaseerd op liefde en daardoor zo verschrikkelijk waardevol. De rijkdom waar u een levenlang naar op hebt gekeken, is vaak oogverblindend maar weet het hart niet te raken...'

'Gevoel tegenover verstand...' mompelde Melle en, haar aankijkend: 'Kan ik het helpen dat bij mij het verstand altijd voorop wil gaan...?' Geertje schudde het hoofd en zei bedachtzaam: 'Nee vader, dat kan u niet helpen... Een mens is zo die is, dat heb je als medemens maar te accepteren. Maar dat geldt niet enkel voor u, ook voor mij. En dat schijnt u nu weer niet te kunnen begrijpen. U denkt te veel aan uzelf, vader...'

'Ga je weer weg...?' Melle blikte haar vragend aan toen ze zich van zijn bed wegkeerde en op de deur toeliep.

Ze knikte, glimlachte olijk en zei: 'Ik hoef u zeker geen beterschap te wensen...?'

'Als je op mijn ziekte doelt...? Dat is dan onnodig, ik kleed me aan; het is mooi geweest...'

Het is mooi geweest; Melle doelde hiermee niet enkel op zijn ziekte, maar ook op het verleden. Hij wilde niets liever dan andermaal een lijn trekken waarlangs ze allen voortkonden.

Toen Geertje de trap afdaalde waren haar gedachten bij haar vader. Bij een man die zich jarenlang een reus had gevoeld, die uittorende boven elkeen, wiens wil wet was, ten koste van alles. Diezelfde man leek daarnet een beetje klein in zijn poging te herstellen wat kapot was. Besefte vader opeens dat reuzen niet bestonden...?

Ze zuchtte toen ze dacht: leek ik maar niet zo op hem, was ik maar wat meegaander en gemakkelijker in staat om het woord vergeven in praktijk te brengen... Een mens is zo die is, maar wat kan hij het daar moeilijk mee hebben...

'Bent u tevreden...? Heeft u gezien dat er geen sprake is van een ernstige ziekte?' stoorde Eefje haar gedachtegang.

Geertje glimlachte: 'Een man als mijn vader verandert nooit! Als hij zijn kracht niet kan gebruiken, roept hij iets anders in het leven: Dan gebruikt hij slimme listen!'

'Wilt u... een kopje koffie met mij komen drinken...'

Het kwam er zo zacht uit, zo smekend en verlegen, dat Geertje dacht: arm ding, jij zit je hier in je upje stierlijk te vervelen, je schreeuwt om aandacht, om een beetje aanspraak. Ze knikte en zei lachend: 'Heel graag...!' Terwijl ze achter Eefje aan naar de huiskamer liep, zei ze: 'Het is lang geleden dat ik op deze hoeve koffiedronk...!'

'En dat doet u niets meer...? U lacht daarbij?' Eefje blikte haar wat verwonderd aan toen ze in de huiskamer tegenover elkaar aan de grote tafel zaten.

'Of denkt u: wat geweest is, is voorbij, ik ben nu weer terug?' Ze bezag Geertje met die vraag peilend.

Geertje schudde het hoofd: 'Ik ben even teruggeweest, maar ik blijf niet. Ik hoor hier niet, ik heb een heel ander thuis. Een huis, waarin ik me werkelijk thuis voel omdat het in puur geluk verpakt ligt... omdat ik daar, naast onplezierige dingen, ook op hele fijne herinneringen voortkan. Een heel leven lang nog als het moet!'

'Verdrietige, onplezierige dingen... daaraan ontkomt geen mens in het leven, denk ik...' zei Eefje zacht. Zo zacht en ver weg in gedachten, dat Geertje op haar beurt nu het jonge meidje tegenover zich peilend bezag en zei: 'Maarten heeft me verteld dat je ouders overleden zijn... Dat spijt me voor je, omdat ik me wel voor kan stellen dat het leven hier, op deze boerderij, ook niet altijd een pretje voor je moet zijn! Vader kennende en de eenzaamheid die nu eenmaal om een afgelegen hoeve hangt... Ik kan ertegen, vind het zelfs aangenaam om op de ruimte te wonen, maar zo is vanzelf niet voor iedereen. Als jij, buiten vader en de arbeiders om, behoefte hebt om met een ander, een vrouw bijvoorbeeld, te praten, kom dan maar gerust eens naar ons toe, hoor...!' deed ze moederlijk bezorgd en ze had daar zelf geen erg in. Eefje glimlachte en bloosde diep toen ze fluisterde: 'Dat vind ik lief van u, maar... ik heb nu, op dit moment, behoefte om met u te praten... Er is zo veel, dat ik u... moet vertellen...'

Eefje had het moeilijk, durfde niet plompverloren te zeggen wat haar op het hart lag, maar Geertje, die haar wel meende te begrijpen, hielp haar op dreef, wees de juiste weg toen ze zei: 'Ik begrijp je wel, hoor! Soms heeft een mens een klankbord nodig omdat de dingen die zo vreselijk hoog kunnen zitten, daar domweg om vragen. Vertel mij maar over je leven, over je ouders die er niet meer zijn en jou het verdergaan daarom zo bemoeilijken. Vertel maar, dat lucht op en het zal nooit verderkomen dan mij want ik ben geen prater!'

Veel later zou Geertje pas vernemen hoe dankbaar Eefje haar in stilte was om deze aansporing. Nu knikte ze enkel dankbaar, Eefje Bouwman, en zei zacht: 'Ik wil niets liever dan u vertellen over het leven over de jaren die achter me liggen... U bent daar de enige, de aangewezen persoon toe...'

Geertje onderbrak haar lachend: 'Je moet mijn ijdelheid niet gaan strelen, meidje, want ik ben maar een doodgewoon mens met alle ondeugden vandien en dat betekent dat ik geneigd ben om eigenwijs te worden!'

Eefje glimlachte, zweeg geruime tijd, maar daarna hoorde Geertje haar stil aan. En naarmate Eefje vertelde begreep zij bij stukje en beetje... Ze onderbrak het meisje niet...

Eefje ving haar verhaal aan door te vertellen hoe en waardoor haar ouders waren overleden. Geertje hoorde dat wat Eefje al eerder aan Melle Postema had verteld. Hoe de rijkdom van haar ouders tot stand was gekomen en hoe ze daarna omlaag waren getuimeld.

'Mijn ouders hadden alles wat hun hartje begeerde,' vertelde Eefje. 'Een bloeiende zaak en vader stond in de wijde omgeving bekend als een beroemd antiquair en was daar bijzonder trots op. Boven de zaak bewoonden we een mooi huis dat vol stond met de mooiste en duurste stukken antiek die vader wist te bemachtigen. Vader was volkomen gelukkig met zijn druk bezet leventje, zijn zaak die zijn leven was en zijn vele, vele vrienden. Vader was ontzettend veel van huis, vertoefde in alle uithoeken van de wereld maar intussen zat mama alleen thuis. In tegenstelling tot vader, die gemakkelijk vrienden wist te maken, was mama een wat terug getrokken vrouw. Ze zat wel in allerlei besturen en had vriendinnen van zeer goede komaf, maar mama trad nooit op de voorgrond en hield zich altijd wat afzijdig. In haar voornaam en duur ingericht huis, temidden van personeel, party's die ze gaf voor vrienden als vader wel of niet thuis was, voelde zij zich alleen, voelde ze dat er aan haar leven iets ontbrak. Ze wisten, vader en mama, dat ze kinderloos zouden blijven en als mama nu een andere vrouw was geweest, zou ze zich de duurste en mooiste rashonden of -katten aan hebben kunnen schaffen om dat gemis enigszins te vergoeden. Maar mama hield niet van dieren, was bang voor honden en vies van katten. Mama wilde een kind en bleef daarover zeuren. En Klaas Bouwman, met zijn grote hart dat vaak veel te goedertrouw was, wist niet anders of alles op de wereld was voor geld te koop. Dus ook een kind!

Hij hield van mama, had alles voor haar over en gunde haar alles. Hij was het die zei: 'Ik zal mijn licht eens voor je opsteken, hier en daar informeren. Jouw liefste wens moet in vervulling kunnen gaan of ik heet vanaf nu geen Klaas Bouwman meer!'

Vader had connecties in overvloed. Via, via, kwamen ze aan de weet dat er ergens een jong meisje was dat afstand wilde doen van haar kind... Ze hoorden dat het niet om zomaar een willekeurig meisje ging, maar om iemand uit een goed milieu. Dat feit vooral trok hen beiden aan. De zaak werd in beweging gezet, allerlei stappen ondernomen waarbij de nodige papieren-rompslomp te pas kwam. Op een goede dag kwamen ze thuis met een pasgeboren baby. Een wezentje, een klein mensje dat thuis werd gehaald zoals bij anderen een jong hondje werd verwelkomd. Een levend wezentje dat er slechts voor diende om te laten zien dat Klaas en Jojanneke Bouwman zich werkelijk alles konden permitteren. Jojanneke behoefde maar te kikken en Klaas zorgde dat ze het kreeg. De vriendinnen konden jaloers zijn, maar dat was ook een beetje de bedoeling...'

Eefje zweeg een moment, blikte naar Geertje of die iets zou begrijpen. Geertje echter liet niets blijken van hetgeen er in haar omging. Ze staarde op de handen in haar schoot die krampachtig ineengestrengeld stillagen...

Eefje vervolgde zacht: 'Ik werd Eveline gedoopt, in spaarzame ogenblikken noemde mama mij Eefje. Er kwamen jufs in huis die mij verzorgden omdat ze daar naar behoren voor werden betaald. Ik kreeg veel aandacht en zorg, weinig warmte en liefde.'

Eefje Bouwman ging naar de kleuterschool, naar de grote school en had vanaf die tijd geen verzorgsters meer nodig: ze kon zichzelf redden. In het grote huis, waar vader steeds vaker door afwezigheid schitterde en mama het achteraf bezien toch wat onplezierig ging vinden, 'zo'n jonge hond' over de vloer die druk was en zo veel aandacht vroeg, werd de kleine Eefje een eenzaam, teruggetrokken kind.

Ze was nog maar klein, een jaar of tien, twaalf, toen ze al aanvoelde dat het bij hen thuis anders verliep dan normaal was. Ze voelde dat zij diende als pronkstuk, onder de pronkstukken. Ze moest mooi zijn, zoet wezen, geen lawaai maken en vooral niets smerig of stuk maken. Eefjes leven was niet dat van een levendig kind maar dat van een mooi aangeklede pop waarmee gepronkt werd. Ze mocht geen last veroorzaken, want dan moest ze naar haar kamer. Daar ontbrak het aan niets maar het was er stil en ze voelde zich er eenzaam.

Na de lagere school – ze was tweemaal blijven zitten omdat ze geen studiehoofd had – wist ze na lang zeuren, huilen, gillen en aandringen, het voor elkaar te krijgen dat ze niet door hoefde te leren. Achteraf bezien was het een uitkomst dat Eefje thuis was, want vader overleed toen betrekkelijk vlug en mama ving aan te sukkelen. In het huurhuis, dat ze toen bewoonden, konden ze zich geen meid permitteren en Eefje werd als vanzelfsprekend de aangewezen persoon om het huishouden draaiende te houden. Toen vader overleed en ze verstoken waren van elke vorm van inkomsten, zocht en vond Eefje een dienstje. Mama werd bedlegerig, moest worden verzorgd en verpleegd en dat deed Eefje als haar dagtaak er bij haar mevrouw opzat. Ze was nu niet langer de mooie pop het meest om de woorden die Geertje gebruikte. Nog nooit eerder was Eefje Bouwman aangesproken met 'mijn meidje' en 'mijn deerntje'. Het waren nieuwe benamingen die haar ontroerden, haar diep raakten en haar het gevoel gaven thuis te zijn gekomen. Eefjes wangen kleurden zich rood toen ze fluisterde: 'Hoe moet ik u nu noemen...? Mama is hier niet op zijn plaats en moeke...'

Geertje onderbrak haar: 'De benaming mama is voor de vrouw bestemd die jarenlang voor je zorgde. Dat er ten opzichte van die 'verzorging' bij mij twijfels bestaan, doet er niet zo toe... Ik wil bedenken dat zij haar best heeft gedaan. Dat ze faalde in haar moederschap kwam doordat ze de bloedband met jou miste... Dat kan zij niet helpen. Moeke, zo kan jij me ook niet noemen. Dat klinkt te Gronings, te dorps voor eentje die uit een grote stad komt. Noem me maar gewoon... Geertje, dat zou ik op prijs stellen...!'

'Moeder Geertje...' zei Eefje zacht, 'ik weet dat ik van haar zal gaan houden want.' ik voel de bloedband die ons samenbindt... Moeder Geertje... met het mogen noemen van die naam, houden alle leugens op...'

Ze schrokken beiden op toen ze volkomen onverwacht Melles stem hoorden: 'Leugens... die heb je mij anders wel op de mouw gespeld, Eefje Bouwman...!'

Melle had zich, dadelijk nadat Geertje zijn slaapvertrek verliet, aangekleed en was naar de huiskamer gelopen. Toen hij de deur daarvan opende hoorde hij de beide vrouwen praten. Hij ving een paar woorden op, overzag de situatie, begreep een boel opeens en... bleef door een kier van de deur staan luisteren. Melle werd hetzelfde ge waar als Geertje, hij herinnerde zich die keer, toen Eefje plotseling voor de deur stond... Hij begreep dat ze toen niet op de advertentie af kwam maar...

'Je hebt tegen mij gelogen... waarom...?' herhaalde hij wat hij daarnet had gezegd.

Hij stapte binnen, sloot de deur achter zich en liet zich in zijn stoel vallen, die een vast plaatsje had naast de schouw. Hij drong zich niet tussen de beide vrouwen, hij zonderde zich bewust wat af en zei andermaal schor en bewogen: 'Waarom, Eefje...?'

Ze blikte hem aan, Eefje Bouwman, open en eerlijk toen ze zei: 'Het was niet mijn bedoeling, u leugens op de mouw te spelden...! Toen ik hier die eerste keer kwam, vroeg ik of ik bij boer Melle Postema was en had nog het vaste voornemen me bekend te maken... Maar ik was erg nerveus, erg gespannen... Ik wist niet hoe u zou reageren als ik zou zeggen wie ik was en waarvoor ik gekomen was... Toen u over die advertentie begon, u het over een meid had die u daarin vroeg, kreeg ik op datzelfde moment een ingeving.' Ik jokte omdat ik bang was dat u me weg zou sturen... En ik wilde zo graag blijven... Ik was zo blij eindelijk thuis te zijn...'

Melle Postema knikte begrijpend. Het duurde even alvorens hij schor fluisterde: 'Achteraf had ik het kunnen weten... Heel vaag kwam je me soms zo bekend voor... Je liet me aan Wietske denken, mijn overleden vrouw...! Nu ik je beter bezie, begrijp ik dat... Je lijkt op haar, je hebt dezelfde mond, dezelfde oogopslag, en...'

Geertje onderbrak hem: 'Ze heeft mijn groene ogen... Heeft u dat ook gezien, vader...?'

Melle knikte en Geertje kon het niet verhelpen dat ze te kattig wellicht, zei: 'Ze heeft mijn ogen... ze is van mij en niemand zal bij machte zijn haar nogmaals bij me weg te halen, vader...!'

Melle begreep de stille wenk waarin een zekere dreiging lag. Hij begreep zo veel dingen tegelijk, hij wist, nu Eefje uit eigen beweging op de hoeve was teruggekeerd, dat een mens het leven niet in eigen hand kan nemen. Melle kon Eefjes komst na al die jaren geen toeval meer noemen. Hij begreep dat het leven van elk mens voorbestemd was, dat alles kwam zoals het komen moest. Hij had het kind Eefje niet gewild, had alles in het werk gesteld om er voor te zorgen dat het niet op zijn hoeve kwam. Ze was een bastaard, een schande die hij niet verdragen kon en wilde. En nu was ze er opeens toch en vroeg Melle zich verwonderd af hoe het toch kwam dat hij haar nu wel wilde... Hij moest er niet aan denken dat ze gaan zou, hem alleen achterlatend.' Kwam dat omdat ze hem aan Wietske herinnerde...? Maar zo sentimenteel was hij in dat soort dingen immers nooit geweest... Melle had geen verklaring voor de gevoelens die hem bestormden. Hij wist enkel dat haar levensverhaal hem diep geschokt had. Jarenlang had hij niet beter geweten of het kind was bij zeer gegoede mensen terechtgekomen. Nu hoorde hij dat dat maar zeer betrekkelijk was geweest en bovendien vernam hij dat ze niet in liefde was opgegroeid. Mensen, die destijds zo vol verlangen naar een adoptie-kind hadden uitgekeken, leerde hij kennen als mensen die het enkel om aanzien ging. Om hebzucht...

Toen hij dat bedacht stak Melle de hand in eigen boezem: was hij niet net zo geweest...? Om het aanzien van de hoeve, om de macht van geld en goed, had hij het kindje van Geertje... weggegeven... En het was zo'n aardig deerntje... Er stak geen kwaad in, ze wilde werken en... ze leek op Wietske... Moest hij zich daarvoor nog schamen, voor dit deerntje dat bij hen hoorde...? Moest hij, alleen voor het oog van het volk, dan andermaal alles weggooien en eenzaam en alleen achterblijven...? Melle dacht aan de jongens van Geertje, aan Geertje zelf en aan Eefje... Hij dacht voor het eerst niet aan zijn machtige hoeve, niet aan de vele bunders land en toch voelde hij zich onnoemelijk rijk. Een overweldigende rijkdom proefde hij en die maakte hem week en warm tegelijk. Melle Postema was nu een doodgewone sterveling, die fluisterde: 'Ik weet niet wat jullie van plan zijn, maar... laat mij niet alleen... laat me bij jullie mogen horen... Het spijt me allemaal zo...' Hij keek bij dat laatste Geertje aan en zij zag voor het eerst tranen in de ogen van haar vader. Dit hele menselijke in hem was voor haar een totaal nieuwe ervaring die haar schokte en haar liet fluisteren:' We zijn geloof ik eindelijk zover gekomen, vader... dat we het verleden kunnen begraven... Dankzij Eefje kunnen we opnieuw beginnen... Met elkaar, niemand uitgezonderd, omdat de band die ons samenbond, niet kapot te krijgen was...'

'Dank je...' Meer kon Melle niet uitbrengen. Een hinderlijke brok in zijn keel veroorzaakte een pijn die hem onbekend was, hem verwarde, en toen hij voelde dat hij zijn tranen niet kon bedwingen stond hij op en verliet zonder een woord te zeggen het vertrek. Melle mocht dan bekeerd zijn, hij bleef wel boer en wenste niet dat vrouwen hem zagen huilen. Stel dat ze hem verwijfd gingen vinden...!

Melle Postema, de rijke hereboer en daardoor nog altijd machtig groot, herkende zijn werkelijke grootheid nog niet. Hij keek daarvoor niet in de juiste richting, niet voldoende in het eigen hart omdat schaamte vaak sterker is dan tere gevoelens.

Nog wel. Toen de deur achter Melle dichtviel blikte Eefje onzeker naar Geertje, die haar geruststellend tegen knikte: 'Laat hem maar even begaan... Soms heeft een mens dringend behoefte om even alleen te kunnen zijn...' Ze blikte Eefje aan toen ze fluisterde: 'Ik ben zo blij dat je gekomen bent, deerntje.' Ik ben zo blij met... jóu...!'

Eefje glimlachte met bibberende lippen. 'Ik had me dit alles zo heel anders voorgesteld... Ik was een beetje bang voor dit moment.' Het moment der waarheid... ik wist niet hoe jullie zouden reageren... of jullie, u vooral, blij met mij zouden zijn...?'

'Die twijfels zijn nu, hoop ik, spoorloos...?'

Eefje knikte: 'O ja...!' En dan, heel zacht en bewonderend: 'Wat bent u nog jong...!'

Geertje glimlachte: 'Ik was nog haast een kind, toen ik je kreeg, deerntje... Ik leek in geen enkel opzicht op een vrouw want in dat geval zou ik nooit hebben toegestaan dat men mij mijn kind... ontfutselde...'

'Wilt u mij over uw leven vertellen, moeder Geertje...?'

Geertje glimlachte om die benaming, ze dacht een moment na en vertelde dan enkel wat ze kwijt wilde. Ze noemde de naam van Evert de Groot, vertelde hoe kort die 'romance' had geduurd omdat zij niet kon zwijgen. Lang en uitgebreid en met liefde verhaalde ze over Mans Maring, over haar leven naast hem dat uit puur geluk had bestaan. Ze vertelde over de geboorte van haar jongens en hoe zij en Mans bij elke nieuwe geboorte aan haar, Eefje, hadden gedacht. Ze vertelde het verschrikkelijke moment van Mans' dood, hoe ze heel kort daarna dat loeder van een bol had verkocht.

Twee dingen noemde ze bewust niet: de naam Janske de Jong, omdat ze nog altijd in de vaste veronderstelling leefde dat het haar plicht was hem buiten schot te laten en ze noemde evenmin de affaire Nanko Bultema, omdat ze het niet nodig achtte de kroon helemaal van vaders hoofd te duwen.

Geertje zweeg, schrok echter wel even toen ze Eefje hoorde vragen: 'Verzwijgt u de naam van de man... die mij verwekte, expres of...'

Geertje viel haar in de rede en zei: 'Dat was geen man... dat was een jongen, net zo groen destijds als ik... Zijn naam heb ik nooit genoemd en zal ik niet noemen. Die neem ik mee in mijn graf...' Ik houd één geheim over, dacht ze stil, dat heet Janske de Jong. Ze dacht aan Janske en aan zijn gezin. Ze wist dat het zo goed was.

'Ik begrijp het wel...' zei Eefje zacht, 'We moeten het verleden en alles wat daarbij hoort maar liever laten rusten.'

'Je bent zeventien, maar heel verstandig...!' glimlachte Geertje. 'Weet u dat, hoe oud ik ben?' Er lag verwondering in haar stem. 'Alsof ik dat niet zou weten! Alsof ik ooit de twaalfde mei zou kunnen vergeten... Elk jaar vierde ik in stilte jouw verjaardag, deerntje... Maar ook buiten die datum was je nooit uit mijn gedachten.' Ze blikte Eefje peinzend aan toen ze zei: 'Toen ik jou daarstraks je levensverhaal hoorde vertellen, ontdekte ik verschillende overeenkomsten. Onze levens lijken op elkaar!' Toen Eefje haar vragend bezag en daarmee liet weten niet te begrijpen waar Geertje heen wilde, verduidelijkte deze: 'In onze jeugd waren we beiden rijk wat betreft de bezittingen van onze ouders... zo moet ik het toch maar noemen,' verontschuldigde ze zich blozend toen ze het woord ouders uitsprak. 'Ik kon niet goed leren, kon op school niet meekomen en jij, zo begreep ik, ook niet. Daardoor verspeelden we beiden de kans om ons te ontwikkelen, wat tot gevolg had dat toen we alleen kwamen te staan, we onze handen moesten gebruiken. Ik deed dat in het huisje van Mans Maring, jij in een dienstje... Ik weet niet of het goed is dat ik het zeg, maar ik ben blij dat jij je niet verder hebt ontwikkeld... dat je niet boven me uit bent gegroeid...!'

'Dat begrijp ik niet...' zei Eefje naar alle eerlijkheid.

Geertje zei: 'Nu nog niet, maar als jij eerdaags naar mij toekomt... als je mijn bedoeninkje ziet... dan zul je pas begrijpen waar ik op doel...'

In gedachten zag ze haar huisje, niet altijd even schoon, zag ze de beesten die bij haar een vrij leven leidden. Ze zag het hemelsbreed verschil tussen haar bedoeninkje en deze hoeve. Ze zag echter ook haar vier gezonde jongens, hun aanhankelijkheid, hun gelijkenis met Mans. Haar mond plooide zich in een gelukkige lach toen ze zacht zei: 'Ik hoop dat je heel gauw bij me komt... dat ik je alles mag laten zien...'

'U wilt echt niet op de hoeve terugkomen...? Ook niet nu ik hier ben...?'

'Ik hoor op de ruimte... daarginder, tussen twee dorpen in, op het plekje dat Mans mij wees...'

'Wat moet u veel van Mans Maring hebben gehouden...'

'Zo veel... dat weet geen mens en dat kan ik niet verwoorden, dat zit in me en zal daar altijd blijven...'

'Morgen kom ik naar u toe...!' beloofde Eefje zacht. 'Ik wil het plekje dat Mans Maring u wees en waar hij u gelukkig maakte, graag zien. Ik wil de jongens leren kennen, Reinder en Fokko en... kleine Manske! Ik wil vriendschap sluiten met... mijn broers...'

Geertje was Eefje dankbaar dat ze het woord half-broers niet gebruikte. 'Gaat u weer...?' Eefjes gezicht betrok toen ze zag dat Geertje opstond en aanstalten maakte om te vertrekken.

'Kleine Manske moet zijn avond fles van tien uur nog hebben, het wordt dus mijn hoogste tijd, deerntje...'

Eefje stond ook op en toen ze voor elkaar stonden wisten ze een moment beiden geen raad met hun houding. Na lange jaren waren ze herenigd en ze hadden een lang gesprek gevoerd; nu was het tijdstip van afscheid nemen aangebroken en dat verwarde hen beiden een beetje. 'Dag, moeder Geertje... tot morgen...' fluisterde Eefje.

Geertje zei niets, ze deed echter wat haar hart haar ingaf: Ze spreidde haar armen wijd en Eefje verstond dat uitnodigend gebaar. Geertje schreide toen ze het jonge meidje tegen haar borst klemde als wilde ze haar nooit meer loslaten. En ze besefte niet dat ze hardop fluisterde: 'Mijn God... wat heb ik hiernaar verlangd... dat ik je even mocht zien... even mocht vasthouden en... koesteren...'

'Ik ben nooit echt gekoesterd...' fluisterde Eefje tegen haar borst, 'ik verlangde naar liefde en geborgenheid, zonder eigenlijk te weten wat die woorden inhielden... Dat proef ik nu pas...'

'Denk daar maar niet meer aan... Houd de vrouw die je grootbracht, maar in ere.' Je bent op de hoeve teruggekomen, niet naar mijn bedoeninkje op de ruimte en zo is het goed... Je had het niet beter kunnen doen!'

'Ik begrijp u geloof ik niet...' Eefje blikte haar vragend aan. Geertje verduidelijkte: 'Lang geleden werd de deur van deze hoeve voor mijn neus gesloten. Vader vooral wilde niks met mij van doen hebben... Ik deugde niet, was een schande voor de hoeve omdat ik... jou ter wereld had gebracht... Als jij eerst naar mij was gekomen, betwijfel ik het of vader dan even mild zou zijn geweeest... Nu ligt dat anders. Vader was erg eenzaam en boog zijn hoofd al een beetje toen jij bij hem kwam. Hij leerde je beter kennen en ging je waarderen en nog wat later ging hij van je houden...!'

'Is dat niet wat voorbarig...' onderbrak Eefje haar, maar Geertje schudde heel zelfverzekerd het hoofd: 'Ik ken mijn vader, ik ken de blik in zijn ogen...! Toen hij daarnet naar jou keek... las ik liefde in zijn ogen... in elk geval iets van tederheid... Dat verbaasde mij en het deed me tegelijk erg goed...'

'Ik heb dat niet gemerkt, wat jammer nou...'

'Ik las die blik toen vader zei: laten jullie me niet alleen... laat mij erbij mogen horen...'

Geertje blikte langs Eefje heen toen ze zei: 'Vader is bang dat hij jou vooral zal gaan verliezen... dat jij naar mij zal trekken, bij ons op de ruimte zal willen blijven...'

Eefje schudde haar hoofd: 'Het zal ongetwijfeld heel merkwaardig klinken als ik zeg dat dat niet gaan zal, omdat ik... van deze hoeve ben gaan houden...! Ik kan het niet verklaren, maar ik heb het gevoel dat ik hier thuis hoor...'

'Het bloed verloochent zich nooit...' fluisterde Geertje en in haar stem lag een snik. Een snik die het verleden uitwiste, die naar de toekomst wees. Toen Geertje de hoeve verliet voelde ze vrede in zich dalen. Vrede hebben met de dingen die gebeurd zijn, dankbaar zijn met de goede afloop van alles, prevelde ze zacht voor zich heen: Het heeft allemaal zo moeten zijn... Wat is het leven in al zijn wonderlijkheid verschrikkelijk de moeite waard.

HOOFDSTUK 17

De volgende morgen stond Geertje zo vroeg en gejaagd op, dat Manske in zijn kribke er wakker van werd en het op een schreien zette. Liggend op haar knieën in de bedstee boog ze zich over het kribke en fluisterde: 'Stil zijn, hoor! Het is jouw tijd nog niet, je zou het hele huis wakker schreeuwen als je zo doorgaat! Moeke moet eruit, maar jij moet je nog een paar uurtjes zoet houden.' Ze stopte het kindje behoedzaam onder: 'Zo lig je toch lekker en je weet toch dat jij moekes lieve jongetje bent...?'

Manske was alweer stil, maakte sabbelende geluidjes en terwijl Geertje zich uit de bedstee liet glijden, prevelde ze in zichzelf: 'Ik kan niet met je spelen, ik heb geen tijd om je te verwennen want ik moet opschieten! Mijn dóchter komt naar huis en ik durf haar zo niet te ontvangen... Ze is het zo anders gewend, ze zou zich lam schrikken...'

Geertje schoot vóór de bedstee haar zwarte gebreide kousen aan, liet haar jurk over het hoofd glijden, streek met beide handen de loshangende haren naar achteren en was, nadat ze in de keuken een natte waslap over haar gezicht had gehaald, klaar om aan de slag te gaan. Straks, als het huisje voor het oog netjes was, zou ze zich wassen en omkleden, dan zou ze meteen haar vlechten eens opnieuw inleggen. Dat had ze al een aantal dagen overgeslagen... Werd ze te slordig op zichzelf...?

Ze gaf zich geen tijd om bij die vraag stil te staan, maar ruimde het keukentje op, veegde de vloer en nam de meubels met een natte lap af. Als ze mooie, dure spullen had, bedacht ze onderwijl, zoals op de hoeve bijvoorbeeld, zou ze niet zo vlug klaar zijn! Daar konden de meubels geen natte lap verdragen, daar wenste het houtwerk van meubels en kasten een lik boenwas die met een zachte doek na moest worden gewreven. Zwaar werk, veel werk, meidenwerk, stak ze in gedachten de draak met de hoeve en met zichzelf! Zo, nog even een lap over de twee vensterbanken. Foei, wat lagen daar een boel afgevallen blaadjes en wie van de katten had de aarde uit de potten op de vensterbank gekrabd? Het was geen overbodige luxe, dat ze eens aan de slag ging, moest ze bekennen. Maar mijn hemel nog aan toe, niemand kon haar dat toch kwalijk nemen? Ze had zo verschrikkelijk veel buiten het huis om te doen, dat ze aan de binnenkant domweg niet toekwam! Ze was al blij als ze de was aan kant kreeg, het eten op tijd op tafel stond en Manske zijn verzorging stipt op tijd kreeg!

Geertje was in het achterhuis bezig toen Reinder riep: 'Moeten we al opstaan, moeke...?'

'Nee, alsjeblieft niet!' riep ze terug. 'Moeke maakt de boel wat aan kant, ze kan jullie daarbij missen als kiespijn! Ga maar weer lekker slapen, ik roep wel als het zover is!'

Op zolder werd het weer stil, Geertje vervolgde haar werkzaamheden zachter dan daarvoor terwijl ze haar gedachten de vrije loop liet. Wat zou Eefje straks zeggen als ze haar bedoeninkje zag...? Er mankeerde vanzelf wel een boel aan, bedacht ze zorgelijk. Als Eefje de bedsteedeuren opende om Manske te zien...? Dan zou ze de diepe kuilen zien waarin moeder Geertje lag te slapen... Ze wist het zelf wel. Er moest hoognodig nieuwe kaf in de bedden, ook in die van de jongens! Dan lagen ze weer hoog, kon ze de kuilen elke morgen weer wegwerken. Dat ging nu niet meer, het kaf was geheel verpulverd. Ze had in het voorjaar geen tijd daarvoor kunnen vinden en nu was er niet of heel moeilijk aan kaf te komen. Er zat niets anders op, ze moest wachten tot het voorjaar. Haar gedachten staakten, ze foeterde hardop in zichzelf: ik ben niet de enige die hier slordig is! Al de rommel die de jongens lieten slingeren... er was haast geen doorkomen meer aan! In het achterhuis vond ze in haar schoonmaakdrift dingen die ze al geruime tijd kwijt was: een laarsje van Reinder, een oude broek van Fokko die hij nog best naar zijn boer aan kon hebben! En daar lag warempel dat handige mes waarmee ze gewend was geweest de voederbieten klein te snijden!

Dat mes had ze gemist; hoe kwam dat nu hier, zou je zeggen! Slordigheid, Geertje Postema, gaf ze zichzelf grinnikend antwoord op die vraag.

Ze werkte nog een tijdje door en vond dan met een blik op de klok, dat het nu welletjes was en bovendien werd haar aandacht alweer door andere dingen gevraagd. De jongens moesten eruit,

Fokko moest de deur uit worden geholpen. Die mocht geen minuut te laat bij zijn boer komen...!

Kort hierna zaten de drie gebroeders Maring rond de keukentafel en aten met smaak de boterhammen, die moeke gesmeerd had, van het zeiltje dat altijd over de tafel lag.

Geertje zat erbij met Manske op haar schoot. Omdat ze haast had, had ze hem vanmorgen maar weer eens niet in bad gedaan. Ze had zijn kopje, zijn handjes en zijn gatje even met een waslap afgenomen. Hij kreeg schone kleertjes aan en mocht naar Geertjes mening nog heel niet mopperen. Manske mopperde ook niet, maar lag zielstevreden aan de fles te zuigen. Zijn oogjes onafgebroken op Geertje gericht. 'Lieve jongen... moekes lieverd ben jij, hoor!' praatte ze door het gekakel dat de grote jongens onderling hadden, heen tegen het kindje op haar schoot.

'Ik zou vandaag best thuis willen blijven!' zei Fokko uit de grond van zijn hart. 'Kan ik me voor één keertje niet ziek melden...?'

'Met ziekte mag je nooit de spot drijven, dat weet je best!' vermaande Geertje hem lachend. 'Waarom zou je thuis willen blijven?'

'Dat zal u niet weten!'

'Jawel, hoor! Jij wilt kennismaken met Eefje, je bent een beetje jaloers op je broers die toevallig vakantie hebben en haar daardoor eerder zien dan jij! Tussen de middag kom jij maar naar huis, dan zal ze er, dunkt me, nog wel zijn...'

Maarten voelde zich trots en bevoorrecht dat hij Eefje als eerste van hen allen had leren kennen en Reinder, de dromer zoals Geertje hem vaak in stilte betitelde, vroeg: 'Moet ik er straks aldoor bij zitten luisteren en moet ik ook wat zeggen...? Of mag ik wel gewoon mijn boek lezen...?'

Geertje lachte vertederd om de zorgen van haar op een na de jongste. Ze zei: 'Als we nou allemaal eens deden zoals we dat gewend zijn, zou dat niet het beste zijn?'

Maarten sneerde rap: 'Dan zou moeke het voorbeeld moeten geven en dat doet u mooi niet! U doet alsof er een prinses op bezoek komt, u hebt het hele huis overhoopgehaald!'

Geertje glimlachte voor zich uit toen ze dacht: dat is ook zo, jongen... mijn prinsesje komt, zo voel ik dat inderdaad... Voor mij is zij nooit ongewenst geweest en nu ik weet dat ze komt, kijk ik met nog meer verlangen naar haar uit.

Eefje Bouwman, mijn dochter, die mij zo lief 'moeder Geertje' noemt...

Tegen koffietijd kwam er niets meer uit Geertjes handen. Ze was ongedurig en wat nerveus, moest ze zichzelf bekennen, en ze deed niets anders dan naar buiten kijken waar ze de weg een heel eind kon volgen. Eindelijk zag ze in de verte een figuurtje naderen en toen repte ze zich naar buiten en bleef voor de ingang van het pad dat naar haar huisje leidde, staan wachten tot Eefje bij haar was.

'Daar ben ik dan!' zong het meisje terwijl ze Geertje spontaan kuste. 'Ik heb naar je uitgekeken, ik ben blij dat je er bent... Kom gauw mee naar binnen...' zei Geertje en ze snapte zelf niet waarom ze nu zo nerveus was.

Terwijl ze op het huisje toeliepen, babbelde Eefje aan één stuk door. Ze vertelde dat ze tot de avond kon blijven en dat ze vanmorgen al vroeg was opgestaan en een boel had gedaan. Dan kunnen we elkaar de hand geven, dacht Geertje, terwijl ze luisterde naar de stem naast haar die haar als muziek in de oren klonk. Ze bezag Eefje heimelijk van opzij en dacht: vader mag dan iemand anders in jou zien, ik zie duidelijk wie jij bent... Je hebt mijn ogen en je hebt dat mooie, blonde haar van... Janske de Jong... Gelukkig heb je van hem alleen maar zijn haarkleur, daardoor kan ik mijn geheim verborgen houden...

Ze waren in het huisje en stonden in het kleine, overvolle keukentje, waar Eefje verwonderd rondkeek en zei: 'Hier woont en leeft u dus... dit is het plekje dat Mans Maring u wees?'

Geertje knikte en wist niet goed waarom ze Eefjes gedachten van het huisje afwendde en die op de jongens, op Maarten en Reinder, vestigde. Was het een gevoel van schaamte dat haar zo snel gebood de jongens aan Eefje voor te stellen...?

Eefje en Maarten begroetten elkaar als oude bekenden, Reinder deed verlegen, zei later dat dat kwam omdat Eefje zo 'raar' praatte.

Het werd een korte begroeting want dadelijk daarna gebood Geertje de beide jongens: 'Naar achteren, jullie! Daar is werk aan de winkel, jullie hoeven er niet als twee oude besjes bij te zitten met klapperende oren! Fokko moet ook, dus waarom jullie niet!

Als het eten op tafel staat roep ik jullie wel in huis. Opschieten nu maar!'

Ze gehoorzaamden, zij het met zichtbare tegenzin en Eefje lachte: 'U hebt de wind er wel onder, moeder Geertje!'

Geertje haalde haar schouders op: 'Dat zal ook nodig zijn, met drie van die belhamels over de vloer moet er toch een de baas zijn, niet dan...?'

Eefje wilde Manske graag zien en toen Geertje de bedsteedeuren opende en op het kribke op de beddeplank wees, schrok Eefje en zei: 'Is dat zijn... bedje...? Maar dat is toch niet gezond, dat zo'n kleintje in zo'n benauwde ruimte ligt...? Hij moet frisse lucht hebben!'

Geertje haalde haar schouders op. 'Zo heb ik het met al de jongens gedaan... zo leerde Mans mij dat... Geen van allen zijn ze ooit ziek geweest. Zelfs bij de winterdag niet, als er aardappelen en winterwortels onder de bedstee lagen opgeslagen...!' Toen ze Eefjes bedenkelijk gezicht zag vroeg ze zacht: 'Je vindt het hier maar niks, hè? Je had het hier heel anders verwacht...' verdedigde ze zichzelf vóór ze aangevallen werd.

Eefje zei zacht: 'Ik kan me dat zo moeilijk voorstellen, dat u hier tevreden mee kunt zijn, terwijl u zonder moeite het zo heel anders zou kunnen hebben... U, maar de jongens ook en kleine Manske zeer zeker... Hij zou aardig beter uit zijn met een ruime slaapkamer op de hoeve... Waarom wilt u dat toch niet...'

'Omdat ik daar mijn reden toe heb...' Het kwam er kort en bot uit en toen ze dat hoorde zei ze zacht: 'Je moet me nemen zo ik ben, meidje... Je moet me niet aldoor op de hoeve wijzen... dat kan ik niet hebben...'

Eefje knikte begrijpend, maar ze dacht: mijn hemel, wat ziet het er hier uit... Zo hoeft het toch niet...! Moeder Geertje was het toch heel anders gewend geweest, dat vergat je toch nooit? Je nam toch altijd iets mee van je ouderlijk huis, van de manier zo je opgevoed was? Zou ze dit harde leven niet aankunnen en daarom wat verslonzen...? Drie jongens die de nodige aandacht en zorgen vroegen, een baby en een kalvermesterij, het was te veel voor een vrouw alleen. Zeker voor een vrouw als Geertje Postema, van komaf een rijke boerendochter... Wilde ze maar terugkomen naar de hoeve! Zij, Eefje, had gisteravond, nadat moeder Geertje vertrokken was, nog een lang gesprek gevoerd met grootvader. Hij wilde niks liever dan dat Geertje met haar jongens eindelijk weer naar huis kwam. Ze zou dit punt dolgraag weer aan willen roeren, maar deed dat niet. In plaats daarvan zei ze opgetogen: 'Moet u eens zien wat ik van grootvader heb gekregen...'

Voor Geertje naar de uitgestoken hand keek, zei ze verbaasd: 'Noem je mijn vader al... grootvader...? Daar ben ik blij om!' Dan keek ze op de haar toegestoken hand en zag de ring aan Eefjes vinger. Ogenblikkelijk herkende ze die: het was de ring die Nanko Bultema haar jaren geleden als verjaarscadeau had willen geven...! In gedachten herinnerde ze zich dat nare moment. Ze zag de ring weer verloren op de tafel liggen... Zij was toen weggevlucht naar Mans en Nanko had de hoeve verlaten en was daar nooit weergekeerd. Had hij de ring dan toen niet meegenomen...? Had vader hem genomen en opgeborgen tot hij een geschikt moment vond om hem dan aan iemand anders te schenken...?

Geertje vond het allesbehalve fijngevoelig van haar vader om Eefje juist die ring te geven. Dat een mens nooit helemaal om te turnen was bewees vader met deze daad.

Geertje blikte van de ring naar Eefje toen ze zei: 'Mooi, hoor...! Echt goud, als ik me niet vergis! Kreeg je die zomaar?'

'Nee, niet zomaar...! Toen u gisteravond weg was kregen grootvader en ik nog een lang gesprek. Grootvader zei toen dat hij zo'n spijt had over alles wat in het verleden was gebeurd. Het gesprek verliep op den duur nogal emotioneel en toen ik zei dat ik hem niets kwalijk nam omdat ik hem had leren kennen zoals hij nu was, niet zoals hij was gewéést, kreeg hij tranen in zijn ogen. Toen stond hij op, liep naar het kabinet en haalde daaruit een doosje... Hij overhandigde mij de ring niet maar stak hem zelf aan mijn vinger... Tja, en toen moest ik opeens huilen en trok hij mij tegen zich aan: niet huilen, deerntje... ik ben zo blij dat ik jou bij me heb... Ik snotterde dat het veel te veel was, zo'n dure ring en toen zei grootvader letterlijk: "Je moet daar iets tegenover stellen... Ik zou graag willen dat jij me grootvader noemde..."'

Eefje kreeg, toen ze dit vertelde, opnieuw tranen in de ogen en ze zei zacht: 'Wat lief, hè...? Grootvader is een lieve man, moeder Geertje... Ik wou dat u hem kon zien zoals ik hem zag... dan kwam u vast wel naar de hoeve terug...!'

Geertje blikte langs Eefje heen, toen ze fluisterde: 'Jij houdt van hem zoals hij nu is, maar ik... zie hem nog aldoor zoals hij was...

Er is zo veel gebeurd... Ik kan me zo moeilijk voorstellen dat een mens zo radicaal kan veranderen...' Ze kon het niet verhelpen, Geertje, dat ze aan duizend dingen tegelijk moest denken. Aan vader, die haar in het belang van de hoeve een paar maal wilde uithuwelijken. Die Mans te min vond... die haar op het kerkhof, toen moeder begraven werd, toesnauwde dat ze afstand diende te houden. Zo was er zoveel voorgevallen dat diep in haar wortel had geschoten en ze niet vergeten kon... Ondanks haar zeventien jaren, leek Eefje heel wijs toen ze zacht zei: 'Door schade en schande, door spijt en verdriet, door ontelbare dingen die het hart pijnlijk raken kan een mens tot inkeer komen, moeder Geertje... Grootvader heeft een tijdlang, verstoken van hulp en aanspraak, alleen op de hoeve moeten leven. Denkt u dat hij op lange eenzame avonden niet na heeft gedacht...? Dat hij niet in zijn eigen hart heeft gegraven en zichzelf leerde kennen...? Grootvader heeft geleerd hoe het niét moet, mogen wij hem dan nu de kans ontnemen om te laten zien hoe het wel moet...?'

'Je maakt het me zo moeilijk, deerntje...'

'Ik wil u enkel helpen... u en grootvader... weer bij elkaar brengen...'

Het gesprek werd verstoord door Manske die, krijsend, te kennen gaf dat hij aan zijn fles toe was. Geertje sprong op. In stilte was ze Manske dankbaar dat er door zijn toedoen een einde kwam aan een gesprek dat haar uit haar evenwicht bracht. Terug naar de hoeve... ze moest kunnen vergeven... vader was een totaal andere man geworden... Eefje was terug... duizenden gedachten spookten tegelijkertijd door haar hoofd toen ze Manske uit de bedstee beurde.

'Mag ik hem de fles geven...?' Eefje leek het voorgaande te zijn vergeten en straalde opgetogen.

Toen ze kort hierna met Manske op haar schoot zat en ze het ventje kuste, knuffelde en prees dat hij toch zo'n mooi jongetje was, schoot Geertjes gemoed vol. Daar zat ze, haar meidje naar wie ze zulke lange jaren had verlangd, met het kind van Mans op haar schoot... Wat kon het raar lopen in het leven... Dit had zij toch nooit kunnen denken, dat alles ooit nog eens zo'n goede afloop zou krijgen... Alles was goed gekomen...

Geertje zuchtte onhoorbaar toen ze zichzelf corrigeerde: nou ja, álles... Ze dacht aan haar vader, aan de hoeve en zuchtte andermaal diep en onhoorbaar.

Na de fles gaf Eefje Manske ook een schone luier en ze deed dat zo handig als was dit voor haar dagelijks werk. Geertje prees haar maar Eefje zei zacht: 'Ik vind het heel vervelend, moeder Geertje... Ik heb het gevoel dat ik niets anders doe dan op u vitten en u de les lezen, maar ik kan van mijn hart nu eenmaal geen moordkuil maken... Ik zeg altijd wat mij dwarszit...'

'Doe dat dan nu ook maar...' knikte Geertje haar tegen toen Eefje zweeg en haar ietwat besluiteloos aanblikte.

'Ik heb een beetje medelijden met Manske...' stak ze voorzichtig van wal. 'Ik heb me er niet mee te bemoeien maar ik ben van mening dat u... niet voldoende op zijn gezondheid let...! U geeft hem koemelk die niet genoeg verdund is... u laat hem de godganse dag, terwijl buiten de zon zo mooi schijnt, in die benauwde bedstee liggen, dat is toch niet goed!'

Geertje trok haar schouders op, in een wat hulpeloos gebaar alvorens ze zei: 'Ik doe zo Mans mij dat leerde... De jongens zijn nooit ziek geweest, waarom zou Manske dat dan wel worden...?'

'Ik denk dat u te veel alleen was, u zag nooit bij anderen hoe het ook zou kunnen. U sprak niet met vrouwen die net als u in de kleine kinderen zaten...'

'Als ik jou zo hoor... heb ik in mijn leven alles verkeerd gedaan...'

'Nee, lieve schat, dat is niet waar, maar een boel dingen zouden anders, zouden veel beter kunnen...'

'Als je nou weer met de hoeve aan komt draven waar ik een beter leven tegemoet zou gaan, heb ik liever dat je je mond maar houdt...' Het kwam er kattig uit en bestraffend, maar er waren opeens ook zoveel dingen die tegelijk op haar af kwamen stormen. Ze begreep wel dat Eefje haar op de hoeve wilde hebben. Eefje wilde niet enkel haar grootvader om zich heen hebben, ze wilde een compleet gezin en daarbij horen... Eefje begreep maar niet dat zij, Geertje, niet naar de hoeve terug kón... daarvoor was er te veel gebeurd, was zij door de jaren heen te veel veranderd. Ze leek toch zeker in niets meer op een boerendochter, op een boerin die in het vooreind van een machtige hoeve de lakens mocht uitdelen... Naast Mans was zij een arbeidersvrouw geworden en dat wilde ze blijven om... jawel, om Mans daarmee te blijven eren. Als een soort dankbetuiging...

Geertje werd in haar gevoelens heen en weer geslingerd en ze hoopte dat de hoeve niet weer ter sprake kwam, maar die hoop bleek ijdel toen tegen twaalven Fokko van zijn boer naar huis kwam. Fokko, haar oudste, die haar zo aan Mans deed denken en... hij was in gezelschap van vader...!

Nadat Fokko kennis had gemaakt met Eefje – die twee leken elkaar op het eerste gezicht al aardig te mogen – vertelde hij opgetogen: 'Onderweg naar huis kwam ik grootvader in de buurt van de hoeve toevallig tegen. Omdat ik wist dat Eefje bij ons was en begreep dat grootvader weer eens alleen zou zijn, nodigde ik hem uit om hier bij ons een boterhammetje mee te komen eten! Een meer of minder doet er toch niet toe...' Hij blikte Geertje vragend aan. Toen die zweeg, enkel het hoofd boog, zei hij zacht: 'Ik had bij grootvader nog iets goed te maken, moeke... Die keer, toen Maarten vroeg of hij eens op de hoeve mocht komen, had ik mijn mond moeten houden... Ik sprong er toen tussen en belette zodoende het lijmen van een breuk...'

Geertje antwoordde niet. Daarvoor waren er te veel vragen in haar die om een antwoord schreeuwden: waarom begreep Fokko niet dat zij het niet kon velen dat vader hier mee at aan tafel... Ze bezat geen tafellaken, geen tafelzilver... dat hoorde in vaders ogen gebruikt te worden op hoogtijdagen... Waarom konden allen zo gemakkelijk vergeven en vergeten en kon zij dat niet...?

Geertje had het moeilijk met zichzelf, maar toen Melle Postema vroeg: 'Je jongen heeft me meegenomen maar... als het niet uitkomt... even goede vrienden, hoor...!' zei ze rap: 'Natuurlijk bent u hier welkom, vader...'

Kort hierna zaten ze aan tafel en praatten de jongelui onderling druk door elkaar heen en deed Melle als was hij niet anders gewend en Geertje was opvallend stil...

Geertje was stil maar ook haar zoon Reinder, het dromertje dat de dingen altijd maar langs zich heen scheen te laten gaan. Geertje was deze houding van hem gewend en daarom schrok ze dan ook hevig toen juist Reinder op een gegeven moment langs zijn neus weg zei: 'Wat gezellig, zo met z'n allen rond de tafel...! Zo zou het altijd kunnen zijn als we bij grootvader op de hoeve gingen wonen. Maar dat wil moeke niet... Dat vind ik jammer, hoor!'

Er viel na zijn woorden een stilte die te snijden was en waarin ze allemaal naar Geertje staarden. Ze werd verlegen onder al die vragende blikken, al die ogen die op haar gezicht gevestigd waren. In haar hoofd leek het te stormen, was het alsof al die open vragen in haar elkaar najoegen: Reinder, dat lieve jongetje van haar dat nooit op de voorgrond trad, altijd afwezig scheen, wilde ook naar de hoeve... Ze wilden allemaal graag... Haar jongens waren niet net als zij, ze voelden zich niet met dit plekje, dat Mans haar had gewezen, verbonden... Ze wilden er weg omdat een bepaalde hoeve hen trok... Vergaten ze dan al die mooie jaren, vergaten ze hun vader Mans Maring...? En wat zou Mans ervan zeggen als zij dit huisje met al de herinneringen aan hem de rug toekeerde...?

Ze poogde Mans voor haar geest te halen, wat moeilijk was dat nu ze er allemaal bij zaten... Ze poogde zijn stem op te roepen. Ze kon het niet alleen aan, Mans moest haar helpen...

Het was niet Mans' stem die plotseling en als van heel ver tot haar overkwam, het was de stem van Melle Postema. Melle had haar heimelijk gadegeslagen, zag in welk een hevige tweestrijd ze verkeerde en zei zacht: 'Geef je toch gewonnen, mijn deerntje! Vergeet het verleden, de nare dingen tenminste, en zie met mij en je kinderen naar de toekomst...'

Toen boog ze het hoofd nog dieper, Geertje, toen legde ze haar armen op de tafel, liet haar hoofd daarop rusten en schreide hartverscheurend. In wanhopige snikken haspelde ze nauwelijks verstaanbaar: 'Ik kan toch niet... naar de... hoeve terug... Zien jullie dan niet hoe ik... eruitzie... Ik ben geen boerin... ik ben zo afgetakeld... Ik hóór daar immers niet meer... Was Mans er maar om me te helpen...' snikte ze inzielig.

Melle stond op en liep om de tafel op haar toe. Daar legde hij zijn grote knuisten op haar schouders en zei schor: 'Mans Maring is er niet om je te helpen, meidje... op hem kan jij nooit meer terugvallen en steunen. Maar je staat niet alleen, je hebt zo'n enorme rijkdom waarop jij kan steunen. Je kinderen en ik... wij willen je zo graag helpen. Mans Maring zou blij zijn als hij zag dat de voordeur van de hoeve openzwaaide en jij daardoor naar binnen ging... Mans zou blij zijn maar ik... zou mijn handen vouwen uit pure dankbaarheid...'

Melle zweeg en Geertje hief heel langzaam haar hoofd op. Door een waas van tranen zag ze de ogen van haar kinderen op zich gericht. Drie paar ogen van Mans... een paar grote, smekende ogen van haarzelf... Die vragende ogen van haar kinderen braken haar verzet. Ze knikte: 'Het is goed...'

Geertje Postema zou nooit kunnen verwoorden wat er in haar omging toen ze op een dag haar huisje voorgoed verliet. Maar evenmin zou ze dat kunnen toen ze met haar kinderen naar de hoeve werd gehaald. Toen Melle Postema haar verwelkomde gebruikte hij maar weinig woorden maar ze raakten haar hart. Melle zei: 'Met jouw terugkeer is de kroon weer op de hoeve geplaatst. Ik dank je daarvoor, mijn dochter...'

Toen Geertje om zich heen blikte, zag ze enkel lachende ogen. Ze wist dat het goed was, dat niets vergeefs was geweest. Haar leven was vaak strijden geweest maar met Eefjes terugkeer was haar levensstrijd beslecht. Haar ogen waren nog vochtig, maar om haar lippen beefde een glimlach toen ze de hoge stoep die naar de voordeur leidde, beklom. In het deurgat bleef ze staan en wenkte ze Melle en de kinderen: 'Kom maar...' Geertje Postema was naar huis teruggekeerd en het was net alsof de kroon niet op de hoeve maar op haar hoofd was geplaatst.